Anne Tyler

*P*rzypadkowy turysta

Przełożyła z angielskiego
Elżbieta Petrajtis-O'Neill

Wydawnictwo „Książnica"

Tytuł oryginału
The Accidental Tourist

Opracowanie graficzne
Mariusz Banachowicz

Fotografia na okładce
© Galina Barskaya

Copyright © Anne Tyler Modarressi et al. 1985
First published in Great Britain
by Chatto & Windus Ltd, 1985
Wszelkie prawa zastrzeżone

For the Polish edition
Copyright © by Wydawnictwo „Książnica", Katowice 2005

ISBN 83-7132-790-0

Wydawnictwo „Książnica" sp. z o.o.
Al. W. Korfantego 51/8
40-160 Katowice
tel. (032) 203-99-05, 254-44-19
faks (032) 203-99-06
Sklep internetowy: http://www.ksiaznica.com.pl
e-mail: ksiazki@ksiaznica.com.pl

Wydanie pierwsze w tej edycji
Katowice 2005

Skład i łamanie:
Z.U. „Studio P", Katowice

Druk i oprawa:
Drukarnia Wydawnicza im. W. L. Anczyca S. A., Kraków

I

Początkowo zamierzali spędzić na plaży cały tydzień, ale żadne z nich nie miało na to ochoty, więc postanowili, że wrócą wcześniej. Samochód prowadził Macon. Sara siedziała obok niego, opierając głowę o boczną szybę. Przez jej splątane brązowe loki widać było fragmenty pochmurnego nieba. Macon miał na sobie konwencjonalny letni garnitur służący mu za strój podróżny — zawsze twierdził, że to o wiele logiczniejsze niż dżinsy ze sztywnymi, twardymi szwami i nitami. Sara włożyła plażową sukienkę frotté bez ramiączek. Wyglądali, jak gdyby wracali z dwóch różnych podróży: Sara opalona, a Macon nie. Był wysokim, bladym szarookim mężczyzną z prostymi, jasnymi krótko ostrzyżonymi włosami i delikatną skórą, która łatwo ulega poparzeniom. W środku dnia zawsze unikał słońca.

Gdy wjechali na autostradę, niebo stało się niemal czarne, a na przednią szybę spadło kilka dużych kropli. Sara usiadła prosto.

— Miejmy nadzieję, że się nie rozpada — powiedziała.

— Nie mam nic przeciwko niewielkiemu deszczowi — odparł Macon.

Sara ponownie oparła się o siedzenie, ale wpatrywała się w drogę.

Był czwartkowy poranek. Na autostradzie ruch niezbyt wielki. Minęli półciężarówkę, a potem bagażówkę z kolekcją nalepek różnych atrakcji stanowych. Krople na szybie stawały się gęstsze. Macon włączył wycieraczki: „Tik-szsz" — wydawały usypiający dźwięk; słychać było delikatny stukot kropel o dach. Co pewien czas zrywał się podmuch wiatru. Deszcz rozpłaszczył wysoką anemiczną trawę na obrzeżach szosy. Zacinał w przystanie pełne łódek, składy drewna i punkty sprzedaży tanich mebli, nieco już przyciemnionych, jak gdyby tutaj padało od dłuższego czasu.

— Dobrze widzisz? — zapytała Sara.

— Oczywiście — odparł Macon. — To nic takiego.

Jechali teraz za wielką ciężarówką, której tylne koła rozpryskiwały wodny pył. Macon zjechał na lewo i wyprzedził ją. Na moment woda zalała szyby, po czym ciężarówka została w tyle. Sara chwyciła się jedną ręką tablicy rozdzielczej.

— Nie rozumiem, jak możesz cokolwiek widzieć i prowadzić — powiedziała.

— Może powinnaś włożyć okulary.

— To, że ja włożę okulary, sprawi, że będziesz lepiej widział?

— Nie ja, tylko ty — powiedział Macon. — Wpatrujesz się w przednią szybę, zamiast w drogę.

Sara nadal trzymała się tablicy rozdzielczej. Miała szeroką gładką twarz, która sprawiała wrażenie spokojnej, ale przy bliższym spojrzeniu w kącikach jej oczu można było dostrzec napięcie.

Samochód zamykał ich w swoim wnętrzu niby pokój. Oddechy zasnuwały mgłą szyby. Odrobina sztucznego chłodu, która pozostała po wcześniej włączonej klimatyzacji, szybko zmieniała się w wilgoć, niosąc ze sobą zapach pleśni. Przemknęli przez tunel. Na jedną pustą, budzącą zdziwienie chwilę deszcz całkowicie ustał. Sara nie zdążyła westchnąć z ulgą, kiedy na dachu ponownie rozległo się bębnienie spadających kropli. Odwróciła się i spojrzała tęsknie na podziemny przejazd. Macon gnał naprzód, trzymając spokojnie dłonie na kierownicy.

— Zauważyłeś tego chłopca na motocyklu? — zapytała Sara. Musiała mówić głośniej, bo otaczał ich bezustanny szum.

— Jakiego chłopca?

— Zaparkował w tunelu.

— Jazda motocyklem w taki dzień to kompletna głupota — stwierdził Macon. — Właściwie zawsze głupie jest wystawianie się na działanie żywiołów.

— My też moglibyśmy to zrobić. Stanąć i przeczekać.

— Saro, gdybym uważał, że grozi nam choćby najmniejsze niebezpieczeństwo, dawno bym się zatrzymał.

— No, nie jestem tego pewna — odrzekła.

Mijali pole, gdzie strugi deszczu przyginały do ziemi źdźbła zboża i zalewały bruzdy. Potężne uderzenia wody biły o przednią szybę. Macon przestawił wycieraczki na szybkie obroty.

— Nie wydaje mi się, żeby ciebie to zbytnio obchodziło — powiedziała Sara. — Może nie mam racji?

— Obchodziło?

— Przedwczoraj powiedziałam do ciebie: ,,Macon, teraz, kiedy nie ma Ethana, zastanawiam się czasem, czy warto żyć''. Pamiętasz, co mi odpowiedziałeś?

— Nie, w tej chwili nie pamiętam.

— Powiedziałeś: ,,Kochanie, prawdę mówiąc nigdy nie uważałem, żeby życie w ogóle miało większy sens''. To twoje własne słowa.

— Mhm...

— I nawet nie widzisz w tym nic złego.

— Nie, chyba nie — potwierdził Macon.

Minął sznur zaparkowanych na poboczu samochodów z zalanymi deszczem szybami. Jeden z nich był lekko przechylony, jak gdyby miał zsunąć się w błotnisty potok kipiącego i rwącego kanału odpływowego. Macon jechał z niezmienną prędkością.

— Nie stanowisz oparcia, Macon — rzekła Sara.

— Kochanie, staram się nim być.

— Zachowujesz się tak jak zawsze, jak przedtem. Twoje małe, ustalone formy postępowania i rytuały, twoje przygnębiające nawyki, dzień po dniu... Żadnego oparcia.

— A czy ja też nie potrzebuję oparcia? — zapytał Macon.

— Nie tylko tobie jest ono potrzebne, Saro. Nie rozumiem, dlaczego uważasz, że to tylko twoja strata.

— Cóż, czasami po prostu tak czuję...

Milczeli przez chwilę. Woda z szerokiej kałuży na środku jezdni uderzyła w spód samochodu i rzuciła go na prawo. Macon przyhamował, po czym znowu przyspieszył.

— Na przykład ten deszcz — ponownie odezwała się Sara. — Wiesz, że mnie denerwuje. Co by ci szkodziło przeczekać go? Okazałbyś trochę troski. Dałbyś mi do zrozumienia, że przeżywamy to wspólnie.

Macon wpatrywał się w drogę przez szybę, po której płynęły strumienie wody.

— Mam pewien system, Saro. Wiesz, że jeżdżę zgodnie z systemem.

— Ty i twoje systemy!

— A poza tym — dodał — skoro uważasz, że nie warto żyć, to nie rozumiem, dlaczego denerwuje cię burza.

Sara skuliła się na swoim siedzeniu.

— Popatrz no! — rzucił. — Rozwalona przyczepa kempingowa na parkingu ciężarówek.

— Macon, chcę rozwodu — powiedziała Sara.

Przyhamował i spojrzał na nią.

— Co ty mówisz?! — Samochód zatańczył na szosie i Macon musiał znowu spojrzeć przed siebie. — Co takiego? — pytał dalej. — Co to miało znaczyć?

— Po prostu nie mogę już z tobą żyć — stwierdziła Sara.

Macon nadal wpatrywał się w szosę, ale nos mu się zaostrzył i zbielał, jak gdyby naciągnięto mu skórę twarzy. Odchrząknął.

— Kochanie, posłuchaj... — zaczął. — To był trudny rok. Było nam bardzo ciężko. Ludzie, którzy tracą dziecko, często tak reagują. Wszyscy to mówią. Wszyscy mówią, że to ogromny stres dla małżeństwa...

— Jak tylko wrócimy, chciałabym znaleźć sobie własne mieszkanie — przerwała mu Sara.

— Własne mieszkanie... — powtórzył, ale powiedział to tak cicho, a deszcz tak głośno walił w dach, że wydawało się, iż Macon tylko porusza ustami. — No cóż... dobrze. Skoro naprawdę tego chcesz.

— Możesz zatrzymać dom — oświadczyła Sara. — Nigdy nie lubiłeś przeprowadzek. — Nie wiadomo czemu, właśnie wtedy ostatecznie się rozkleiła. Odwróciła się od niego gwałtownie.

Macon włączył prawy kierunkowskaz. Zjechał na stację benzynową, zaparkował pod wiatą i wyłączył silnik. Potem zaczął rozcierać dłońmi kolana. Sara kuliła się w swoim kącie. Jedynym dźwiękiem było bębnienie deszczu o wiatę wysoko nad nimi.

II

Macon myślał, że po odejściu żony dom będzie się wydawał większy. Jednakże było mu ciaśniej. Okna się skurczyły, sufity obniżyły. Meble miały w sobie coś natarczywego, jak gdyby napierały na niego. Oczywiście zniknęły osobiste rzeczy Sary, czyli takie drobiazgi, jak ubrania i biżuteria. Okazało się jednak, że niektóre większe przedmioty mają bardziej osobisty charakter, niż sądził. W salonie stało biurko z rozkładanym blatem, a w jego szufladkach znajdowało się pełno poupychanych podartych kopert i listów, na które nie odpisała. W kuchni zostawiła radio nastawione na stację „98 Rock''. (Sara dawniej mawiała, nucąc i podrygując wokół stołu, przy którym jadali śniadanie, że chce mieć dobry kontakt ze swoimi studentami.) Z tyłu domu, w jedynym miejscu, gdzie docierało słońce, stała leżanka, na której się opalała. Macon patrzył na kwieciste poduszki i dziwił się, że puste miejsce może być tak pełne czyjejś osoby — delikatny zapach jej olejku kokosowego, który zawsze wywoływał w nim chęć na piña colada; szeroka, błyszcząca twarz, tajemnicza za ciemnymi okularami; zwarte ciało w kostiumie kąpielowym z krótką spódniczką, na kupno którego nalegała ze łzami w oczach po swoich czterdziestych urodzinach. Na dnie umywalki zauważył kosmyki jej gęstych włosów. Pusta półka w szafce z lekarstwami była pochlapana płynnym różem w specyficznym śliwkowym kolorze, który natychmiast przywodził Maconowi na myśl Sarę.

Zawsze miał jej za złe bałaganiarstwo, ale teraz te plamy wydawały mu się wzruszające, jak kolorowe zabawki zostawione na podłodze po położeniu dziecka do łóżka. Sam dom był średniej wielkości, całkiem zwyczajny. Stał przy ulicy zabudowanej podobnymi domami, w starszej części Baltimore. Rozpościerały się nad nim wielkie dęby, które osłaniały go latem od gorącego słońca, lecz zarazem nie dopuszczały wiatru. Pokoje miał kwadratowe i ciemne. W szafie Sary pozostała tylko wisząca na wieszaku jedwabna szarfa, a w szufladach jej biurka bandaże i puste buteleczki po perfumach. Dawny pokój ich syna był porządnie wysprzątany i ulizany jak pokoje w „Holiday Inn". Tu i ówdzie pobrzmiewało echo. Macon zauważył, że ma tendencję, do przyciskania ramion do ciała i przechodzenia bokiem obok mebli; odnosił wrażenie, że dom go nie pomieści. Czuł się zbyt wysoki. Jego długie niezgrabne stopy wydawały mu się bardzo odległe. Przechodząc przez drzwi, schylał głowę.

Mówił sobie, że teraz ma okazję zreorganizować swoje życie. Poczuł bezsensowny przypływ zapału. Prowadzenie domu wymagało przecież pewnego systemu, a Sara nigdy tego nie rozumiała. Była typem kobiety, która trzyma sztućce i talerze kompletnie przemieszane ze sobą. Potrafiła włączać zmywarkę, kiedy w środku było tylko kilka widelców. Macon się denerwował. Był generalnie przeciwny zmywarkom, bo uważał, że marnują energię. Można powiedzieć, że oszczędzanie energii stanowiło jego hobby.

Zaczął od tego, że cały czas trzymał zlew napełniony wodą, dodając jako środka dezynfekującego nieco chlorku. Po użyciu talerza czy kubka wrzucał je do zlewu. Co drugi dzień wyciągał korek i spłukiwał wszystko bardzo gorącą wodą. Potem układał czyste naczynia w pustej zmywarce, która w jego nowym systemie zaczęła pełnić rolę ogromnego magazynu.

Kiedy pochylał się nad zlewem i puszczał wodę z kranu, często miał wrażenie, że Sara go obserwuje. Czuł, że gdyby przesunął wzrok trochę w lewo, ujrzałby ją, z założonymi rękami, przechyloną głową i pełnymi wargami ściągniętymi w zamyśleniu. Na pierwszy rzut oka mogłoby się wydawać, że po prostu obserwuje jego poczynania, wkrótce jednak nabierał pewności, że śmieje się z niego. W jej oczach był tajemniczy mały błysk, który Macon dobrze znał. „Rozumiem", mówiła potakując, gdy coś długo wyjaśniał, a kiedy podnosił wzrok, widział ten błysk i ostrzegawcze skrzywienie w kąciku jej ust.

W tej wizji — o ile można to nazwać wizją, biorąc pod uwagę, że nigdy się nie obejrzał — Sara miała na sobie jasnoniebieską sukienkę, którą nosiła na początku ich małżeństwa. Nie miał pojęcia, kiedy przestała jej używać, ale z pewnością stało się to wiele lat temu. Niemal czuł, że Sara jest duchem, że nie żyje. W pewnym sensie (myślał, zakręcając kran) ona naprawdę nie żyje, ta młoda, pełna życia Sara z czasu ich pierwszego, pełnego entuzjazmu mieszkania przy Cold Spring Lane. Kiedy usiłował odtworzyć sobie tamten okres, każdy obraz Sary zmieniał się przez fakt, że go opuściła. Gdy przypominał sobie, jak się poznali, będąc jeszcze niemal dziećmi, wydawało mu się, że stanowiło to początek ich rozstania. Kiedy tego pierwszego wieczoru spojrzała na niego i zagrzechotała kostkami lodu w papierowym kubku, już zaczęli wędrówkę w kierunku swego ostatniego, nerwowego i nieszczęsnego, spędzonego wspólnie roku; ku tym miesiącom, gdy wszystko, co którekolwiek z nich mówiło, było niewłaściwe; ku poczuciu wzajemnego mijania się. Byli jak ludzie, którzy z otwartymi ramionami biegną sobie na spotkanie, ale okazuje się, że się pomylili, więc mijają się i biegną dalej. W końcu to wszystko okazało się niczym. Spojrzał na zlew, a ciepło buchające z naczyń delikatnie owiało mu twarz.

Cóż, trzeba się jakoś trzymać. Trzeba się trzymać. Macon postanowił brać prysznic wieczorem, a nie rano. Było to, jak sądził, dowodem, że umie się jeszcze przystosować, dowodem świeżości ducha. Biorąc prysznic pozwalał, aby woda gromadziła się w brodziku, i dreptał hałaśliwie w kółko, udeptując nogami brudne ubrania, które nosił tego dnia. Potem wykręcał je i wieszał, aby wyschły. Wkładał bieliznę, którą miał nosić następnego dnia, dzięki czemu nie musiał prać piżam. Raz w tygodniu prał ręczniki i pościel — tylko dwa ręczniki, ale sporo prześcieradeł. Działo się tak dlatego, że opracował system, który pozwalał mu spać co noc w czystej pościeli bez konieczności zmieniania jej. Od lat proponował Sarze zastosowanie tego systemu, ale ona była okropnie uparta w swoich przyzwyczajeniach. Całą pościel zastąpił rodzajem ogromnej koperty, zrobionej z siedmiu prześcieradeł, które złożył i zeszył razem na maszynie. Nazywał ten wynalazek Workiem Cielesnym Macona Leary'ego. Taki worek nie powodował bałaganu, łatwo go było zmieniać i był odpowiednio lekki na letnie noce. W zimie będzie musiał wymyślić coś cieplejszego, ale jeszcze się nad tym nie zastanawiał. Na razie z trudem radził sobie z dnia na dzień.

Czasami — kiedy ślizgał się na ubraniach skłębionych w brodziku lub wciskał się w swój cielesny worek na nagim, poplamionym rdzą materacu — uświadamiał sobie, że chyba posuwa się zbyt daleko. Nie mógł jednak zrozumieć dlaczego. Zawsze lubił metodyczność, ale nie była to mania. Myśląc o braku metodyczności Sary zastanawiał się, czy i jemu nie wymknęło się to także spod kontroli. Może przez te wszystkie lata utrzymywali się wzajemnie w ryzach. Będąc osobno, pozbawieni wzajemnego magnetyzmu, oczywiście poruszali się na oślep. Wyobraził sobie nowe mieszkanie Sary, którego nigdy nie widział, jako chaotyczne do granic szaleństwa, ze sportowymi butami w piecyku i kanapą zawaloną porcelaną. Sama ta myśl go denerwowała. Z uznaniem rozejrzał się po swoim otoczeniu.

Większość pracy wykonywał w domu; w przeciwnym razie, być może, nie dbałby tak bardzo o mechanizmy jego funkcjonowania. Miał gabinet w małym pokoiku obok kuchni. Siedząc na biurowym krześle i waląc w maszynę do pisania, która służyła mu przez cztery lata studiów, pisał serię przewodników dla ludzi zmuszonych do podróżowania w interesach. Właściwie było to śmieszne, bo Macon nienawidził podróży. Sunął przez obce terytoria w rozpaczliwym zamroczeniu — zaciskając powieki, wstrzymując oddech i jak sobie niekiedy wyobrażał, walcząc o życie — po czym z westchnieniem ulgi wracał do domu i produkował swoje książeczki wielkości paszportu. „Przypadkowy turysta we Francji." „Przypadkowy turysta w Niemczech." „Przypadkowy turysta w Belgii." Bez nazwiska autora — tylko logo: uskrzydlony fotel na okładce.

W tych przewodnikach pisał tylko o miastach, bo ludzie odbywający podróże służbowe latali do miast i z powrotem i w ogóle nie oglądali prowincji. Właściwie nie oglądali też miast. Chodziło im o to, aby udawać, że w ogóle nie opuścili domu. Jakie hotele w Madrycie chlubią się ogromnymi, luksusowymi materacami? Które restauracje w Tokio serwują niskokaloryczne desery? Czy w Amsterdamie jest McDonald's? Czy w Mexico City jest Taco Bell? Czy którakolwiek restauracja w Rzymie podaje ravioli typu Chef Boyardee? Inni podróżnicy mieli nadzieję, że odnajdą znane miejscowe wina, natomiast czytelnicy Macona szukali pasteryzowanego i homogenizowanego mleka.

Chociaż nienawidził podróży, uwielbiał pisanie — organizowanie zdezorganizowanych krajów, odrzucanie rzeczy nieistotnych i drugorzędnych oraz porządkowanie pozostałych w sensowne zwięzłe akapity stanowiło dla niego prawdziwą rozkosz. Ściągał z innych przewodników, wybierając wartościowe fragmenty i odrzucając resztę. Godzinami roztrząsał z upodobaniem problemy interpunkcji. Uczciwie i bezlitośnie wyrzucał stronę bierną. Trud pisania na maszynie sprawiał, że miał opuszczone kąciki ust — nikt nie zgadłby, jak dobrze się bawi. Z prawdziwą radością mogę stwierdzić — wystukiwał, ale jego twarz była ponura i spięta — że w Sztokholmie można już kupić Kentucky Fried Chicken. Po namyśle dodał: również pita bread.* Nie bardzo wiedział, jak to się stało, ale ostatnio pita bread stał się równie amerykański jak hot dogi.

— Oczywiście, że dajesz sobie radę — powiedziała mu przez telefon siostra. — Czy mówię, że nie? Ale mogłeś nas przynajmniej zawiadomić. To już trzy tygodnie! Sara odeszła trzy tygodnie temu, a ja się o tym dowiaduję dzisiaj. I w do-

---

* Pita bread — okrągłe, popularne na Bliskim Wschodzie placki, które można rozcinać i napełniać nadzieniem typu kebab lub innym (przyp. tłum.).

datku przypadkiem. Gdybym nie poprosiła jej do telefonu, to może w ogóle nie powiedziałbyś nam, że od ciebie odeszła.

— Nie odeszła ode mnie — zaprzeczył Macon. — To nie wygląda tak, jak przedstawiasz. Omówiliśmy sprawę jak ludzie dorośli i postanowiliśmy się rozstać, to wszystko. Tylko tego brakuje, żeby moja rodzina zjechała do mnie i biadoliła: „Och, biedny Macon, jak Sara mogła ci to zrobić..."

— Dlaczego miałabym mówić coś takiego? — zapytała Rose. — Wszyscy wiedzą, że mężczyźni z rodziny Learych są trudni we współżyciu.

— No, proszę — zdziwił się Macon.

— Gdzie ona jest?

— Ma mieszkanie w śródmieściu — odpowiedział. — Słuchaj — dodał — nie musisz wyczyniać żadnych cudów i zapraszać jej na kolację czy coś w tym stylu. Ma własną rodzinę. Powinnaś w tej sprawie trzymać moją stronę.

— Sądziłam, że nie chcesz, abyśmy trzymali czyjąkolwiek stronę.

— Nie, nie chcę. Chodzi mi o to, że nie powinnaś trzymać jej strony. To ci usiłuję wytłumaczyć.

— Kiedy żona Charlesa się z nim rozwiodła — stwierdziła Rose — nadal zapraszaliśmy ją w każde święta Bożego Narodzenia, tak jak przedtem. Pamiętasz?

— Tak — odparł Macon ze znużeniem. Charles był ich najstarszym bratem.

— Myślę, że nadal by przychodziła, gdyby nie wyszła ponownie za mąż za kogoś, kto mieszka daleko stąd.

— Co takiego? Gdyby jej mąż był z Baltimore, zapraszałabyś ich oboje?

— Ona, żona Portera i Sara siadywały w kuchni — to było dawniej, zanim żona Portera rozwiodła się z nim — i opowiadały o mężczyznach z rodziny Learych. Mówiły, że ci Leary tacy, że siacy, że u nich wszystko musi być dokładne, dobrze zawczasu przemyślane, że tak musztrują świat, jakby naprawdę uważali, że uda im się utrzymać go pod kontrolą. Ach, ci Leary! Ciągle je słyszę. Kiedyś rozśmieszyła mnie taka sytuacja: w któreś Święto Dziękczynienia Porter i June zbierali się do odjazdu — dzieci były jeszcze małe — i June szła do drzwi z jednym dzieckiem na ręku, z Dannym uczepionym jej płaszcza, z furą zabawek i innych drobiazgów, gdy nagle Porter zawołał: „Stać" i zaczął odczytywanie z notatnika, który zawsze nosił przy sobie: „Butelki, koc, odżywkę wyjąć z lodówki, torba na pieluszki..." June spojrzała tylko na dzieci i wzniosła oczy do nieba.

— To nie był taki zły pomysł — powiedział Macon.

— Biorąc pod uwagę, jaka jest June...

— A zauważyłeś chyba, że wszystko było spisane według alfabetu — przerwała mu Rose. — Też uważam, że to pomaga w porządkowaniu spraw.

Rose miała kuchnię, w której wszystko było ułożone w porządku alfabetycznym do tego stopnia, że tymianek stał obok trucizny przeciw mrówkom. Była więc najwłaściwszą osobą, jeśli chodzi o wypowiadanie się na temat mężczyzn z rodziny Learych.

— No tak, a wracając do tematu: czy Sara kontaktowała się z tobą po rozstaniu?

— Przyjechała raz czy dwa. Właściwie raz — odparł Macon. — Po rzeczy, których potrzebowała.

— Jakie rzeczy?

— Garnek do gotowania na parze i coś tam jeszcze.

— A zatem był to pretekst — stwierdziła szybko Rose.

— Taki garnek mogła kupić za grosze w każdym sklepie.

— Powiedziała, że lubi nasz.

— Sprawdzała, jak sobie radzisz. Nadal jej zależy. Rozmawialiście?

— Nie — odpowiedział Macon. — Dałem jej tylko ten garnek. I otwieracz do butelek.

— Och, Macon. Mogłeś ją zaprosić do środka.

— Bałem się, że odmówi.

Zapadła cisza.

— No tak... — odezwała się w końcu Rose.

— Ale ja sobie daję radę!

— Oczywiście — rzuciła Rose, po czym z pośpiechem dodała, że ma coś w piecyku, i odłożyła słuchawkę.

Macon podszedł do okna w gabinecie. Był gorący dzień, początek lipca, a niebo tak niebieskie, że od patrzenia roz-

Anne Tyler

Urodziła się w roku 1941 w Minneapolis w Minnesocie. Pierwsze próby pisarskie podjęła bardzo wcześnie i już na uniwersytecie dwukrotnie otrzymała nagrodę za swoją twórczość. Obroniła dyplom z literatury rosyjskiej. Przez kilka lat pracowała w bibliotece Uniwersytetu Duke'a i równocześnie pisała. W roku 1985 za powieść *Przypadkowy turysta* otrzymała National Book Critic's Award, a w 1988 *Lekcje oddychania* (*Breathing Lessons*) wyróżniono prestiżową Nagrodą Pulitzera. Mieszka w Baltimore w stanie Maryland.

Nakładem Wydawnictwa „Książnica"
ukazała się powieść
Anne Tyler

OBIAD W RESTAURACJI DLA SAMOTNYCH

bolały go oczy. Oparł czoło o szybę i spoglądał na podwórko, trzymając ręce w tylnych kieszeniach spodni khaki. Na czubku jednego z dębów ptak śpiewał coś, co brzmiało jak pierwsze trzy nuty „Mojej kochanej Cyganeczki". Macon zastanawiał się, czy któregoś dnia zatęskni za taką chwilą jak ta. Nie mógł sobie tego wyobrazić; nie pamiętał żadnego okresu swego życia, który byłby tak ponury jak obecny, ale zauważył, że czas potrafi wszystko ubarwić. A ten ptak ma taki czysty, słodki, przenikliwy głos.

Odwrócił się od okna, zamknął maszynę do pisania i wyszedł z pokoju.

Nie jadał już prawdziwych posiłków. Kiedy był głodny, wypijał szklankę mleka albo zjadał trochę lodów prosto z opakowania. Po najmniejszym posiłku czuł się przejedzony i ciężki, ale ubierając się rano zauważył, że chudnie. Kołnierzyk koszuli odstawiał mu od szyi. Pionowa bruzda pomiędzy nosem a ustami pogłębiła się tak bardzo, że miał trudności z goleniem tego miejsca. Włosy, które zwykle strzygła mu Sara, sterczały nad czołem jak półka. Coś sprawiało, że opadały mu dolne powieki. Kiedyś jego oczy wyglądały jak szare szparki, a teraz były szeroko otwarte i wyrażały lęk. Czyżby objaw niedożywienia?

Śniadanie to najważniejszy posiłek. Macon podłączył maszynkę do kawy i elektryczny rondelek do radia z budzikiem, które trzymał na parapecie w sypialni. Oczywiście narażał się na zatrucie pokarmowe, pozwalając, aby dwa surowe jajka czekały całą noc w pokojowej temperaturze, ale od kiedy zmienił jadłospis, ten problem przestał istnieć. W takich sprawach trzeba wykazać elastyczność. Budził go teraz zapach świeżej kawy i gorącej prażonej kukurydzy; nie wychodząc z łóżka, mógł spożywać jedno i drugie. Ach, radził sobie świetnie, po prostu świetnie! Mimo wszystko.

Jednakże noce były okropne.

Nie miał problemów z zasypianiem. To było łatwe. Oglądał telewizję, aż oczy zaczynały go piec; wtedy szedł na górę. Puszczał prysznic i rozkładał w brodziku ubrania. Czasami sam chciał ominąć ten punkt programu, ale to groziło opóźnieniem w opracowanym systemie. Dlatego wykonywał kolejno wszystkie czynności: wieszał uprane ubrania, przygotowywał wszystko do śniadania, czyścił zęby nicią dentystyczną. Nie umiał pójść do łóżka bez tej czynności. Dla Sary, nie wiadomo czemu, było to denerwujące. Kiedyś powiedziała, że gdyby skazano go na śmierć i powiedziano mu, że rano zostanie rozstrzelany przez pluton egzekucyjny, i tak ostatniego wieczoru upierałby się, że musi wyczyścić zęby nicią. Przemyślawszy sprawę, Macon przyznał jej rację. Oczywiście, że tak by zrobił. Czyż nie czyścił zębów nicią w najgorszej fazie zapalenia płuc? Albo kiedy był w szpitalu z kamieniami w woreczku żółciowym? Albo w motelu tego wieczoru, kiedy zabito ich syna? Obejrzał w lustrze zęby. Nigdy nie były całkiem białe, pomimo wszystkich jego starań. A teraz wyglądało na to, że jego skóra też przybiera żółtawy odcień.

Pogasił światła, przesunął kotkę i pomógł psu wejść na łóżko. Pies był walijskim corgim o bardzo krótkich nóżkach. Uwielbiał spać na łóżku, więc co wieczór stawał na tylnych łapkach, przednie opierał na materacu i patrzył na Macona wyczekująco, dopóki ten go nie podsadził. Potem wszyscy troje się układali. Macon wsuwał się w kopertę, kotka wpasowywała się w ciepłe miejsce pod jego pachą, a pies zwalał mu się w nogach. Macon zamykał oczy i zasypiał.

Po pewnym czasie stwierdził, że staje się świadom swoich snów — że go nie niosą, tylko sam je z mozołem układa, zastanawiając się nad szczegółami. Kiedy docierał do niego fakt, że nie śpi, otwierał oczy i zerkał na radio z budzikiem. Była dopiero pierwsza w nocy, najpóźniej druga. Musiał przetrwać jeszcze tyle godzin.

W głowie kłębiły mu się myśli. Różne drobne zmartwienia. Może nie zamknął na zamek tylnych drzwi? Czy schował mleko? A może wystawił czek na saldo bankowe zamiast na rachunek za gaz? Zdenerwowany przypomniał sobie, że otworzył puszkę soku, po czym wstawił ją do lodówki. Utlenienie metalowych nitów! To się kończy zatruciem ołowiowym!

Zmartwienia się zmieniały i stawały coraz poważniejsze. Zastanawiał się, co się popsuło w ich małżeństwie. Sara była jego pierwszą i jedyną dziewczyną. Teraz żałował, że nie sprawdził się najpierw w innym związku. Podczas dwudziestu lat ich małżeństwa zdarzały się chwile — a nawet miesiące — kiedy brakło mu poczucia, że naprawdę stworzyli jedność, tak jak powinny to czynić pary małżeńskie. Żyli obok siebie, niekiedy wyglądało to tak, jakby nie darzyli się nawet przyjaźnią. Czasami wydawali się raczej rywalami, którzy przepychają się łokciami; walczyli o to, które z nich jest lepszym człowiekiem. Czy Sara, niesystematyczna i żywa, czy też Macon, metodyczny i rozważny?

Kiedy urodził się Ethan, różnice ich charakterów uwidoczniły się jeszcze bardziej. Ponownie wypływały sprawy, które nauczyli się już ignorować. Sara nigdy nie narzucała synowi cienia dyscypliny, była łagodna i niczym się nie przejmowała. A Macon (tak, wiedział o tym i przyznawał się) tak skoncentrował się na przygotowaniu go na wszelkie ewentualności, że nie miał czasu, aby się nim cieszyć. Obraz Ethana w wieku lat dwóch lub czterech pojawiał mu się w pamięci tak wyraźnie, jak film wyświetlany na suficie sypialni. Był roześmianym, słonecznym chłopczykiem, a Macon pochylał się nad nim i załamywał ręce. Kiedy chłopiec miał sześć lat, Macon koniecznie chciał go nauczyć wywijania kijem do baseballu. Byłby głęboko nieszczęśliwy, gdyby Ethan okazał się najsłabszym graczem w drużynie. „Dlaczego? — protestowała Sara. — Jeśli uznają, go za najsłabszego, nic się nie stanie. Nie wtrącaj się, dobrze?" Nie wtrącaj się! Życie jest pełne spraw, na które człowiek nie ma wpływu — trzeba przynajmniej zmieniać te, które można. Sara śmiała się, kiedy Macon spędził kiedyś całą jesień, zbierając różne opakowania, które zawierały wewnątrz nalepki z dżokejami: Ethan lubił oklejać nimi drzwi sypialni. Macon postanowił, że syn będzie miał ich więcej niż ktokolwiek w jego klasie. Ethan dawno już przestał się nimi interesować, a Macon uparcie przynosił je do domu. Wiedział, że to absurd, ale to była ta ostatnia nalepka, której jeszcze nie zdobyli...

Ethan po raz pierwszy wyjechał na obóz dopiero jako dwunastolatek. Większość chłopców zaczynała wyjeżdżać wcześniej, ale Macon odwlekał tę decyzję. „Po co w ogóle chciałaś mieć dziecko — pytał Sarę — skoro teraz zamierzasz odwieźć je do jakiejś zabitej deskami dziury w Wirginii?" Gdy wreszcie uległ, Ethan był już w najstarszej grupie wiekowej — wysoki chłopak, blondyn, o otwartej, przyjaznej twarzy, mający sympatyczny zwyczaj podrygiwania na palcach stóp, kiedy był zdenerwowany. Nie myśl o tym!

Został zamordowany w barze „Burger Bonanza" drugiego wieczoru po przyjeździe na obóz. Była to jedna z tych bezsensownych śmierci — uczestnik napadu zabiera pieniądze i może sobie pójść, ale postanawia najpierw strzelić wszystkim obecnym w tył głowy.

Ethan nie powinien się tam znaleźć. Wymknął się z obozu wraz z kolegą, który z nim mieszkał, a który został wtedy na zewnątrz na czatach.

Możesz winić kierownictwo obozu za brak kontroli. Możesz winić bar „Burger Bonanza" za słabą ochronę. Możesz winić kolegę za to, że nie wszedł do środka, co być może zmieniłoby bieg wypadków. (Jakie czaty, na miłość boską?) Możesz winić Sarę za to, że pozwoliła Ethanowi wyjechać z domu, a siebie za to, że się zgodziłeś. Możesz nawet winić (tak, do diabła) Ethana za to, że chciał pojechać na obóz, że się z niego wymknął i że wszedł do baru jak skończony idiota w trakcie napadu. Możesz go winić za to, że tak potulnie poszedł wraz z innymi do kuchni, oparł ręce o ścianę, tak jak mu kazano, i pewnie kiwał się lekko na palcach stóp...

Nie myśl o tym!

Kierownik obozu nie chciał im przekazywać tej wiadomości przez telefon, więc przyjechał do Baltimore, żeby ich powiadomić osobiście. Potem zawiózł ich do Wirginii. Macon często go wspominał. Miał na imię Jim, Jim Robinson albo Robertson — tęgi, ostrzyżony na jeża mężczyzna z siwymi bakami, w marynarce od garnituru włożonej jak gdyby na znak szacunku na koszulkę sportową drużyny Redskins. Źle się czuł, kiedy panowała cisza, więc robił co mógł, aby ją wypełnić krótkimi pogaduszkami. Macon nie słuchał albo tak mu się wydawało. Teraz przypominał sobie wszystko. To, że matka Jima pochodzi z Baltimore i urodziła się w roku, kiedy

Babe Ruth grał dla drużyny Orioles.* Że jego sadzonki pomidorów zachowują się dziwnie, bo rodzą tylko małe zielone kulki, które spadają, zanim dojrzeją. Że jego żona boi się jazdy na wstecznym biegu i unika sytuacji, w których jest to konieczne. Leżąc teraz nocą w łóżku, Macon wiele o tym rozmyślał. Czy naprawdę można jeździć samochodem, nie używając biegu wstecznego? A co ona robi na skrzyżowaniu, kiedy kierowca autobusu wychyla głowę przez okno i prosi, aby się cofnęła o kilka metrów, bo chce skręcić? Odmawia? Macon wyobraził ją sobie, upartą i zbuntowaną, patrzącą przed siebie i udającą, że nie słyszy. Kierowca zaczyna przeklinać, ryczą klaksony, inni kierowcy wrzeszczą: „No, proszę pani!" To miły obrazek. Macon dobrze go zapamiętał.

Wreszcie siadał i wyplątywał się z pościeli. Pies wzdychał, podnosił się i zeskakiwał z łóżka, po czym dreptał za nim do kuchni. Deski podłogi były zimne, a linoleum w kuchni jeszcze zimniejsze. Z lodówki bił blask światła, kiedy Macon nalewał sobie szklankę mleka. Szedł do salonu i włączał telewizor. Przeważnie nadawano jakiś czarno-biały film — mężczyźni w garniturach i pilśniowych kapeluszach, kobiety w żakietach watowanych na ramionach. Nie próbował śledzić akcji filmu. Popijał mleko małymi łyczkami, czując, jak wapno wędruje do kości. Chyba gdzieś czytał, że wapno leczy bezsenność. Mimochodem głaskał kotkę, która cichaczem właziła mu na kolana. Było zbyt gorąco, żeby trzymać na kolanach kota, zwłaszcza tego — rozleniwioną kocicę koloru szarego tweedu, która wydawała się zrobiona z niezwykle gęstej materii. Zawsze zostawiała mu smugę potu na nagich udach. Pies najczęściej leżał mu na stopach.

— Jesteśmy sami, tylko ja i wy, moi starzy przyjaciele — mówił do nich.

W końcu zganiał zwierzaki i wyłączał telewizor. Wkładał szklankę do roztworu chlorku w kuchennym zlewie. Wchodził po schodach. Stawał przy oknie w sypialni i patrzył na otoczenie — czarne gałęzie rozpościerały się na czerwona-

---

* Babe Ruth — znany gracz baseballowy; Orioles — drużyna baseballowa (przyp. tłum.).

wym nocnym niebie, gdzieniegdzie dachy jaśniały odblaskiem księżyca, tu i ówdzie paliło się światło. Macon zawsze znajdował pocieszenie, widząc światło. „Ktoś też nie może zasnąć" — myślał. Nie chciał brać pod uwagę innych możliwości, na przykład przyjęcia albo serdecznej pogawędki z przyjaciółmi. Wolał wierzyć, że ktoś jest w takiej sytuacji jak on — siedzi nie śpiąc i broni się przed własnymi myślami. To mu poprawiało samopoczucie. Wracał do łóżka. Kładł się. Zamykał oczy i bez wysiłku zapadał w sen.

III

Sara zatelefonowała do Macona i zapytała, czy może przyjść i zabrać granatowy dywan z jadalni.

— Granatowy dywan... — powtórzył Macon, usiłując zyskać na czasie.

— Wspominam o tym tylko dlatego, że nigdy go nie lubiłeś — dodała. — Mówiłeś, że nie należy mieć dywanu tam, gdzie ludzie jedzą.

Rzeczywiście tak było. Twierdził, że to magazyn okruchów. Niehigieniczne. Dlaczego więc odczuł nagle gwałtowną chęć zatrzymania dywanu dla siebie?

— Macon, jesteś tam?

— Tak.

— A więc nie miałbyś nic przeciwko temu, że przyszłabym go zabrać?

— Nie, chyba nie.

— To dobrze. W moim mieszkaniu są trzy gołe podłogi i nie masz pojęcia, jak...

Przyjdzie po dywan, on ją zaprosi do środka. Zaproponuje kieliszek sherry. Usiądą na kanapie, a on zapyta: „Saro, tęsknisz za mną?" Nie, raczej wyzna: „Tęsknię za tobą, Saro".

A ona odpowie...

— Przyjadę w sobotę rano, jeśli nie masz nic przeciwko temu — wyrwał go z tych rozważań głos Sary.

Ale rano nie pija się sherry. A poza tym jego tu nie będzie, uświadomił sobie nagle i powiedział:

— Jutro po południu jadę do Anglii.

— Och, znowu pora na Anglię?

— Może mogłabyś przyjechać dziś wieczorem? — podsunął z nadzieją.

— Nie, mam samochód w warsztacie.

— Samochód? A co się stało?

— No, jechałam i... pamiętasz to małe czerwone światełko po lewej stronie tablicy rozdzielczej?

— Lampka ciśnienia oleju?

— Tak. Pomyślałam, że jeśli się zatrzymam i natychmiast się tym zajmę, to spóźnię się do dentysty, a poza tym samochód był przecież w porządku, więc...

— Zaczekaj. To znaczy, że ta lampka się zapaliła, a ty jechałaś dalej?

— Nie było żadnych nietypowych dźwięków i wszystko działało normalnie, więc uznałam...

— Na miłość boską, Saro!

— A co w tym takiego strasznego?

— Pewnie zepsułaś silnik.

— Nie, wyobraź sobie, że nie. Potrzebna jest tylko drobna, prosta naprawa, ale, niestety, zajmie to kilka dni. Zresztą to nieistotne. Mam klucz od domu, więc sama sobie otworzę w sobotę.

— Może przywiózłbym ci ten dywan?

— Zaczekam do soboty.

— Mógłbym przy okazji obejrzeć twoje mieszkanie. Nigdy tam nie byłem.

— Nie, jeszcze nie jest urządzone.

— Nie obchodzi mnie, czy jest urządzone.

— To kompletna ruina, nic nie zostało zrobione.

— Jak to możliwe? Przecież mieszkasz tam już ponad miesiąc.

— Nie jestem tak cudownie i idealnie zorganizowana jak ty.

— Nie trzeba być zorganizowanym, żeby...

— Czasami nawet nie wychodzę ze szlafroka — przerwała mu Sara.

Macon zamilkł.

— Powinnam się była zgodzić na nauczanie w letniej szkole — dodała. — To by mi narzuciło pewną dyscyplinę. A tak otwieram rano oczy i myślę: „Po co wstawać?"

— Ja też — stwierdził Macon.

— Po co jeść? Po co oddychać?

— Ja też, kochanie.

— Macon, czy myślisz, że ten człowiek cokolwiek rozumie? Chcę go odwiedzić w więzieniu. Chcę usiąść po drugiej stronie kraty, szyby czy co tam mają, i powiedzieć: „Popatrz na mnie. Popatrz. Spójrz, co zrobiłeś. Zabiłeś nie tylko te osoby, które zastrzeliłeś, zabiłeś także innych ludzi. To, co zrobiłeś, będzie trwać wiecznie. Zabiłeś nie tylko mojego syna; zabiłeś mnie, zabiłeś mojego męża. Nie mam w sobie nawet tyle energii, żeby rozsunąć kotary. Czy rozumiesz, co zrobiłeś?" A kiedy już będę pewna, że rozumie, że naprawdę zdaje sobie sprawę i czuje się okropnie, otworzę torebkę, wyjmę pistolet i strzelę mu między oczy.

— Ależ, kochanie...

— Myślisz, że po prostu bredzę, prawda? Przysięgam, że czuję to lekkie kopnięcie w dłoń, kiedy strzelam. Nigdy w życiu nie strzelałam z pistoletu, Boże, chyba nawet nigdy nie widziałam pistoletu! Czyż to nie dziwne? Ethan widział, przeżył coś, o czym ty i ja nie mamy pojęcia. Ale czasami wyciągam dłoń i wysuwam kciuk, jak dzieci bawiące się w kowbojów, zginam palec na spuście i czuję, jaka to by była satysfakcja.

— Saro, nie powinnaś tak mówić.

— Naprawdę? A jak powinnam mówić?

— Jeśli pozwolisz sobie na złość, to ona cię... zje. Wypalisz się. To jest nieproduktywne.

— Produktywne! Ależ na litość boską, nie traćmy czasu na coś, co jest nieproduktywne.

Macon potarł czoło.

— Saro, myślę, że nie możemy sobie pozwolić na takie myśli.

— Łatwo ci mówić.

— Nie, do cholery, nie jest mi łatwo...

— Zamknij po prostu drzwi, Macon, i odejdź. Udawaj, że to się nie stało. Idź poprzestawiać swoje narzędzia; ułóż klucze francuskie od największego do najmniejszego, zamiast odwrotnie. To zawsze frajda.

— Do diabła, Saro!

— Przestań przeklinać, Maconie Leary!

Zamilkli.

— No, tak — odezwał się po chwili Macon.

— No, więc tak — dodała Sara.

— A więc rozumiem, że wpadniesz, kiedy mnie nie będzie.

— Jeśli nie masz nic przeciwko temu.

— Oczywiście, że nie — stwierdził.

Mimo to odłożywszy słuchawkę czuł dziwny niepokój, jak gdyby pozwolił komuś obcemu przyjść do domu. Jak gdyby Sara mogła zabrać coś więcej niż dywan z jadalni.

Na podróż do Anglii ubrał się w najwygodniejszy garnitur. Jeden garnitur zupełnie wystarczy — doradzał w swoich przewodnikach — jeśli weźmiesz kilka podróżnych opakowań środka do usuwania plam. (Macon znał wszystkie produkty, które można było dostać w małych opakowaniach podróżnych, od dezodorantu do pasty do butów.) Garnitur powinien być szary. Nie tylko dlatego, że nie widać na nim brudu; może się również przydać w wypadku niespodziewanych pogrzebów i innych oficjalnych okazji. A przy tym nie jest zbyt ponury na co dzień.

Spakował minimalną liczbę pozostałych ubrań i przybory do golenia. Egzemplarz swojego ostatniego przewodnika po Anglii. Powieść do czytania w samolocie.

Zabieraj tylko to, co się zmieści w podręcznej torbie. Nadawanie bagażu to prowokowanie kłopotów. Włóż kilka podróżnych saszetek proszku do prania, żebyś nie musiał być zdany na łaskę zagranicznych pralni.

Kiedy skończył się pakować, usiadł na kanapie, żeby odpocząć. A właściwie nie tyle odpocząć, ile zebrać się w sobie, jak człowiek, który robi kilka głębokich oddechów, zanim zanurkuje w rzece.

Meble miały linie proste i łagodne zakrzywienia. W promieniu słońca wisiały pyłki kurzu. Jakie spokojne życie wiódł tutaj! Gdyby to był inny dzień, zrobiłby sobie rozpuszczalną kawę. Wrzuciłby łyżeczkę do zlewu i stałby popijając z kubka, a kotka ocierałaby mu się o nogi. Potem być może otworzyłby listy. Wszystkie te czynności wydawały mu się teraz drogie i miłe. Jak mógł narzekać na nudę? W domu miał wszystko tak urządzone, że niemal nie musiał myśleć. Podczas podróży nawet najmniejsze zadanie wymagało wysiłku i podejmowania decyzji.

Kiedy do odlotu zostały dwie godziny, wstał. Jazda na lotnisko zajmowała najwyżej pół godziny, ale nie cierpiał się spieszyć. Po raz ostatni obszedł dom, przystając przy łazience na dole — ostatniej prawdziwej łazience (tak to odczuwał), jaką będzie mu dane widzieć przez następny tydzień. Gwizdnął na psa. Wziął torbę i wyszedł z domu. Uderzyła go fala upału.

Pies jechał z nim tylko kawałek, do weterynarza. Gdyby o tym wiedział, za nic nie wskoczyłby do samochodu. Usiadł obok Macona i dyszał z entuzjazmu; jego beczułkowate ciało było sprężone od oczekiwania. Macon mówił do niego tonem, który miał nadzieję — był uspokajający.

— Gorąco, prawda, Edwardzie? Chcesz, żebym włączył klimatyzację? — Nastawił przełącznik. — No, proszę. Lepiej się czujesz?

Słyszał w swoim głosie coś obłudnego. Edward chyba też, bo przestał dyszeć i rzucił mu szybkie podejrzliwe spojrzenie. Macon postanowił nic już nie mówić.

Jechali ulicami, nad którymi korony drzew tworzyły rodzaj sklepienia. Skręcili w bardziej nasłonecznioną część, pełną sklepów i stacji benzynowych. Gdy zbliżali się do Murray Avenue, Edward zaczął skomleć. Na parkingu Szpitala Weterynaryjnego stał się zdecydowanie mniejszym zwierzęciem.

Macon wysiadł z samochodu i obszedł go, żeby otworzyć drzwi. Kiedy chwycił obrożę Edwarda, pies wbił pazury w tapicerkę. Trzeba go było ciągnąć całą drogę do budynku, a on zapierał się łapami o rozgrzany beton.

Poczekalnia była pusta. W kącie bulgotała woda w akwarium ze złotymi rybkami. Na ścianie wisiał kolorowy plakat ilustrujący cykl rozwoju pasożyta żyjącego w krwiobiegu zwierząt. Za kontuarem siedziała dziewczyna, zagubiona osóbka w kusej bluzce typu stanik przytrzymywany paskiem na szyi.

— Chcę zostawić na kilka dni mojego psa — powiedział Macon, podnosząc głos, żeby można go było usłyszeć przez skowyt Edwarda.

Żując spokojnie gumę, dziewczyna wręczyła mu drukowany formularz i ołówek.

— Był tu już kiedyś? — zapytała.

— Tak, często.

— Pańskie nazwisko?

— Leary.

— Leary, Leary — powtarzała, przerzucając w pudełku karty z danymi.

Macon zaczął wypełniać formularz. Edward stał słupka i tulił się do jego kolan jak dzieciak, który boi się przedszkola.

— Ojej! — Dziewczyna zmarszczyła brwi, patrząc na wyciągniętą kartę. — Edward? Z Rayford Road?

— Tak.

— Nie możemy go przyjąć.

— Co?

— Tutaj jest napisane, że ugryzł opiekuna. „Ugryzł Barry'ego w kostkę, proszę więcej nie przyjmować."

— Nikt mi o tym nie powiedział.

— Powinni byli to zrobić.

— Nikt nie powiedział ani słowa! Zostawiłem go w czerwcu, kiedy jechaliśmy nad morze. Wróciłem i oddali mi go.

Dziewczyna patrzyła na niego, mrugając oczami; jej twarz była pozbawiona jakiegokolwiek wyrazu.

— Proszę posłuchać — powiedział Macon. — Jadę teraz na lotnisko. Muszę złapać samolot.

— Ja tylko wypełniam polecenia — oświadczyła dziewczyna.

— A co go zdenerwowało? — zapytał Macon. — Czy ktoś się nad tym zastanowił? Może Edward miał powody, żeby to zrobić!

Znowu zamrugała powiekami. Edward opadł na cztery łapy i z zainteresowaniem spoglądał w górę, jak gdyby słuchał rozmowy.

— Ach, do diabła! — zaklął Macon. — Chodź, Edwardzie.

Kiedy wychodzili, nie musiał trzymać psa za obrożę. Edward galopował przed nim przez cały parking.

W ciągu tych kilku chwil samochód zmienił się w piekarnik. Macon otworzył okno i siedział, nie włączając silnika. Co teraz? Zastanawiał się, czy nie pojechać do siostry, ale ona też pewnie nie wzięłaby Edwarda. Prawdę mówiąc, nie po raz pierwszy skarżono się na niego. W zeszłym tygodniu na przykład brat Macona, Charles, wpadł, żeby pożyczyć wiertarkę, a Edward szalał wokół niego i z wściekłością szarpał mu mankiety spodni. Charles był tak zdumiony, że tylko odwrócił głowę i gapił się w dół. „Co mu się stało? — zapytał. — Nigdy tego nie robił." Kiedy Macon chwycił Edwarda za obrożę, ten warknął. Odsłonił górną wargę i warczał. Czy pies może przeżywać załamanie nerwowe?

Macon nie wiedział zbyt wiele o psach. Wolał koty. Lubił to, że nie ujawniają swoich zamiarów. Dopiero ostatnio zaczął poświęcać Edwardowi nieco uwagi. Teraz, kiedy był tak bardzo samotny, zaczął do niego przemawiać, a czasami siedział i po prostu mu się przyglądał. Podziwiał jego inteligentne brązowe oczy i lisią mordkę. Podobały mu się „okulary" o barwie miodu, rozchodzące się symetrycznie od nasady nosa. A jego chód! Ethan mawiał, że Edward chodzi tak, jak gdyby miał piasek w kostiumie kąpielowym. Zad chybotał się żwawo, a serdelkowate nóżki wydawały się zawieszone na mechanizmie o wiele prymitywniejszym niż nogi wyższych psów.

Nie mając żadnego lepszego pomysłu, Macon jechał w kierunku domu. Zastanawiał się, co by się stało, gdyby zostawił Edwarda samego, tak jak zostawiał kotkę, z dużym zapasem jedzenia i wody. Nie. A może Sara mogłaby go odwiedzać dwa, trzy razy dziennie? Odrzucił tę myśl — to by oznaczało, że musiałby ją prosić. Musiałby zadzwonić pod numer, którego nigdy nie używał, i poprosić ją o przysługę.

Napis w poprzek ulicy głosił: MIAU-HAU — KLINIKA DLA ZWIERZĄT. Macon przyhamował i Edward upadł do przodu.

— Przepraszam — mruknął Macon i skręcił w lewo na parking.

Poczekalnia w „Miau-Hau" była przesycona zapachem środka dezynfekującego. Za kontuarem stała chuda młoda kobieta w marszczonej bluzce. Miała mocno skręcone czarne włosy, które rozpościerały się aż do ramion niby arabskie nakrycie głowy.

— Cześć! — odezwała się.

— Czy przyjmujecie psy na przechowanie? — zapytał Macon.

— Jasne.

— Chciałbym zostawić Edwarda.

Przechyliła się przez kontuar, żeby spojrzeć na psa. Dyszał radośnie. Było jasne, że jeszcze do niego nie dotarło, co to za miejsce.

— Ma pan rezerwację?

— Rezerwację? Nie.

— Większość ludzi rezerwuje miejsca.

— Nie wiedziałem.

— Zwłaszcza w lecie.

— Nie mogłaby pani zrobić wyjątku?

Zastanawiała się, patrząc na Edwarda i marszcząc czoło. Miała bardzo małe oczy, jak ziarna kminku, a twarz ostrą i pozbawioną koloru.

— Bardzo proszę — powiedział Macon. — Zaraz mam samolot. Wyjeżdżam na tydzień i nie mam nikogo, kto mógłby się nim zająć. Jestem w sytuacji bez wyjścia, naprawdę.

Ze spojrzenia, jakie mu rzuciła, domyślił się, że udało mu się ją zdziwić.

— Nie może go pan zostawić w domu z żoną? — zapytała.

Zastanawiał się, jak u licha funkcjonuje jej umysł.

— Gdybym mógł to zrobić, to chyba by mnie tu nie było.

— Och! Pan nie jest żonaty?

— Jestem, ale ona... mieszka gdzie indziej. Tam nie wolno trzymać zwierząt.

— Aha.

Wyszła zza kontuaru. Miała na sobie bardzo krótkie czerwone szorty. Jej nogi wyglądały jak patyki.

— Sama jestem rozwódką — oświadczyła. — Domyślam się, co pan przeżywa.

— Wie pani — powiedział Macon — jest miejsce, gdzie go zwykle zostawiałem, ale tam nagle stwierdzili, że on gryzie. Mówią, że ugryzł opiekuna, więc nie mogą go już przyjąć.

— Edwardzie, ty gryziesz? — zdziwiła się kobieta.

Macon zdał sobie sprawę, że nie powinien był o tym mówić, ale wydawało się, że ona się nie przejęła.

— Jak mogłeś zrobić coś takiego? — pytała dalej Edwarda. Pies uśmiechnął się do niej i położył płasko uszy, oczekując pieszczoty. Pochyliła się i pogłaskała go po głowie.

— Więc weźmie go pani? — upewniał się Macon.

— No, chyba tak — odparła, prostując się. — Skoro jest pan w sytuacji bez wyjścia... — Położyła na te słowa nacisk, wpatrując się w Macona małymi piwnymi oczkami, nadając swym słowom większą wagę, niżby Macon sobie życzył.

— Proszę to wypełnić. — Wręczyła mu formularz z pliku leżącego na ladzie. — Pańskie nazwisko i adres oraz data powrotu. Proszę nie zapomnieć napisać, kiedy pan wraca.

Macon kiwnął głową i zdjął nasadkę z wiecznego pióra.

— Prawdopodobnie się zobaczymy, kiedy pan przyjdzie go odebrać. To znaczy, jeśli wpisze pan godzinę, o jakiej należy pana oczekiwać. Nazywam się Muriel.

— Czy ta klinika jest otwarta wieczorami? — zapytał Macon.

— Każdego wieczoru oprócz niedziel. Do ósmej.

— Ach, to dobrze.

— Muriel Pritchett — powiedziała.

Wypełniał formularz, podczas gdy kobieta uklękła, aby odpiąć Edwardowi obrożę. Pies lizał ją po policzku. Pewnie myślał, że jest po prostu przyjazną duszą. Tak więc, kiedy Macon skończył, nie pożegnał się. Zostawił formularz na kontuarze i szybko wyszedł; trzymając rękę w kieszeni, aby stłumić brzęczenie kluczy.

Lecąc do Nowego Jorku, siedział obok wąsatego mężczyzny, który wyglądał na obcokrajowca. Na uszach miał słuchawki walkmana. Doskonale — nie groziła rozmowa. Macon z zadowoleniem usadowił się w fotelu. Lubił podróżować samolotem. Kiedy są dobre warunki atmosferyczne, człowiek nawet nie zdaje sobie sprawy z tego, że się porusza. Można udawać, że siedzi się bezpiecznie w domu. Widok z okna jest zawsze taki sam — powietrze, bardzo dużo powietrza — a wnętrze jednego samolotu praktycznie nie różni się od drugiego.

Nie zamówił niczego z wózka z napojami, ale jego sąsiad zdjął słuchawki i poprosił o krwawą Mary. Z różowych gąbkowych słuchawek dochodził szmer skomplikowanej bliskowschodniej melodii o głuchych dźwiękach. Macon spojrzał na małe urządzenie i zastanowił się, czy nie powinien sobie kupić czegoś takiego. Na Boga, nie dla muzyki — w świecie i tak jest zbyt wiele hałasu — tylko jako izolację. Mógłby włączać magnetofonik i nikt by mu nie przeszkadzał. Mógłby puszczać pustą taśmę: pełne trzydzieści minut ciszy. Potem przełożyłby taśmę na drugą stronę i odegrałby kolejne trzydzieści minut.

Wylądowali na lotnisku Kennedy'ego i Macon wsiadł do autobusu, który podwiózł go do hali odlotów; jego następny samolot miał odlecieć dopiero wieczorem. Usadowiwszy się tam, zaczął rozwiązywać krzyżówkę, którą zachował na tę okazję w „New York Timesie" z minionej niedzieli. Siedział za swoistą barykadą — torba na jednym fotelu, a płaszcz na drugim. Wokół niego kłębili się ludzie, ale on miał wzrok wlepiony w stronę gazety i rozwiązawszy krzyżówkę, gładko zabrał się do akrostychu. Kiedy rozwiązał obie szarady, zaczęto wpuszczać pasażerów do samolotu.

Jego sąsiadką była siwowłosa kobieta w okularach. Miała ze sobą robiony na drutach szal. Macon uznał, że nie jest to dobry znak, ale da sobie radę. Najpierw się kokosił — rozluźnił krawat, zdjął buty i wyjął z torby książkę. Potem otworzył ją i ostentacyjnie zabrał się do czytania.

Książka nosiła tytuł „Kochana panno MacIntosh" i miała tysiąc sto dziewięćdziesiąt osiem stron. (Zawsze bierz książkę jako ochronę przed obcymi. Czasopisma czyta się zbyt szybko, lokalne gazety wywołają tęsknotę za domem, a inne przypomną ci, że jesteś obcy. Wiesz, jak obco wygląda druk innych gazet.) Od lat taszczył ze sobą „Pannę MacIntosh". Miała tę zaletę, że nie zawierała, według niego, żadnego wątku, a zarazem była interesująca, więc mógł ją otworzyć i czytać w dowolnym miejscu. Kiedy podnosił wzrok, pamiętał, aby zaznaczyć czytany akapit palcem i zachować otumaniony wyraz twarzy.

Z głośników dochodził zwykły pomruk mówiący o pasach, wyjściach awaryjnych i maskach tlenowych. Zastanawiał się, dlaczego stewardesy tak dziwnie akcentowały: „PODCZAS naszego wieczornego lotu BĘDZIEMY państwu służyć..." Siedząca obok kobieta zapytała, czy chce cukierka miętowego.

— Nie, dziękuję — odparł Macon i ponownie zagłębił się w lekturze. Kobieta zaszeleściła papierkiem i wkrótce doleciał go ostry zapach mięty.

Odmówił koktajlu i kolacji, ale wziął mleko. Zjadł jabłko i małe opakowanie rodzynków, które miał w torbie, wypił mleko i udał się do toalety, żeby umyć zęby i wyczyścić je nicią dentystyczną. Kiedy wrócił, w samolocie było ciemniej; gdzieniegdzie świeciły lampki do czytania. Niektórzy pasażerowie już spali. Jego sąsiadka zawinęła włosy w małe loczki i przypięła je szpilkami. Macon zawsze dziwił się, że ludzie potrafią być w samolocie tak rozluźnieni. Widywał mężczyzn w piżamach i kobiety wysmarowane kremem na noc. Można by pomyśleć, że nie czuli potrzeby intymności.

Ustawił książkę pod cienkim snopem światła i przewrócił stronę. Silniki wydawały zmęczony, uparty dźwięk. Ten okres podróży zawsze mu się dłużył i wlókł, nie lubił tej otchłani pomiędzy kolacją a śniadaniem, kiedy byli zawieszeni nad oceanem i czekali na rozjaśnianie się nieba, co miało stać się porankiem, choć oczywiście w Stanach było jeszcze daleko do rana. Macon uważał, że świt w innych strefach czasowych jest czymś sztucznym, nierzeczywistym — kurtyną, na której wymalowano wschodzące słońce, nałożone na prawdziwą ciemność.

Oparł głowę o zagłówek fotela i zamknął oczy. Gdzieś z przodu samolotu sączył się głos stewardesy, wynurzając się i cichnąc w szumie silników: „Siedzieliśmy i nie było nic do roboty; mieliśmy tylko środową gazetę, a wiesz, że w środy nigdy nie dzieje się nic ciekawego..."

Macon usłyszał męski glos, mówiący mu prosto w ucho: „Macon", ale nawet nie odwrócił głowy. Znał już dźwiękowe złudzenia, jakie zdarzają się w nocy w samolocie. Pod powiekami pojawił mu się obraz mydelniczki na kuchennym zlewie w domu — to kolejna sztuczka, taka wyraźna wizja. Była to owalna mydelniczka z porcelany malowana w żółte róże, w której leżał zużyty kawałek mydła i precjoza Sary — pierścionek zaręczynowy i obrączka ślubna, tak jak je zostawiała, kiedy wychodziła.

— Mam bilety — usłyszał głos Ethana. — A otwierają za pięć minut.

— Dobrze — powiedział Macon. — Zaplanujmy strategię.

— Strategię?

— Gdzie usiądziemy.

— Po co nam do tego strategia?

— To ty chciałeś obejrzeć ten film, Ethanie. Chyba nie jest ci wszystko jedno, gdzie będziemy siedzieć? Oto mój plan. Ty pójdziesz naokoło, do tego rzędu po lewej stronie. Policz małe dzieci. Ja policzę rząd po prawej stronie.

— Oj, tato...

— Czy chcesz siedzieć obok jakiegoś rozwrzeszczanego dzieciaka?

— No, nie.

— A co wolisz — siedzenie przy przejściu?

— Nie ma znaczenia.

— Przejście, Ethanie, czy środek rzędu? Musisz mieć jakieś zdanie.

— Niezupełnie.

— Środek rzędu?

— To bez znaczenia.

— Ethanie, to ma duże znaczenie. Siedząc przy przejściu można szybciej wyjść. Więc jeśli zamierzasz kupować jedzenie albo wyjść do toalety, to powinieneś usiąść przy przejściu. Ale wtedy wszyscy będą się przed tobą przepychać. A jeśli uważasz, że nie będziesz wstawał, proponuję...

— Och, tato, na miłość boską! — zniecierpliwił się Ethan.

— Cóż, skoro przybierasz taki ton, usiądziemy na byle jakim cholernym miejscu, które nam się przypadkowo nawinie.

— Doskonale — powiedział Ethan.

— Doskonale — potwierdził Macon.

Odwrócił głowę i kiwał nią na boki. Powieki miał jednak mocno zaciśnięte; po chwili głosy ucichły i Macon znalazł się w nerwowym mroku, który w podróży uchodzi za sen.

O świcie zamówił filiżankę kawy i połknął wyjętą z torby witaminę. Inni pasażerowie wyglądali niechlujnie i blado. Jego sąsiadka zataszczyła do toalety całą walizeczkę i wróciła uczesana, ale miała zapuchniętą twarz. Macon uważał, że podróż powoduje zatrzymanie płynów. Kiedy włożył buty, okazały się zbyt ciasne, a kiedy poszedł się ogolić, ujrzał pod oczami dziwne napuchnięte worki. I tak był w lepszej sytuacji niż pozostali, bo nie tknął solonego jedzenia i nie pił alkoholu. Alkohol z całą pewnością jest zatrzymywany w organizmie. Macon uważał, że jeśli człowiek wypije w samolocie, to przez kilka dni czuje się zamroczony.

Stewardesa ogłosiła, która godzina jest obecnie w Londynie, i zrobił się ruch, bo pasażerowie zaczęli przestawiać zegarki. Macon nastawił wyświetlający godzinę budzik w kasetce z przyborami do golenia, a zegarek ręczny, który miał normalną tarczę, zostawił bez zmian.

Wylądowali nagle. Było to jak powrót do twardej rzeczywistości — nagłe tarcie, chropowaty pas startowy, ryk silników i hamowanie. Włączył się głośnik i zaczął mruczeć uprzejme przypomnienia. Sąsiadka Macona złożyła swoją robótkę.

— Jestem bardzo podekscytowana — powiedziała. — Po raz pierwszy zobaczę mojego wnuka.

Macon uśmiechnął się i wyraził nadzieję, że wszystko pójdzie dobrze. Teraz, gdy nie obawiał się już, że zostanie schwytany w pułapkę, uznał, że kobieta jest całkiem miła. Poza tym wyglądała tak amerykańsko. Na Heathrow panował jak zwykle nastrój niedawnej katastrofy. Ludzie biegali jak szaleni, inni stali jak uchodźcy, otoczeni skrzyniami i paczkami, a umundurowani funkcjonariusze usiłowali poradzić sobie z nawałem pytań. Macon nie musiał czekać na bagaż, więc przepłynął przez cały ten biurokratyczny zamęt o wiele szybciej niż inni. Potem wymienił pieniądze i wsiadł do metra. (Polecam metro wszystkim oprócz osób, które mają lęk wysokości, a nawet im, o ile będą unikać następujących stacji, gdzie ruchome schody są bardzo strome...)

Podczas gdy pociąg turkotał, Macon porozkładał walutę do przywiezionych z domu kopert — każda koperta miała wyraźnie zaznaczone nominały banknotów. (Jeśli od razu posortujesz obcą walutę, nie będziesz się grzebał w nieznanych monetach ani wpatrywał w mylące znaki drukarskie.) Z naprzeciwka przyglądał mu się rząd twarzy. Ludzie wyglądali tu inaczej, choć nie umiałby powiedzieć, na czym to polega. Uważał, że są zarazem delikatniejsi i mniej zdrowi. Kobieta z niespokojnym dzieckiem powtarzała: „Cicho, kochanie, cicho", typowo angielskim, czystym, melodyjnym i swobodnym głosem. Było gorąco i jej blade czoło pokrywał pot. Macon też się spocił. Wsunął koperty do wewnętrznej kieszeni marynarki. Pociąg stanął i wsiadło więcej ludzi. Stali nad nim, trzymając się nie pasków, tylko drewnianych uchwytów w kształcie żarówek, przymocowanych do ruchomych drążków, które Macon uznał podczas pierwszego pobytu za mikrofony.

Zatrzymał się jak zwykle w Londynie. Stąd miał robić krótkie wypady do innych miast, nie spisując nigdy więcej niż kilka hoteli i restauracji, dostępnych w promieniu kilkuset metrów w każdym z tych miejsc; jego przewodniki nie zawierały całościowych, wyczerpujących informacji. („Wiele innych książek opisuje, jak zwiedzić w danym mieście możliwie najwięcej miejsc — powiedział jego szef. — Ty masz opisać, jak można zwiedzić jak najmniej.") Hotel, w którym zamieszkał Macon, nazywał się „Jones Terrace".

Wolałby któryś z amerykańskich hoteli, należących do wielkich sieci hotelowych, ale były zbyt drogie. „Jones Terrace" był całkiem dobry — mały i zadbany. Macon natychmiast przystąpił do działania, żeby urządzić pokój po swojemu — zdarł z łóżka brzydką narzutę i wepchnął ją do szafki, rozpakował swoje rzeczy, schował torbę. Przebrał się, przepłukał koszulę, bieliznę i skarpety, które miał na sobie w podróży, i powiesił je w kabinie prysznicowej. Potem, rzuciwszy tęskne spojrzenie w kierunku łóżka, wyszedł coś zjeść. W Stanach było jeszcze daleko do rana. Śniadanie jest posiłkiem, który biznesmeni najczęściej muszą zorganizować sobie sami, gdziekolwiek więc jechał, zawsze starannie badał możliwości w tej dziedzinie.

Poszedł do „Yankee Delight", gdzie zamówił jajecznicę i kawę. Obsługa była doskonała. Kawa pojawiła się natychmiast, a potem kelner co chwila napełniał mu filiżankę. Jaja niestety nie smakowały tu tak, jak w Stanach. Co to za historia z tymi jajkami? Nie miały wyraźnego smaku. Mimo to otworzył swój przewodnik i postawił znaczek obok „Yankee Delight". Pod koniec tygodnia te strony będą niemal nie do odczytania. Wykreśli pewne nazwy, wstawi inne i zapełni marginesy notatkami. Zawsze chodził ponownie do restauracji i hoteli, które poprzednio wymienił w przewodniku. Było to nużące, ale szef nalegał. „Pomyśl tylko, jak by to wyglądało — mówił Julian — gdyby czytelnik wszedł do którejś z polecanych przez ciebie restauracji i zobaczył, że została przejęta przez wegetarian".

Zapłacił rachunek i przeniósł się do „New America", gdzie zamówił kolejne jajka i kawę.

— Bezkofeinową — dodał. (Był już wystarczająco pobudzony.) Kelner oświadczył, że nie mają bezkofeinowej kawy.

— Ach, nie macie — powiedział Macon i kiedy kelner odszedł, zrobił odpowiednią uwagę w notatniku.

Jego trzecim celem stała się restauracja zwana „U. S. Open", gdzie kiełbaski były tak suche, jak gdyby pieczono je na dachu. Zgadza się: „U. S. Open" zostało polecone przez jednego z czytelników. Ach, te miejsca proponowane przez czytelników! Kiedyś, zanim zmądrzał, Macon zarezerwował pokój w motelu wyłącznie na podstawie takiej sugestii (gdzieś w Detroit, w Pittsburghu albo w innym mieście) — potrzebował tego do przewodnika „Przypadkowy turysta w Ameryce". Gdy tylko ujrzał pościel, natychmiast się wyniósł i uciekł naprzeciwko do „Hiltona", gdzie portier wybiegł mu na spotkanie i chwycił jego torbę z okrzykiem współczucia, jak gdyby Macon właśnie dowlókł się z pustyni. Nigdy więcej, poprzysiągł sobie. Zostawił kiełbaski na talerzu i poprosił o rachunek.

Po południu (jeśli można to tak nazwać) odwiedzał hotele. Rozmawiał z dyrektorami i dokonywał inspekcji wybranych pokoi, gdzie sprawdzał łóżka, spuszczał wodę w toalecie i zerkał na sitko prysznica. Większość utrzymywała mniej więcej przyzwoity poziom, ale coś się zmieniło w „Royal Prince". Wyglądał jakoś... zagranicznie. Śniadzi przystojni mężczyźni w lekkich jedwabnych garniturach rozmawiali w foyer, a małe brązowe dzieci goniły się wokół spluwaczek. Macon miał wrażenie, że jest bardziej zagubiony niż zwykle i że wylądował w Kairze. Kobiety o stożkowatych sylwetkach, w długich czarnych welonach, wypełniały obrotowe drzwi, wlewając się z ulicy z torbami na zakupy pełnymi... czego? Usiłował je sobie wyobrazić, jak kupują wytarte niebieskie szorty dżinsowe i sięgające ud buty z różowej siatki — czyli towary, które widywał na większości wystaw sklepowych.

— Hm... — zaczął rozmowę z dyrektorem. Jak to ująć? Nie cierpiał, aby uważano go za człowieka o ciasnych poglądach, ale jego czytelnicy unikali wszelkiej egzotyki.

— Czy hotel, hm, zmienił właściciela? — zapytał w końcu.

Dyrektor wyglądał na niezwykle wrażliwego osobnika. Wyprostował się i powiedział, że „Royal Prince" jest własnością korporacji, zawsze do niej należał i zawsze będzie do należał, i jest to wciąż ta sama korporacja.

— Rozumiem — mruknął Macon. Wyszedł jednak z poczuciem zaburzenia jakiegoś porządku.

W porze kolacji powinien się udać do jakiejś elegantszej restauracji. Musiał uwzględnić w przewodniku przynajmniej jedną taką restaurację w każdym mieście — miejsce, gdzie można zapraszać klientów. Ale tego wieczoru nie miał na to ochoty. Poszedł więc do ulubionej kawiarni „My American Cousin". Przychodzący tam goście mówili z amerykańskim akcentem, podobnie jak część obsługi, a stojąca przy wejściu hostessa wręczała karty z numerami. Jeśli twój numer wywołano przez megafon, mogłeś wygrać telewizor lub przynajmniej kolorowe zdjęcie restauracji.

Macon zamówił pokrzepiającą kolację złożoną z gotowanych jarzyn, dwóch jagnięcych kotletów oraz szklanki mleka. Mężczyzna przy sąsiednim stoliku też był sam. Jadł sympatyczny pasztecik wieprzowy, a kiedy kelnerka zaproponowała mu deser, powiedział: „Zaraz, niech spojrzę, może spróbuję tego"; przeciągał słowa z przymilną miną człowieka, którego żona i matka całe życie namawiały, żeby nieco przytył. Macon wziął ciasto imbirowe. Podawano je ze śmietaną, dokładnie tak jak w domu jego babki.

Kiedy ręczny zegarek wskazywał ósmą, leżał już w łóżku. Pora była, oczywiście, zbyt wczesna, ale tylko tak długo zdołał przeciągnąć ten dzień — Anglicy uważali, że jest północ. Następnego dnia miał zacząć swoje szybkie jak trąba powietrzna wypady do innych miast. Wybierze kilka przykładowych hoteli i spróbuje kilku typowych śniadań. Kawa z kofeiną i bez. Krótko i długo smażony bekon. Świeży sok pomarańczowy oraz sok z puszki, mrożony. Kolejne krany pryszniców, kolejne materace. Czy suszarki do włosów są dostarczane na żądanie klienta? Czy są gniazdka na prąd 110--woltowy do golarek elektrycznych? Kiedy zasnął, wydawało mu się, że anonimowe pokoje wirują wokół na karuzeli. Brezentowe stojaki na walizki, sufitowe zraszacze i oprawne w laminat przepisy przeciwpożarowe pojawiały się, znikały i znów się pojawiały — i tak będzie do końca jego życia. Wydawało mu się, że Ethan jedzie na gipsowym wielbłądzie, woła: „Złap mnie!" i spada, ale on nie jest w stanie zdążyć na czas i kiedy wyciąga ramiona, Ethana już nie ma.

Jednym z niedobrych nawyków Macona było to, że zbyt wcześnie zaczynało go korcić, aby wrócić do domu. Niezależnie od tego, jak krótki miał być pobyt, w pewnym momencie stwierdzał, że powinien już wyjechać, że wyznaczył sobie zbyt wiele czasu, że wszystko co konieczne zostało już zrobione — lub prawie wszystko i prawie zrobione. Resztę pobytu spędzał wydzwaniając do biur podróży, odbywając bezowocne wyprawy do biur linii lotniczych, wyczekując daremnie na zwrócone w ostatniej chwili bilety, aż wreszcie musiał wracać do hotelu, z którego się dopiero co wyprowadził. Zawsze sobie obiecywał, że sytuacja ta się już nie powtórzy, ale jakoś zawsze się powtarzała. W Anglii zdarzyło się to czwartego dnia po południu. Zastanawiał się, co ma jeszcze do roboty. Czyż nie oddał już ducha tego miejsca?

Bądźmy szczerzy: była sobota. Zapisując datę w książeczce wydatków, uzmysłowił sobie, że w Stanach jest sobotni ranek. Sara przyjedzie do domu po dywan.

Otworzy frontowe drzwi i wciągnie w nozdrza zapach domu. Przejdzie przez pokoje, w których w minionych latach była taka szczęśliwa. (Czyż nie była szczęśliwa?) Zastanie kotkę rozciągniętą na kozetce — długą, leniwą i ospałą — usiądzie na poduszce obok niej i pomyśli: „Jak mogłam odejść?"

Niestety, w lecie linie lotnicze są zawalone rezerwacjami. Spędził dwa dni, badając wszelkie, choćby najbardziej znikome szanse, które natychmiast wyparowywały, gdy się ku nim zbliżał. „Cokolwiek! Załatwcie mi cokolwiek! Nie muszę jechać do Nowego Jorku, pojadę do Dulles, do Montrealu, do Chicago! Do licha, pojadę do Paryża albo do Berlina i sprawdzę, czy tam mają jakieś wolne miejsca. Czy są jakieś statki? Ile czasu zajmuje teraz podróż statkiem? A gdyby to była sytuacja awaryjna? Na przykład gdyby moja matka była umierająca? Chce pani powiedzieć, że nie można się wydostać z tego miasta?"

Ludzie, z którymi miał do czynienia, byli niezmiennie uprzejmi i mieli świetny humor — doprawdy, gdyby nie stres związany z podróżą, mógłby polubić Anglików — ale nie potrafili mu pomóc w rozwiązaniu problemu. Ostatecznie musiał zostać. Resztę tygodnia spędził skulony w swoim pokoju, oglądając telewizję, gryząc palce i zadowalając się nie psującymi się produktami żywnościowymi oraz ciepłymi napojami, bo nie był w stanie pójść do kolejnej restauracji.

W dniu odlotu zjawił się, rzecz jasna, jako pierwszy do odprawy. Wybrał miejsce przy oknie, w sektorze dla niepalących. Obok siedziała bardzo młoda para całkowicie zajęta sobą, nie musiał więc uciekać się do „Panny MacIntosh"; przez całe długie, nudne popołudnie patrzył na chmury. Popołudnie nigdy nie było jego ulubioną porą dnia — zwłaszcza w podróżach powrotnych. Ciągnęło się godzinami, przerywane drinkami, obiadem, kolejnymi drinkami — a on za każdym razem odmawiał. Potem pokazywano film i pasażerowie musieli zaciągnąć rolety. Samolot wypełniło pomarańczowe światło, uciążliwe i gęste.

Kiedyś, gdy pojechał w niezwykle trudną podróż — do Japonii, gdzie nie można nawet zapamiętać znaków, żeby wrócić w jakieś miejsce — Sara czekała na niego w Nowym Jorku. Była to ich piętnasta rocznica ślubu i chciała mu zrobić niespodziankę. Zadzwoniła do Becky z biura podróży, zapytała ją o numer lotu, a potem zostawiła Ethana ze swoją matką i przyleciała na lotnisko Kennedy'ego, przywożąc piknikowy kosz pełen wina i serów, które jedli w hali dla pasażerów, czekając na samolot do domu. Macon miał w pamięci każdy szczegół tego posiłku: sery ułożone na marmurowej płytce, wino w kryształowych kieliszkach na nóżkach, które jakoś przetrwały podróż. Nadal czuł smak rozpływającego się w ustach brie. Wciąż widział małą, kształtną dłoń Sary, zdecydowanym ruchem krojącą chleb.

Ale dziś nie czekała na niego w Nowym Jorku.

Nie czekała na niego nawet w Baltimore.

Zabrał samochód z parkingu i ruszył do miasta w groźnym zmroku, który wydawał się coś obiecywać — burzę lub błyskawice — w każdym razie coś dramatycznego. A może czeka w domu? W swoim pasiastym kaftanie, który tak lubił? Z zimną kolacją ustawioną na stole w patiu?

Nie chcąc przyjmować niczego za pewnik, zatrzymał się przy sklepie „Seven-Eleven", żeby kupić mleko. Potem pojechał do kliniki weterynaryjnej odebrać Edwarda. Przyjechał do „Miau-Hau" na kilka minut przed godziną zamknięcia, bo zgubił drogę. Za kontuarem nie było nikogo. Musiał nacisnąć dzwonek. Dziewczyna z końskim ogonem wysunęła głowę przez drzwi, wpuszczając zgiełk zwierzęcych głosów, które brzmiały w różnych tonacjach, niczym strojąca instrumenty orkiestra.

— Słucham? — zapytała.

— Przyszedłem po psa.

Podeszła i otworzyła leżącą na ladzie książkę.

— Pańskie nazwisko?

— Leary.

— Aha... Chwileczkę.

Macon zastanawiał się, co Edward nabroił tym razem.

Dziewczyna zniknęła, a po chwili pojawiła się inna, ta z kręconymi włosami. Tego wieczoru była ubrana w czarną sukienkę w różowe kwiaty z dekoltem w szpic, z watowanymi ramionami i zbyt kusą spódniczką, oraz sandały na niedorzecznie wysokich obcasach.

— Cześć! — rzuciła wesoło. — Jak się udała podróż?

— Ach, była... gdzie jest Edward? Czy wszystko w porządku?

— Jasne, że w porządku. Był bardzo grzeczny, kochany i przyjacielski!

— No to świetnie.

— Było nam razem bardzo dobrze. Chyba zapałał do mnie sympatią, nie wiem czemu.

— Cudownie — powiedział Macon. Odchrząknął. — Czy mogę go odebrać?

— Caroline go przyprowadzi.

— Aha.

Zapadło milczenie. Kobieta czekała, przyglądając mu się z zuchwałym uśmiechem, położywszy dłonie na ladzie. Macon zauważył, że pomalowała paznokcie na ciemnoczerwony kolor, a na ustach miała niemal czarną szminkę, która podkreślała niezwykle skomplikowany kształt jej warg — były kanciaste jak niektóre odmiany jabłek.

— Hm... — odezwał się wreszcie Macon. — Może zapłacę?

— Ach, tak. — Przestała się uśmiechać i zerknęła do otwartego notatnika. — Czterdzieści dwa dolary.

Macon podał kartę kredytową. Nie mogła sobie poradzić z maszynką tłoczącą napisy: wszystko musiała robić opuszkami palców, żeby nie uszkodzić paznokci. Wypełniła puste miejsca nierównym pismem i podsunęła mu rachunek.

— Podpis i numer telefonu. — Oparła się na ladzie i patrzyła, co pisze. — To pana numer domowy czy służbowy?

— Domowy i służbowy. A co za różnica? — zapytał Macon.

— Pytam z ciekawości. — Oddarła jego kopię, znowu opuszkami palców, i włożyła pozostałą część rachunku do szuflady. — Nie wiem, czy wspomniałam przedtem: tak się składa, że tresuję psy.

— Co pani powie... — rzekł Macon.

Spojrzał w stronę drzwi, za którymi zniknęła pierwsza dziewczyna. Zawsze się denerwował, kiedy musiał zbyt długo czekać na przyprowadzenie Edwarda. Co oni tam robią? Pozbywają się jakichś dowodów?

— Moją specjalizacją są psy, które gryzą — powiedziała kobieta.

— Specjalnością.

— Słucham?

— Webster zaleca użycie słowa „specjalność".

Rzuciła mu pozbawione wyrazu spojrzenie.

— To musi być niebezpieczna praca — dodał uprzejmie.

— Ach, nie dla mnie! Nie boję się absolutnie niczego.

Przy znajdujących się za nią drzwiach rozległ się jakiś hałas: Edward wpadł do środka, a za nim dziewczyna z końskim ogonem. Pies cienko skomlił i miotał się tak radośnie, że kiedy Macon pochylił się, żeby go pogłaskać, Edward nie bardzo kojarzył, co się dzieje.

— No, uspokój się! — powiedziała dziewczyna. Usiłowała mu zapiąć obrożę.

Tymczasem kobieta za kontuarem mówiła:

— Gryzące, szczekające, głuche psy, nieśmiałe psy, psy, które były niewłaściwie traktowane, psy, które nabrały złych nawyków, psy, które dorastały w sklepach ze zwierzętami i nie ufają ludziom... Ze wszystkimi potrafię dać sobie radę.

— To dobrze — stwierdził Macon.

— To nie znaczy, oczywiście, że Edward chciał mnie ugryźć. On się we mnie zakochał, jak już chyba panu mówiłam.

— Miło mi to słyszeć.

— Ale mogłabym go bardzo szybko wyszkolić, żeby nie gryzł innych ludzi. Proszę to przemyśleć i zadzwonić do mnie. Muriel, pamięta pan? Muriel Pritchett. Dam panu moją wizytówkę.

Wręczyła mu łososioworóżową wizytówkę, którą wyciągnęła nie wiadomo skąd. Musiał obejść Edwarda, żeby ją wziąć.

— Uczyłam się u człowieka, który szkolił psy obronne — powiedziała. — Osoba, którą ma pan przed sobą, nie jest żadnym amatorem.

— Będę o tym pamiętał. Dziękuję bardzo.

— Albo niech pan zadzwoni bez powodu. Zadzwoni i porozmawia.

— Porozmawia?

— Jasne! O Edwardzie, o jego problemach, o... wszystkim! Proszę podnieść słuchawkę i po prostu pogadać. Nigdy pan nie ma na to ochoty?

— Nie — odrzekł Macon.

W tym momencie Edward wydał wyjątkowo przenikliwy skowyt i obaj, pan i pies, pospieszyli do domu.

Oczywiście nie było jej. Wiedział to w chwili, gdy tylko wszedł do domu, wciągnął w płuca zastałe gorące powietrze i poczuł przytłumioną gęstość pomieszczenia, w którym wszystkie okna są zamknięte. W gruncie rzeczy wiedział o tym cały czas. Oszukiwał się. Wymyślał bajki.

Kotka przemknęła obok niego i uciekła za drzwi, miaucząc oskarżycielsko. Pies popędził do jadalni, żeby wytarzać się na dywanie i pozbyć się zapachu psiarni. Ale nie było dywanu, tylko goła, pokryta kłaczkami podłoga i Edward zatrzymał się z głupim wyrazem pyska. Macon doskonale wiedział, co czuje pies.

Odstawił mleko i poszedł na górę, żeby się rozpakować. Wziął prysznic, udeptał brudne ubrania i zaczął się przygotowywać do snu. Kiedy gasił światło w łazience, widok prania kapiącego nad brodzikiem przypomniał mu podróż. Czym to się w zasadzie różniło? „Przypadkowy turysta w domu" — pomyślał i ze znużeniem wsunął się w swój cielesny wór.

IV

Kiedy zadzwonił telefon, Maconowi śniło się, że to Ethan. Śniło mu się, że Ethan dzwoni z obozu i dziwi się, że go nie odebrali. „Myśleliśmy, że nie żyjesz" — powiedział Macon, a Ethan odparł swoim czystym głosem, załamującym się na wysokich tonach: „Skąd wam to przyszło do głowy?" Telefon zadzwonił ponownie i Macon się obudził. Gdzieś w klatce piersiowej odezwał się głuchy odgłos rozczarowania. Zrozumiał, dlaczego ludzie mówią, że serce „zamiera".

Powoli sięgnął po słuchawkę.

— Słucham.

— Macon! Witaj po powrocie!

Był to Julian Edge, jego szef, jak zwykle hałaśliwy i pełen energii, nawet o tak wczesnej porze.

— Aha — mruknął Macon.

— Jak się udała podróż?

— W porządku.

— Wróciłeś wczoraj wieczorem?

— Tak.

— Znalazłeś jakieś nowe wspaniałe miejsca?

— „Wspaniałe" to lekka przesada.

— To teraz chyba zaczniesz pisać.

Macon nie zareagował.

— Kiedy mi oddasz maszynopis? — zapytał Julian.

— Nie wiem — odparł Macon.

— Wkrótce?

— Nie wiem.

Zapadło milczenie.

— Chyba cię obudziłem — odezwał się po chwili Julian.

— Tak.

— Macon Leary w łóżku. — Julian powiedział to tak, jakby to był tytuł jakiegoś utworu. Młodszy od Macona, śmielszy i serdeczniejszy, nie był poważnym człowiekiem. Bawiło go niezmiernie udawanie, że Macon jest postacią literacką. — Czy wobec tego mogę się spodziewać, że skończysz do końca miesiąca?

— Nie — odpowiedział Macon.

— Dlaczego?

— Nie zorganizowałem sobie jeszcze pracy.

— Nie zorganizowałeś! A co tu jest do organizowania? Przecież w zasadzie musisz tylko przepisać informacje ze starego przewodnika.

— To wymaga znacznie więcej pracy.

— Słuchaj, bracie. Jest... — Głos Juliana się oddalił. Pewnie mężczyzna odsunął się, żeby spojrzeć na swój wystrzałowy złoty zegarek z kalendarzem, na perforowanym skórzanym pasku. — Jest trzeci sierpnia. Chcę, żeby książka była na stoiskach w październiku. To oznacza, że muszę dostać maszynopis trzydziestego pierwszego sierpnia.

— Nie jestem w stanie tego zrobić — oznajmił Macon.

Dziwił się, że ma siłę, by prowadzić tę rozmowę.

— Trzydziesty pierwszy sierpnia, Macon. Pełne cztery tygodnie.

— To zbyt krótki termin.

— Zbyt krótki termin... — powtórzył Julian. — No dobrze. Połowa września. To skomplikuje wiele spraw, ale daję ci czas do połowy września. Co ty na to?

— Nie wiem — odparł Macon.

Zaciekawiła go apatyczność własnego głosu. Czuł się dziwnie oddalony od siebie samego. Julian chyba to wyczuł, bo po kolejnej przerwie w rozmowie zapytał:

— Hej, stary, z tobą wszystko w porządku?

— Oczywiście.

— Wiem, że wiele przeszedłeś, stary...

— Czuję się świetnie! Doskonale! Co mogłoby być nie w porządku? Potrzebuję tylko czasu, żeby sobie wszystko zaplanować. Piętnastego września przyniosę ci maszynopis. Może wcześniej. Tak, bardzo możliwe, że wcześniej. Może w końcu sierpnia. Dobrze? Odłożył słuchawkę.

Gabinet był ciemny i duszny i wydzielał słony, atramentowy zapach niepokoju. Gdy Macon się w nim znalazł, poczuł się wręcz przywalony ciężarem zadania, jak gdyby od razu został pokonany przez chaos. Odwrócił się i wyszedł.

Być może nie był w stanie zorganizować sobie pracy nad przewodnikiem, ale organizowanie domu to całkiem inna rzecz. Było w tym coś ze spełnienia, coś pokrzepiającego, a nawet więcej: to mu dawało poczucie odsuwania niebezpieczeństwa. Przez następny tydzień wędrował po pokojach i ustanawiał nowe systemy. Poprzestawiał wszystkie kuchenne szafki, wylewając przy okazji resztki z lepiących się zakurzonych butelek, których Sara nie otwierała od lat. Podłączył odkurzacz do ponad trzydziestometrowego przedłużacza, przeznaczonego w zamyśle do kosiarki. Wyszedł na podwórko i zaczął pleć, przycinać, strzyc — wydawało mu się, że ogołoci je do cna. Do tej pory ogrodem zajmowała się Sara i pewne cechy tej pracy były dla niego niespodzianką. Jedne chwasty gwałtownie wyrzucały z siebie nasiona, gdy tylko ich tknął, broniły się dzielnie do ostatka, podczas gdy inne poddawały się tak łatwo — zbyt łatwo, bo łamały się w górnej części łodygi, ale korzenie zostawały w ziemi. Cóż za nieustępliwość! Jaka zdolność przetrwania! Dlaczego ludzie tak nie potrafią?

Powiesił w piwnicy sznur na bieliznę, żeby nie używać suszarki, gdyż uważał to za okropne marnowanie energii. Potem odłączył szeroką, ruchomą rurę suszarki i nauczył kotkę wchodzenia i wychodzenia przez okienko, przez które przerzucona była rura. To oznaczało, że nie będzie już kuwety z piaskiem. Kilka razy dziennie kotka bezszelestnie wskakiwała na zlew, stawała na tylnych łapkach, długa i muskularna, i wyskakiwała przez okienko.

Szkoda, że Edward nie mógł robić tak samo. Macon nie znosił wychodzenia z nim na spacer; Edward nie był nauczony chodzenia przy nodze i stale okręcał smycz wokół nóg Macona. Ach, psy sprawiają tyle kłopotu! Poza tym pochłaniają ogromne ilości jedzenia; suchy pokarm trzeba było przywieźć z supermarketu do domu, wyciągnąć z bagażnika i wnieść po stromych frontowych schodach, po czym przenieść przez cały dom do spiżarni. Macon znalazł jednak na to sposób. U wylotu starego, znajdującego się w piwnicy zsypu na węgiel ustawił plastykową puszkę z kwadratowym otworem w dnie. Potem wsypał resztę suchego pokarmu z worka do puszki, która w sposób magiczny stała się ciągłą podkarmiaczką, podobną do tej, jakiej używali dla kota. Następnym razem gdy kupi psi pokarm, będzie mógł podjechać do bocznej ściany domu i wrzucić chrupki w zsyp węglowy.

Szkopuł tkwił w tym, że Edward bał się piwnicy. Co rano szedł do spiżarni, gdzie zawsze dostawał śniadanie, siadał na tłustym zadzie i skomlił: Macon musiał brać go na ręce i znosić po schodach do piwnicy, chwiejąc się lekko, bo pies się wiercił. Ponieważ w całym tym pomyśle Maconowi chodziło o oszczędzanie nadwerężonego kręgosłupa, uważał, że nie osiągnął celu. Mimo to nadal próbował.

Również ze względu na kręgosłup przywiązał kosz na bieliznę do starej deskorolki Ethana i spuścił go na lince po rynnie pralniczej. To oznaczało, że nie musiał już nosić prania po schodach ani do piwnicy. Czasami jednak — gdy pracowicie ciągnął kosz na kółkach od sznura na bieliznę do rynny, wkładał do torby czyste prześcieradła, biegł na górę, żeby je wciągnąć za pomocą długiej sztywnej linki — czuł się nieco zawstydzony. Może to wszystko jest głupie?

No tak, jeśli się dobrze zastanowić, wszystko jest głupie.

Sąsiedzi już chyba wiedzieli, że Sara go porzuciła. Zaczęli dzwonić w ciągu tygodnia i zapraszać go na kolację typu „jemy to, co mamy". Macon początkowo myślał, że chodzi im o taki układ, kiedy każdy przynosi garnek z jedzeniem i jeśli ma się szczęście, może z tego wyjść dobrze skomponowany posiłek. Przyszedł do Boba i Sue Carneyów z miską makaronu z serem. Ponieważ Sue podała spaghetti, uznał, że nie miał wielkiego szczęścia. Postawił swój makaron na końcu stołu; nie jadł go nikt oprócz Delilah, ich trzyletniej córki. Ale ona za to wzięła kilka dokładek.

Macon nie spodziewał się, że dzieci będą jeść z dorosłymi. Był teraz kimś innym, wujkiem kawalerem, który jak sądzono, potrzebuje od czasu do czasu odrobiny życia rodzinnego. Ale prawdę mówiąc, nigdy nie lubił obcych dzieci: A wszelkie zgromadzenia działały na niego deprymująco. Fizyczny kontakt z innymi ludźmi nie odpowiadał mu — wzięcie pod rękę czy położenie dłoni na rękawie sprawiało, że zaskorupiał się jak ślimak.

— Wiesz, Macon — zaproponowała Sue Carney, opierając się o stół i głaszcząc go po nadgarstku — zawsze możesz do nas wpaść, kiedy tylko będziesz miał na to ochotę. Nie czekaj na zaproszenie.

— To miło z twojej strony, Sue — odrzekł.

Zastanowiło go, dlaczego skóra kogoś obcego wydaje się taka nierealna — niemal woskowa, jak gdyby pomiędzy nim a pozostałymi ludźmi istniała niewidoczna dodatkowa warstwa. Tak szybko, jak się dało, odsunął dłoń.

— Gdybyś mógł żyć tak, jak chcesz — powiedziała mu kiedyś Sara — sądzę, że skończyłbyś na bezludnej wyspie, gdzie nie byłoby żywego ducha.

— Też coś! To nieprawda — odparł. — Miałbym ciebie, Ethana, moją siostrę i braci...

— Ale nikogo więcej. Chodzi mi o przypadkowych ludzi, których nie znasz.

— No, chyba że tak. A ty chciałabyś ich mieć wokół siebie? — zapytał wówczas.

Oczywiście, że chciałaby — wtedy. Przed śmiercią Ethana. Zawsze była osobą towarzyską. Kiedy nie miała nic do roboty, wesoło spacerowała po centrum handlowym, które dla Macona było synonimem piekła, z tymi obcymi ludźmi, którzy ocierają się o ciebie ramieniem. Sara uważała, że tłum jest podniecający. Lubiła poznawać nowych ludzi. Lubiła przyjęcia, nawet koktajle. Macon uważał, że trzeba być szaleńcem, żeby lubić koktajle — te poniżające sceny, które urządzała, kiedy dawała mu odczuć jego winę, jeśli zupełnie przypadkowo wdał się w nieco poważniejszą rozmowę. „Masz krążyć" — syczała, przechodząc za nim z kieliszkiem. W ciągu minionego roku to się zmieniło. Sara nie lubiła już tłumów. Nie odwiedzała centrum handlowego i nie zmuszała go do chodzenia na żadne przyjęcia. Bywali tylko na spokojnych, kameralnych kolacyjkach; po śmierci Ethana ona sama nie wydała ani jednej kolacji.

— Czy nie powinniśmy zaprosić Smithów i Millardów? — zapytał kiedyś. — Tak często u nich bywaliśmy.

— Tak. Masz rację. Wkrótce — odparła Sara, ale nie podjęła żadnej inicjatywy w tej kwestii.

Oni sami poznali się na przyjęciu. Mieli po siedemnaście lat. Była to zabawa zorganizowana przez ich szkoły. Już wtedy Macon nie lubił przyjęć, ale potajemnie tęsknił za tym, żeby się zakochać, więc zebrał siły i poszedł na tę zabawę, ale potem stał w kącie, mając nadzieję, że wygląda, jakby mu to było obojętne, i popijał piwo imbirowe. Był rok 1958. Wszyscy nosili zapinane na guziki koszule, a on jeden miał na sobie czarny golf, czarne spodnie i sandały. (Przeżywał okres poetycki.) Pamiętał, że Sara, żywa dziewczyna z masą miedzianobrązowych włosów, okrągłą buzią, dużymi niebieskimi oczami i wydętą dolną wargą, ubrała się wtedy w coś różowego, co nadawało jej skórze blask. Otaczał ją wianuszek wielbicieli. Była niska, ale ładnie zbudowana, a w stanowczym napięciu opalonych łydek zawierało się coś zuchowatego, jak gdyby postanowiła, że ta groźna banda gwiazd koszykówki i piłki nożnej jej nie pokona. Macon natychmiast z niej zrezygnował. A właściwie w ogóle nie wziął pod uwagę, nawet przez sekundę; patrzył ponad nią na inne, bardziej osiągalne dziewczyny. Tak więc Sara musiała zrobić pierwszy krok. Podeszła i zapytała, dlaczego udaje takiego zarozumialca.

— Zarozumialca?! — zdziwił się. — Nie jestem zarozumiały.

— Ale tak wyglądasz.

— Nie, po prostu... nudzę się — stwierdził.

— No to co, chcesz zatańczyć czy nie?

Zatańczyli. Zupełnie nie był na to przygotowany — taniec minął mu niczym w zamroczeniu. Cieszył się nim dopiero w domu, kiedy mógł to przemyśleć na zimno. Doszedł do wniosku, że gdyby nie wyglądał na zarozumiałego, ona by go w ogóle nie zauważyła. Był jedynym chłopcem, który nie okazywał jej jawnego zainteresowania. Postanowił, że w przyszłości też nie będzie się za nią uganiał; nie chciał, by było widać, że mu zależy, nie zamierzał ujawniać swoich uczuć. Miał poczucie, że w kontaktach z Sarą trzeba zachować godność.

Bóg świadkiem, że zachowanie tej godności nie było łatwe. Macon mieszkał z dziadkami, a oni uważali, że młodzież poniżej lat osiemnastu nie powinna mieć prawa jazdy. (Nieważne, że władze stanu Maryland miały inne zdanie na ten temat.) Tak więc dziadek Leary woził Macona i Sarę podczas ich randek. Miał długiego czarnego buicka z aksamitnym szarym tylnym siedzeniem, gdzie samotnie tkwił Macon, bo dziadek nie wyobrażał sobie, żeby oboje młodzi mogli siedzieć razem. „Nie jestem twoim wynajętym szoferem — mawiał — a poza tym tylne siedzenie źle się kojarzy." (Młodością Macona rządziły głównie skojarzenia.) A więc Macon siedział samotnie z tyłu, a Sara z przodu, obok dziadka Leary'ego. Chmura jej włosów, widziana w blasku świateł nadjeżdżających samochodów, przypominała Maconowi płonący krzak. Pochylał się do przodu, odchrząkiwał i pytał:

— Hm, czy skończyłaś już pracę semestralną?

Na co Sara odpowiadała:

— Słucham?

— Praca semestralna — mówił dziadek Leary. — On pyta, czy ją skończyłaś.

— Och, tak. Skończyłam.

— Skończyła — przekazywał dziadek Leary Maconowi.

— Mam uszy, dziadku.

— Chcecie wysiąść i iść piechotą? Bo ja nie muszę wysłuchiwać waszego uciszania mnie. Mógłbym być w domu z rodziną, zamiast jeździć po ciemku w kółko.

— Przepraszam, dziadku.

Jedyną nadzieją Macona było milczenie. Opierał się o siedzenie, spokojny i wyniosły, wiedząc, że jeśli Sara spojrzy na niego, ujrzy tylko błysk jasnych włosów i pozbawioną wyrazu twarz — reszta jest ciemnością — czarny golf stapiający się z cieniami. To działało.

— O czym ty ciągle myślisz? — szepnęła mu do ucha, kiedy spacerowali wokół sali gimnastycznej w jej szkole. Skrzywił wtedy tylko kącik ust, jakby pytanie go rozbawiło, ale nie odpowiedział.

Kiedy dostał prawo jazdy, niewiele się zmieniło, podobnie jak wtedy, gdy zdał na studia, choć przestał nosić czarne golfy i przeobraził się w studenta uniwersytetu Princeton, odzianego ascetycznie i swobodnie w białe koszule i spodnie khaki. Z dala od Sary czuł ciągłą pustkę, ale w listach pisał tylko o studiach. Sara odpisywała z Goucher: „Czy nie tęsknisz za mną ani trochę? Ja nie mogę chodzić nigdzie, gdzie byliśmy razem, bo boję się, że ujrzę ciebie w drugim kącie pokoju, wyglądającego bardzo tajemniczo". Kończyła listy zwrotem „Kocham cię", a on pisał „Z sympatią". Nocami śnił, że Sara leży obok niego, z lokami rozsypanymi na poduszce, choć w rzeczywistości dochodziło między nimi tylko do długich pocałunków. Prawdę mówiąc, nie był pewien, czy mógłby sobie pozwolić na coś więcej, nie tracąc... jak to się teraz nazywa? Nie tracąc panowania nad sobą. Czasami był niemal zły na Sarę. Czuł, że został ustawiony w fałszywej roli. Musiał zachowywać kamienną twarz, skoro chciał, żeby go kochała. Ach, od mężczyzn wymaga się tak wiele!

Sara napisała, że nie spotyka się z innymi chłopcami. On też się nie spotykał z dziewczętami, ale oczywiście nie napisał jej o tym. Wrócił na lato do domu i podjął pracę w fabryce dziadka, podczas gdy Sara pracowała nad swoją opalenizną na pobliskim basenie. W połowie lata powiedziała, że zastanawia się, dlaczego nigdy nie chciał pójść z nią do łóżka. Macon pomyślał chwilę, po czym odparł spokojnie, że właśnie chciałby ją o to poprosić. Poszli do domu jej rodziców, którzy byli na wakacjach w Rehoboth. Weszli na górę do małej sypialni Sary, całej w białych falbankach, wydzielającej pod wpływem gorących promieni słonecznych zapach świeżej farby. „Czy przyniosłeś t o?" — zapytała Sara, a Macon, nie chcąc się przyznać, że nawet nie wie, jak t o wygląda, warknął: „Nie! Nie przyniosłem tego, za kogo mnie uważasz?", co było głupim pytaniem, jeśli się nad tym zastanowić, ale Sara uznała, że jest nią zaszokowany i uważa ją za osobę zbyt swobodną, więc rzuciła tylko: „Przepraszam, że żyję!" zbiegła po schodach i uciekła. Pół godziny zajęło mu znalezienie jej, a doprowadzenie do tego, żeby przestała płakać, jeszcze dłużej. Powiedział, że miał na uwadze wyłącznie jej dobro; z jego doświadczenia wynika, że te rzeczy nie są wcale bezpieczne. Usiłował w tym momencie zrobić wrażenie człowieka doświadczonego i odpornego na namiętności. Zaproponował, żeby odwiedziła znanego mu lekarza — był to akurat lekarz, który leczył kobiece schorzenia jego babki. Sara otarła łzy i pożyczyła od niego pióro, żeby zapisać nazwisko lekarza na odwrocie opakowania gumy do żucia. Zapytała, czy doktor jej nie odeśle z kwitkiem. Czy nie powie, że powinna być przynajmniej zaręczona? Macon stwierdził, że wobec tego mogą się zaręczyć. Sara uznała, że to byłoby cudowne.

Ich zaręczyny trwały trzy lata, czyli przez okres studiów Macona. Dziadek Leary uważał, że ślub należy odłożyć do czasu, gdy Macon będzie miał już ustaloną pozycję zawodową, ale ponieważ miał być zatrudniony w fabryce Leary Metals, która produkowała wyłożone korkiem kapsle do butelek z napojami, Macon nie wyobrażał sobie, żeby mógł się tym zająć choćby na krótko. Poza tym oboje mieli dość jego pospiesznych wizyt w sypialni Sary w dni, kiedy jej matka miała dyżury w Czerwonym Krzyżu.

Pobrali się więc na wiosnę, kiedy Macon skończył studia; on zaczął pracować w fabryce, a Sara uczyła angielskiego w prywatnej szkole. Było to siedem lat przed urodzeniem się Ethana. Wówczas Sara nie mówiła już, że Macon jest „tajemniczy". Teraz jego milczenie ją denerwowało. Macon wyczuwał to, ale nic nie mógł poradzić. Z jakiegoś powodu tkwił w pełnej rezerwy pozie, którą przybrał przy ich pierwszym spotkaniu. Został w niej jakby zamrożony, co przypominało mu o dawnym ostrzeżeniu dziadka: „Nie rób zeza, bo może ci tak zostać". Bez względu na to, jak bardzo starał się zmienić swoje zachowanie, Sara nadal traktowała go jak kogoś nienaturalnie chłodnego, o spokojniejszym od niej temperamencie, ale niezbyt uczuciowego.

Trafił kiedyś na wypełnioną przez nią ankietę w piśmie dla kobiet, jedną z tych: „Czy twoje małżeństwo jest szczęśliwe?" Przy stwierdzeniu: „Uważam, że kocham mojego małżonka bardziej niż on/ona mnie", Sara podkreśliła odpowiedź: „Tak". Denerwujące okazało się to, że choć Macon odruchowo wydał krótkie przeczące prychnięcie, zaczął się zastanawiać, czy nie miała jednak racji. Był teraz, nawet wewnętrznie, raczej chłodnym typem człowieka i nie licząc syna (to zbyt łatwe — dziecko nie jest żadnym sprawdzianem), nie znalazł w swym życiu osoby, przez którą by cierpiał.

Kiedy obecnie się nad tym zastanawiał, odczuwał ulgę przypominając sobie, że mimo wszystko tęskni za Sarą. Po chwili jednak ta ulga również wydała mu się pozbawiona uczuć. Jęknął z rozpaczą.

Zadzwoniła jakaś kobieta i zapytała „Macon?" Od razu wiedział, że to nie Sara. Jej głos był jasny i świeży, a ten brzmiał szorstko, twardo i metalicznie.

— Mówi Muriel — przedstawiła się.

— Muriel? — powtórzył.

— Muriel Pritchett.

— Ach tak — rzucił, nadal nie mając pojęcia kto to.

— Z kliniki weterynaryjnej. — Badała jego pamięć.

— Ta, która tak się zaprzyjaźniła z twoim psem.

— Ach, klinika weterynaryjna!

Przypomniał ją sobie, choć mgliście, jak mówi swoje imię i nazwisko, przeciągając literę „u" i unosząc ciemnoczerwone wargi przy literze „p".

— Byłam ciekawa, jak się miewa Edward.

Macon spojrzał na psa. Znajdowali się w gabinecie, gdzie Maconowi udało się napisać pół strony. Edward leżał płasko na brzuchu, wyciągnąwszy do tyłu nogi — krótkie pękate nóżki, jak udka garnirowanej kaczki.

— Wydaje mi się, że ma się dobrze — powiedział.

— Chodzi mi o to, czy gryzie?

— Ostatnio nie, ale ma nowy zwyczaj. Złości się, kiedy wychodzę z domu. Zaczyna szczekać i pokazuje zęby.

— Nadal uważam, że należy go poddać tresurze.

— Ach, wiesz, on ma ponad cztery lata i sądzę...

— Nie jest za stary! Mogłabym to zrobić bardzo szybko. Wiesz co, może przyjechałabym i porozmawialibyśmy o tym. Wypilibyśmy drinka i pogadalibyśmy o kłopotach, jakie sprawia.

— Naprawdę nie sądzę....

— Albo ty mógłbyś przyjechać do mnie. Zrobię ci kolację.

Macon zastanawiał się, w jaki sposób kolacja u obcej osoby ma pomóc Edwardowi.

— Macon? Co ty na to? — zapytała.

— No, hm... myślę, że na razie spróbuję sam sobie dać radę.

— Jestem w stanie to zrozumieć. Naprawdę. Też przechodziłam ten etap. A więc zaczekam, aż się do mnie odezwiesz. Masz jeszcze moją wizytówkę, prawda?

Potwierdził, choć nie miał pojęcia, gdzie ona jest.

— Nie chcę się narzucać — powiedziała.

— Ależ nie... — odparł Macon. Odłożył słuchawkę i wrócił do przewodnika.

Pisał dopiero wstęp, a był już koniec sierpnia. Jak ma zdążyć na czas? Oparcie krzesła uwierało go w plecy w najmniej właściwym punkcie. Klawisz z literą „s" ciągle się zacinał. Maszyna wystukiwała uchwytne dla ucha słowa. „Niezrównany" — oznajmiała. Jego uderzenia w klawisze brzmiały dokładnie tak, jak głos Sary wypowiadającej słowo „niezrównany". „Ty, w swój niezrównany sposób..." — mówiła mu. Potrząsnął energicznie głową. Ogólnie rzecz biorąc, jedzenie w Anglii nie jest tak irytujące, jak w innych krajach. Dobrze przyrządzone jarzyny, różne potrawy w białym sosie, na deser pudding... Nie wiem, dlaczego niektórzy turyści narzekają na angielskie jedzenie.

*

We wrześniu postanowił zmienić system ubierania się. Jeśli zacznie nosić w domu dresy bez suwaka, nie mające niczego, co drapie czy uciska, to będzie mógł w nich chodzić, nie przebierając się pomiędzy kolejnymi prysznicami. Taki dres będzie służyć jako piżama i strój dzienny.

Kupił dwa dresy w szarym kolorze. Kiedy pierwszej nocy położył się w jednym z nich do łóżka, dobrze się czuł i był zadowolony, że następnego ranka nie musi się przebierać. Przyszło mu nawet do głowy, że mógłby nosić ten sam dres przez dwa dni z rzędu i brać prysznic co drugi dzień. Jakaż oszczędność energii! Rano musi się tylko ogolić. Zastanawiał się, czy nie zapuścić brody.

Jednakże następnego dnia, koło południa, poczuł się nieco markotnie. Siedział przy maszynie do pisania i coś sprawiło, że zwrócił uwagę na swoją postawę — był przygarbiony i zaniedbany. Uznał, że to wina dresu. Wstał i podszedł do dużego lustra w holu. To, co w nim zobaczył, przypominało mu pacjenta w domu dla psychicznie chorych. Być może to przez buty — normalne pantofle, odpowiednie do eleganckich strojów. Może powinien kupić adidasy? Nie chciał jednak, żeby uważano go za człowieka, który uprawia jogging. Zauważył, że kiedy nie nosi paska, sterczy mu brzuch. Wyprostował się. Tego wieczoru, kiedy prał pierwszy dres, użył bardzo gorącej wody, żeby rozciągnięte miejsca się skurczyły.

Rano czuł się znacznie gorzej. Noc była gorąca, więc obudził się lepki i zły. Nie mógł nawet myśleć o prażonej kukurydzy na śniadanie. Wyprał kilka prześcieradeł, a w trakcie wieszania ich stwierdził nagle, że stoi nieruchomo, z opuszczoną głową, a dłonie opiera o sznur do bielizny, jak gdyby on sam też był do niego przypięty.

— Rusz się — powiedział głośno. Jego głos zabrzmiał skrzypliwie, jakby go od dawna nie używał.

Był to dzień zakupów — wtorek, kiedy w supermarkecie jest najmniej klientów. Nie mógł się jednak zebrać i pojechać. Przerażały go notatniki — trzy książeczki rachunkowe, których używał, gdy robił zakupy. (Jedna podawała dane z „Raportu klientów", na przykład najlepsze gatunki chleba pod literą „C". W drugiej zapisywał ceny, a w trzeciej trzymał swoje kupony.) Ciągle musiał stawać i przeglądać je, mrucząc pod nosem ceny, porównując tanie gatunki towarów z przecenionymi o kilka centów lepszymi gatunkami. To wszystko jest takie skomplikowane. Po co się tak męczyć? W gruncie rzeczy, po co w ogóle jeść?

Ale musiał kupić mleko. A poza tym Edwardowi kończył się pokarm, a kociego pokarmu dla Helen też już nie było.

Zrobił coś, czego nie robił nigdy przedtem. Zatelefonował do „Market Basket", drogiego sklepu spożywczego, który dostarczał produkty do domu. I nie zamówił bynajmniej awaryjnych porcji. Nie, odczytał listę zakupów na cały tydzień.

— Mamy przynieść zakupy pod drzwi frontowe, czy tylne? — zapytała pracownica sklepu nieszczerze ożywionym tonem.

— Tylne — odparł Macon. — Nie, chwileczkę. Proszę zanieść łatwo psujące się produkty pod tylne drzwi, a psi pokarm proszę zostawić obok zsypu na węgiel.

— Obok zsypu na węgiel — powtórzyła kobieta, prawdopodobnie zapisując tę instrukcję.

— Zsyp na węgiel jest przy bocznej ścianie domu. Ale nie koci pokarm; proszę go zanieść razem z łatwo psującymi się produktami.

— Chwileczkę...

— A rzeczy, które są potrzebne na górze, proszę zostawić przy drzwiach frontowych.

— Jakie rzeczy, które są potrzebne na górze?

— Pasta do zębów, mydło, psie ciasteczka...

— Powiedział pan przecież, że psie ciasteczka mamy zostawić przy zsypie na węgiel.

— Nie ciasteczka, tylko pokarm! Przy zsypie macie zostawić pokarm, do cholery!

— Proszę pana — obruszyła się kobieta — nie musi pan być niegrzeczny.

— Przepraszam — powiedział Macon — ale chodzi mi przecież o całkiem prostą sprawę: o jedno małe pudełko ciasteczek Milkbone obok mojego łóżka. Jeśli daję Edwardowi prażoną kukurydzę z masłem, to mu szkodzi na żołądek.

Gdyby nie to, nie miałbym nic przeciwko temu; nie chowam przecież tej kukurydzy dla siebie, tylko on jest wrażliwy na tłuszcze, a jestem sam w domu i jeśli on zwymiotuje, ja muszę sprzątać. Jestem całkiem sam; wszyscy po prostu... uciekli ode mnie, nie wiem, utraciłem ich, stoję tu sam i mówię: „Dokąd poszli? Gdzie się wszyscy podziali? Och, Boże, w czym tak bardzo zawiniłem?"

Głos odmawiał mu posłuszeństwa, więc odłożył słuchawkę. Stał nad telefonem i tarł czoło. Czy podał jej swoje nazwisko, czy nie? Nie pamiętał. Proszę, błagam, niech się okaże, że nie podałem nazwiska.

Rozsypywał się — to było jasne. Musi się wziąć w garść. Po pierwsze: koniec z tym dresem. Przynosi pecha. Zatarł żwawo ręce i wszedł na górę. W łazience zdarł z siebie bluzę i spodnie i wrzucił je do brodzika. Uprany poprzedniego wieczora dres wisiał na metalowej rurce prysznica i był jeszcze wilgotny. Nie było szans, żeby wysechł do wieczora. Cóż za błąd! Czuł się jak głupiec. Był o włos od tego, aby stać się jednym z tych żałosnych stworzeń, jakie czasami widać na swobodzie — nie myci, nie ogoleni, bezkształtni, mówiący do siebie i dreptający w uniformie z zakładu dla umysłowo chorych.

Schludnie ubrany w białą koszulę i spodnie khaki wziął wilgotny dres i zaniósł go do piwnicy. Będzie z niego przynajmniej dobra piżama na zimę. Włożył go do suszarki, wysunął znowu rurę przez okienko i ustawił program. Lepiej zużyć trochę energii, niż rozpaczać z powodu mokrego dresu.

Na szczycie schodów do piwnicy wyrzekał Edward. Był głodny, ale nie miał odwagi zejść na dół. Gdy ujrzał Macona, położył się z nosem wystającym spoza najwyższego stopnia i przybrał pełen nadziei wyraz pyska.

— Tchórz — powiedział Macon.

Wziął psa na ręce i odwrócił się, żeby ponownie zejść na dół. Edward zaczął szczękać zębami — d-d-d-d — jak ryż sypany do słoika. Macon pomyślał, że może Edward wie o czymś, o czym on nie wie. Może w piwnicy straszy albo coś? Minęło wiele tygodni, a pies nadal był tak przerażony, że czasami stał ponuro przed miską z jedzeniem i robił kałużę, nie podnosząc nawet nogi.

— Jesteś bardzo niemądry, Edwardzie — znowu zwrócił się do psa.

W tym momencie rozległo się niesamowite wycie z... Skąd? Wydawało się, że to wyje samo piwniczne powietrze. Trwało uparcie i przybierało na sile. Edward, który pewnie spodziewał się tego od samego początku, uderzył Macona w przeponę mocnymi, uzbrojonymi w pazury tylnymi łapami. Macon stracił oddech. Edward trzepnął w ścianę wilgotnych worków cielesnych wiszących na sznurze, odbił się i ponownie uderzył swego pana w brzuch. Macon postawił na oślep stopę, trafił w kosz na kółkach i nogi mu się rozjechały. Ciężko zstąpił w pustą przestrzeń.

Leżał na plecach, na wilgotnej i zimnej betonowej posadzce, z podwiniętą lewą nogą. Dźwięk, który to wszystko spowodował, ucichł na sekundę, po czym rozległ się znowu. Teraz było jasne, że dobywa się z rury suszarki.

— Cholera — powiedział Macon do Edwarda, który leżał na nim i dyszał. — Nie uważasz, że ta idiotka kocica mogła zauważyć, że suszarka jest w użyciu?

Domyślił się, jak to się stało. Usiłując wrócić do domu, kotka uparcie wpychała się do rury. Wyobraził sobie jej oczy, wąskie szparki, i uszy spłaszczone przez podmuch pełen kłaczków z bielizny. Zawodząc i protestując posuwała się jednak do przodu. Co za upór!

Macon zrzucił z siebie Edwarda i przewrócił się na brzuch. Nawet ten mały ruch wywołał potworny ból. Poczuł w gardle gulę nudności, ale przekręcił się raz jeszcze, ciągnąc za sobą nogę. Z zaciśniętymi zębami dosięgnął drzwi suszarki i otworzył je. Dres powoli przestawał wirować. Kotka umilkła. Macon widział bulgoczący, guzowaty kształt jej ciała wycofujący się w rurze. Kiedy doszła do wyjścia, cała rura wysunęła się z okienka i wpadła do zlewu, ale Helen nie wleciała wraz z nią. Miał nadzieję, że nic jej się nie stało. Patrzył, dopóki nie ujrzał, jak pędzi obok drugiego okna, trochę tylko potargana. Wtedy zaczerpnął powietrza i rozpoczął długą, męczącą wędrówkę po schodach, żeby wezwać pomoc.

V

— Och, błądziłam i potykałam się — śpiewała w kuchni siostra Macona — byłam grzeszna i niemądra...

Miała wibrujący sopran, który brzmiał jak głos starej kobiety, choć była młodsza od Macona. Można sobie wyobrazić taki głos w kościele, w jakimś wiejskim kościółku, gdzie kobiety nadal noszą słomkowe kapelusze.

Jestem tylko szczęśliwym pielgrzymem
W drodze do raju.

Macon leżał na tapczanie na werandzie dziadków. Lewa noga, pokryta gipsem od połowy uda do podbicia stopy, nie bolała, tylko stała się jakby nieobecna. Jej niezmienna, tęga, waciana martwota sprawiała, że miał ochotę uszczypnąć się w goleń. Oczywiście, nie mógł tego zrobić. Został oddzielony od siebie samego. Najmocniejsze uderzenie odczuwał jak pukanie w ścianę sąsiedniego pokoju.

Mimo to był zadowolony. Leżał słuchając, jak siostra przygotowuje śniadanie, i leniwie drapał kotkę, która uwiła sobie gniazdko wśród koców.

— Przeżyłam nieszczęścia i smutki — wyśpiewywała radośnie Rose — cierpiałam i poświęcałam się...

Kiedy nastawi kawę, przyjdzie mu pomóc przejść przez salon do łazienki na dole. Nadal było mu trudno poruszać się, zwłaszcza na wyfroterowanej podłodze. Podziwiał teraz ludzi chodzących o kulach, których umiejętności przyjmował przedtem za coś oczywistego. Przypominali mu stado kroczących majestatycznie czapli, zdumiewająco sprawnych w swoich żwawych podskokach i eleganckich obrotach. Jak oni to robią? Jego kule, tak nowe, że gumowe końcówki jeszcze się nie zdarły, stały oparte o ścianę. Szlafrok wisiał na krześle. Pod oknem stał składany stolik do kart z tekturowo-drewnianym blatem i chwiejącymi się nogami. Dziadkowie nie żyli od lat, ale stolik nadal stał, jak gdyby przygotowany do jednej z nie kończących się partyjek brydża. Macon wiedział, że pod spodem jest żółta nalepka z napisem ATLAS MFG. CO. i staly-tem przedstawiającym sześciu pulchnych ponurych facetów w wysokich kołnierzykach, stojących nad planszą rozłożoną na takim samym stoliku. Podpis głosił: MEBLE O ZWODNICZEJ DELIKATNOŚCI. Macon skojarzył sobie to powiedzenie z babką: zwodnicza delikatność. Kiedy jako chłopiec leżał na werandzie, przyglądał się jej delikatnym nogom, z których wystawały kostki niby okrągłe gałki do drzwi. Jej solidne czarne buty na klockowatych obcasach były ustawione dokładnie o stopę od siebie i nigdy nie przytupywały ani się nie kręciły.

Usłyszał, że jego brat, Porter, pogwizduje na górze w takt pieśni śpiewanej przez Rose. Wiedział, że to Porter, bo Charles nigdy nie gwizdał. Szumiała woda z prysznica. Siostra wyjrzała przez drzwi na werandę, a obok niej wysunął głowę Edward i dyszał na Macona, jak gdyby się śmiał.

— Macon? Nie śpisz? — zapytała Rose.

— Nie śpię już od bardzo dawna — odpowiedział.

Miała w sobie coś niejednoznacznego, co sprawiało, że ilekroć zwracała się do któregoś z braci, zachowywali się jak ludzie w potrzebie, z których zakpiono. Była ładna w spokoj-ny,^wpedantyczny sposób, z piaskowymi włosami związanymi na karku. Miała figurę młodej dziewczyny, ale jej ubrania były staropanieńskie i skromne.

Otuliła go szlafrokiem i pomogła wstać. Rozbolała go noga. Rwący ból spływał z wolna w dół. Wydawało się, że podlega sile ciężkości. Z Rose podtrzymującą go z jednej strony, a kulą z drugiej, Macon opuścił werandę i przekuśtykał przez salon pełen nędznych, powyginanych mebli. Pies plątał mu się pod nogami.

— Może stanę na chwilę i odpocznę — wysapał, kiedy mijali kanapę.

— To już niedaleko.

Rose otworzyła drzwi łazienki i pomogła mu wejść.

— Zawołaj mnie, jak skończysz — powiedziała, zamykając za nim drzwi.

Macon zawisł na umywalce.

Przy śniadaniu Porter był radośnie rozmowny, podczas gdy inni jedli w milczeniu. Porter był najprzystojniejszy ze wszystkich mężczyzn z rodziny Learych — mocniej zbudowany niż Macon, miał odrobinę jaśniejsze włosy. Robił wrażenie człowieka energicznego i zdecydowanego, których to cech brakowało jego braciom.

— Mam dzisiaj dużo zajęć — mówił między jednym kęsem a drugim. — Spotkanie z Herrinem, rozmowy wstępne w sprawie dawnej pracy Dave'a, Cates przylatuje z Atlanty...

Charles popijał tylko kawę. Porter zdążył się już ubrać, ale Charles nadal miał na sobie piżamę. Był delikatnym mężczyzną o słodkiej twarzy, który wydawał się nie poruszać; kiedy się na niego spojrzało, patrzył na człowieka smutnymi oczami, których zewnętrzne kąciki były skośnie opuszczone w dół.

Rose przyniosła z piecyka dzbanek z kawą.

— Minionej nocy Edward budził mnie dwa razy, bo chciał wyjść — powiedziała. — Nie uważasz, że on ma problemy z nerkami?

— To kwestia przystosowania się, przyzwyczajenia do zmiany — odparł Macon. — Zastanawiam się, skąd wie, że mnie nie powinien budzić.

— Może moglibyśmy wprowadzić jakiś system — wtrącił Porter. — Takie specjalne drzwiczki dla zwierząt czy coś w tym rodzaju.

— Edward jest za gruby na drzwiczki dla zwierząt — stwierdził Macon.

— A poza tym — dodała Rose — podwórko nie jest ogrodzone. Nie możemy go wypuszczać samego, skoro nie ma ogrodzenia.

— To kuweta z piaskiem — rzucił następny pomysł Porter.

— Kuweta z piaskiem! Dla psa?

— Czemu nie? Jeśli będzie odpowiednio duża.

— Użyjcie wanny, tej w piwnicy — zaproponował Macon. — Nikt już z niej nie korzysta.

— Ale kto ją będzie czyścił?

— No, tak.

Wszyscy spojrzeli na Edwarda leżącego u stóp Rose. Pies przewrócił oczami.

— A właściwie, skąd go masz? — zapytał Porter.

— Należał do Ethana.

— Aha. — Porter odkaszlnął. — Zwierzęta! — powiedział wesoło. — Czy kiedykolwiek zastanawialiście się, co o nas myślą? Przychodzimy ze sklepu ze zdumiewającymi zdobyczami: kurczakiem, wieprzowiną czy połówką krowy. Wychodzimy o dziewiątej, a wracamy o dziesiątej i najwyraźniej złapaliśmy całe stado zwierzyny. Pewnie myślą, że jesteśmy najlepszymi myśliwymi na świecie!

Macon odchylił się na krześle, trzymając w obu dłoniach kubek z kawą. Słońce ogrzewało stół, a z kuchni dochodził zapach grzanek. Zastanawiał się, czy przypadkiem podświadomie nie zaaranżował tego złamania nogi — a każdy kolejny, starannie opracowany krok do tego prowadził — po to, aby móc bezpiecznie osiąść wśród ludzi, z którymi zaczynał życie.

Charles i Porter wyszli do fabryki, a Rose poszła na górę i włączyła odkurzacz. Macon, który miał pisać swój przewodnik, wrócił z trudem na werandę i dosłownie padł. Od powrotu do domu zbyt dużo sypiał. Potrzeba snu była niczym wielka, czarna kula armatnia, która przetaczała się w czaszce i sprawiała, że głowa mu ciążyła i opadała.

Na ścianie pokoju wisiał portret czworga dzieci: Charlesa, Portera, Macona i Rose, siedzących razem na fotelu. Ich dziadek zamówił ten obraz na kilka lat przed tym, zanim się do niego przeprowadzili. Mieszkali wtedy jeszcze w Kalifornii z matką, trzpiotowatą wdową wojenną. Od czasu do czasu przysyłała zdjęcia, ale dziadek Leary uważał, że to nie wystarczy. Pisał jej w listach, że zdjęcia, z samej swojej natury, kłamią. Ukazują, jak dana osoba wygląda w ułamku sekundy, a nie podczas długich, powoli płynących minut, których potrzeba, aby naprawdę dobrze się komuś przypatrzeć. „W takim razie — spytała Alicja — czyż obrazy również nie kłamią? Ukazują godziny zamiast minut." Nie zwróciła się z tym do dziadka Leary'ego, tylko do malarza, podstarzałego Kalifornijczyka, którego nazwisko dziadek jakoś zdobył. Macon nie pamiętał, czy artysta coś odpowiedział.

Pamiętał jednak, jak pozował do portretu, i kiedy teraz nań spoglądał, wyraźnie widział matkę w różowym kimonie, stojącą tuż obok złoconej ramy i przyglądającą się, jak powstaje obraz, a równocześnie wycierającą ręcznikiem włosy. Były puszyste, krótkie i łamliwe, a ich kolor był wynikiem, jak to mawiała, „pomocy" z jej strony. Matka miała twarz w typie, jakiego się już nie widuje — nie dlatego, że zmieniła się moda, po prostu całkowicie zanikł. W jaki sposób kobiety kształtują swój wygląd, żeby harmonizował z danym czasem? Czy nie ma już tych okrągłych podbródków, wypukłych czół i umalowanych barokowych drobnych ust, tak popularnych w latach czterdziestych?

Artysta, rzecz jasna, uważał ją za bardzo atrakcyjną kobietę. Przerywał pracę, żeby powiedzieć, że chciałby, aby to ona była na portrecie. Alicja wydawała z siebie zadyszany śmieszek i odganiała dłonią jego słowa. Chyba potem spotkała się z nim kilka razy. Ciągle nawiązywała flirty z coraz to nowymi mężczyznami, według niej najbardziej fascynującymi na świecie. Jeśli byli to artyści, wydawała przyjęcia i zmuszała wszystkich przyjaciół, żeby kupowali ich obrazy. Jeśli w weekendy latali małymi samolotami, zaczynała brać lekcje pilotażu. Jeśli byli politykami, wystawała na rogach ulic i zarzucała przechodniów petycjami. Dzieci Alicji były zbyt małe, aby się przejmować tymi mężczyznami, o ile w ogóle był to powód do zmartwień. Przeszkadzał im jednak jej entuzjazm. Pojawiał się falami, gwałtownymi zygzakami różnych hobby, znajomych, przyjaciół, spraw. Wydawała się wciąż na krawędzi czegoś, a zarazem zawsze zapuszczała się zbyt daleko. W jej głosie był pewien specyficzny tembr, jak gdyby w każdej chwili mógł się załamać. Im szybciej mówiła i im jaśniejsze stawały się jej oczy, z tym większym uporem dzieci wpatrywały się w nią, jakby chciały, żeby poszła za ich przykładem, jeśli chodzi o spokój i niezawodność. „No, co się z wami dzieje? — pytała. — Dlaczego jesteście takimi kołkami?" Po czym dawała sobie z nimi spokój i wypadała z domu na spotkanie ze znajomymi. Rose, która była najmłodsza, zazwyczaj czekała na nią w holu, ssąc palec i głaszcząc starą futrzaną etolę, której matka już nie nosiła.

Czasami entuzjazm Alicji kierował się ku dzieciom, co było dla nich denerwującym przeżyciem. Zabierała je do cyrku i kupowała im watę cukrową, za którą żadne nie przepadało. (Lubiły schludnie wyglądać.) Wyrywała je ze szkoły i zapisywała na krótko do jakiejś eksperymentalnej grupy, gdzie nikt nie nosił ubrań. Cała czwórka, zziębnięta i nieszczęśliwa, siedziała skulona rzędem w sali ogólnej, z rękami płasko złożonymi pomiędzy nagimi kolanami. Kiedyś ubrała się jak wiedźma i zaczęła się z nimi bawić w *trick-or-treat**; było to najbardziej przerażające Halloween w ich życiu, bo jak zwykle poniosło ją i gdakała, krakała i napadała na obcych, wymachując im przed nosem postrzępioną miotłą. Zaczęła szyć dla siebie i dla Rose jednakowe stroje w truskawkoworóżowym kolorze, z bufiastymi rękawami, ale przestała, kiedy maszyna do szycia ukłuła ją w palec, co doprowadziło ją do łez. (Ciągle się kaleczyła. Może dlatego, że tak się spieszyła.) Potem zajęła się czymś innym i znowu czymś innym, i tak w kółko. Wierzyła w zmiany, jakby to była jej religia. Czujesz się smutna? Znajdź sobie nowego partnera! Wierzyciele cię ścigają, nie zapłacony czynsz, dzieci mają gorączkę? Przeprowadź się do innego mieszkania! W ciągu jednego roku przeprowadzali się tak często, że każdego dnia po szkole Macon musiał stanąć i zastanowić się przez chwilę, zanim ruszył do domu.

W roku 1950 postanowiła wyjść za mąż za inżyniera, który podróżował po świecie i budował mosty. „Portugalia, Panama,

---

* *Trick-or-treat* — zwyczaj związany ze świętem Halloween (wigilia Wszystkich Świętych, obchodzona uroczyście i z przebieraniem się), kiedy to dzieci chodzą od domu do domu i proszą o słodycze, grożąc, że w razie odmowy nastraszą domowników (przyp. tłum.).

Brazylia — powiedziała dzieciom. — Wreszcie zobaczymy świat." Patrzyły na nią kamiennym wzrokiem. Jeśli nawet spotkały kiedyś tego człowieka, to go nie pamiętały. „Nie jesteście podekscytowani?" — zdziwiła się Alicja. Później — chyba po tym, jak zabrał ich wszystkich na kolację — powiedziała, że jednak wyśle ich do dziadków i tam zamieszkają. „Baltimore jest naprawdę odpowiedniejsze dla dzieci" — stwierdziła. Czy protestowały? Macon nie pamiętał. Swoje dzieciństwo zapamiętał jako jakieś oszklone miejsce, gdzie dorośli biegali, wydawali mu polecenia, dokonywali zmian, a on milczał. W każdym razie któregoś gorącego czerwcowego wieczoru Alicja wysłała ich samolotem do Baltimore. Tam czekali na nich dziadkowie, dwoje chudych, surowych, godnie wyglądających ludzi w ciemnych ubraniach. Dzieci natychmiast ich polubiły.

Od tego czasu rzadko widywali Alicję. Wpadała do miasta z furą błahych prezentów z tropikalnych krajów. Jej wzorzyste sukienki były według dzieci zbyt krzykliwe, a makijaż zbyt jaskrawy, jak u cudzoziemki. Ona z kolei uważała, że dzieci wyglądają śmiesznie w swoich granatowo-białych mundurkach szkolnych, z idealną postawą. „Mój Boże, jacy się zrobiliście ociężali!" — wołała, najwyraźniej zapominając, że zawsze ich uważała za ociężałych. Mówiła, że są podobni do ojca. Dzieci wyczuwały, że nie jest to komplement. (Gdy zapytały, jaki był ich ojciec, spuściła wzrok na podbródek i powiedziała do siebie: „Och, Alicjo, kiedy ty wreszcie dorośniesz?") Później, kiedy jej synowie się pożenili, widziała to podobieństwo chyba jeszcze wyraźniej, bo od czasu do czasu przepraszała wszystkie trzy synowe za to, co muszą znosić. Dla Macona była psotną, wesołą wróżką, która wpadała i wypadała z ich życia, zostawiając za sobą smugę nieodpowiedzialnych uwag, najwyraźniej nie zdając sobie sprawy, że mogą zostać komuś powtórzone. „Nie rozumiem, jak możesz być żoną tego człowieka" — powiedziała kiedyś do Sary. Sama była wówczas z czwartym mężem, architektem od ogródków skalnych, który nosił siwą capią bródkę.

To prawda, że dzieci na portrecie wydawały się nie mieć z nią nic wspólnego. Brakowało im jej błękitno-złotego kolorytu; ich włosy miały popielaty odcień, a oczy były stalowoszare. Wszystkie buzie charakteryzowały się wyraźną bruzdą biegnącą od nosa do górnej wargi. A poza tym Alicja nigdy w życiu nie przybrałaby tak czujnego i podejrzliwego wyrazu twarzy. Sztucznie upozowane spoglądały na widza. Dwaj starsi chłopcy, pulchny Charles i schludny Porter, obaj w białych koszulach z dużymi, wykładanymi kołnierzami, przycupnęli na oparciach fotela. Rose i Macon mieli na sobie jednakowe ubranka. Wydawało się, że Macon wziął siostrę na kolana, choć w istocie siedziała pomiędzy nimi, a Macon był wewnętrznie spięty, jak człowiek, którego umieszczono w bliskim fizycznym kontakcie z innymi, do czego nie był przyzwyczajony. Jego włosy, podobnie jak włosy pozostałych, opadały jedwabiście na czoło. Miał wąskie usta, niemal bezbarwne i nieco zacięte, jak gdyby postanowił zająć stanowisko w jakiejś sprawie. Teraz sobie o tym przypomniał. Spojrzał na portret, odwrócił się, po czym spojrzał ponownie. To były usta Ethana! Macon przeżył dwanaście lat mając wrażenie, że Ethan jest kimś innym, gościem z zewnętrznego świata, a tu okazuje się, że zawsze był jednym z Learych. Cóż za dziwne i spóźnione odkrycie!

Usiadł gwałtownie i sięgnął po spodnie, które Rose obcięła krótko na lewym udzie i obszyła drobnym równym ściegiem.

Nikt nie miał pojęcia, gdzie jest. Ani Julian, ani Sara, ani nikt inny. Ta świadomość była dla niego miła. Powiedział o tym Rose.

— To przyjemne być tak odciętym od wszystkich — oznajmił. — Chciałbym, żeby ta sytuacja mogła potrwać przez jakiś czas.

— Dlaczego miałoby się tak nie stać?

— No wiesz, ktoś tu zadzwoni, Sara albo ktoś inny...

— Możemy po prostu nie odbierać telefonu.

— Co? Pozwolić, żeby dzwonił bez końca?

— A czemu nie?

— Nie odbierać go w ogóle?

— Przeważnie dzwonią sąsiedzi — powiedziała Rose.

— Jeżeli się nie dodzwonią, to wpadną. A znasz chłopaków: żaden z nich nie lubi podnosić słuchawki.

— To prawda — potwierdził Macon.

Julian pojedzie do niego i będzie się dobijać, chcąc mu nagadać za to, że zawalił termin. Będzie się musiał poddać. Potem Sara przyjedzie po chochle do zupy albo po coś innego; nie uzyskawszy odpowiedzi zacznie pytać sąsiadów, a oni powiedzą, że nie pokazywał się już od pewnego czasu. Spróbuje skontaktować się z jego rodziną, a kiedy nikt nie odbierze telefonu, zacznie się martwić. „Co się stało? — pomyśli. — Jak mogłam go zostawić samego?"

Macon spostrzegł, że zaczyna uważać Sarę za wroga. Przestał za nią tęsknić i zaczął snuć wizje jej skruchy. Zdumiało go, jak szybko dokonała się ta zmiana. Czy tylko tyle zostało z dwudziestu lat małżeństwa? Lubił snuć wizje, jak Sara robi sobie wyrzuty. Wciąż na nowo układał jej przeprosiny. Nie miewał takich myśli od czasu dzieciństwa, kiedy oczyma wyobraźni widział, jak matka będzie płakać na jego pogrzebie.

W ciągu dnia, kiedy pracował przy stole w jadalni, usłyszał dzwonek telefonu i zastygł z dłońmi na klawiszach. Jeden dzwonek, dwa, trzy. Weszła Rose z puszką pasty do czyszczenia srebra. Wydawało się, że nie słyszy.

— A jeśli to jakaś nagła sprawa? — zapytał.

— Co? A któż by dzwonił do nas w nagłej sprawie? — odpowiedziała Rose, wzięła srebra z kredensu i rozłożyła je na drugim końcu stołu.

Zawsze ktoś z członków rodziny wymagał opieki Rose. Ich babka, zanim zmarła, była przez kilka lat przykuta do łóżka, potem dziadek dostał całkowitej sklerozy, a następnie małżeństwa Charlesa i nieco później Portera rozpadły się i bracia wrócili do domu. Tak więc Rose miała czym wypełnić dzień, a często wręcz sama wynajdywała sobie robotę, bo przecież nie musiała co tydzień czyścić wszystkich sreber. Siedząc z nią całe dnie w domu Macon widział, jak starannie planuje posiłki, jak często porządkuje szufladę z narzędziami, jak prasuje nawet skarpetki braci, zdjąwszy najpierw sprytne plastykowe uchwyty, za pomocą których spinała je przed praniem, aby pozostały w parach. Gotowała Maconowi pełny posiłek na lunch i rozkładała pod talerzami plecione serwetki. Wystawiała w kryształowych naczyniach pikle i oliwki, które potem trzeba było ponownie chować do słoików. Wkładała do małej miseczki własnoręcznie robiony majonez.

Macon zastanawiał się, czy kiedykolwiek przyszło jej do głowy, że prowadzi dziwne życie — nie ma pracy ani męża i jest na utrzymaniu braci. „Ale do jakiej pracy by się nadawała?" — zadawał sobie pytanie. Choć, prawdę mówiąc, mógł ją sobie wyobrazić jako ostoję jakiejś zatęchłej, starej firmy prawniczej lub biura prowadzącego księgowość. Nominalnie byłaby sekretarką, ale w gruncie rzeczy prowadziłaby cały interes, każdego ranka układając wszystko starannie na biurku szefa i nie pozwalając, aby ktokolwiek stojący niżej lub wyżej w hierarchii firmy przeoczył jakikolwiek szczegół. Jemu samemu przydałaby się taka sekretarka. Westchnął, przypomniawszy sobie żującego gumę rudzielca w bałaganiarskim biurze Juliana, i pożałował, że na świecie jest tak mało osób podobnych do Rose.

Wyciągnął kartkę z maszyny i położył ją, zapisaną stroną w dół, na stosie pozostałych. Skończył już wstęp, czyli ogólne wskazówki typu: Kolejkę podziemną należy nazywać „underground", a nie „subway" oraz: Nie mówcie „ustronne miejsce", tylko „toaleta", a także rozdział zatytułowany „Jak i gdzie można w Anglii zjeść". Rose wysłała ten maszynopis poprzedniego dnia. To była jego nowa strategia: wysyłanie książki po kawałku z nieznanego miejsca pobytu.

— Tu nie ma adresu zwrotnego — zwróciła mu uwagę Rose.

— I nie musi być — odparł Macon.

Poważnie skinęła głową. Ona jedyna z całej rodziny uważała jego przewodniki za prawdziwe pisarstwo. Na półce w sypialni miała ich cały rząd, ustawionych alfabetycznie według krajów.

Po południu Rose zostawiła pracę i zasiadła obejrzeć swój ulubiony serial. To było coś, czego Macon nie był w stanie pojąć. Jak może tracić czas na takie bzdury? Rose powiedziała, że to dlatego, iż występuje tam cudownie zła kobieta.

— W naszym życiu spotykamy wystarczająco dużo złych ludzi — przekonywał ją Macon.

— Tak, ale nie cudownie złych.

— To nie ulega wątpliwości.

— Ona jest tak oczywista. Wiesz dokładnie, że jej nie należy ufać.

Oglądając mówiła głośno do występujących w serialu postaci. Macon słyszał ją siedząc w jadalni. „To nie o ciebie mu chodzi, kochaneczko" — dogadywała. „Poczekaj no, ty!" — odgrażała się, co zupełnie odbiegało od jej zwykłego sposobu wyrażania się. Nadawano reklamę, ale Rose siedziała jak przymurowana. Tymczasem Macon pracował nad rozdziałem „Gdzie spać w Anglii", stukając w maszynę w upartym, pozbawionym polotu rytmie.

Kiedy rozległ się dzwonek u drzwi wejściowych, Rose nie zareagowała. Edward natomiast zupełnie oszalał — szczekał, skakał, drapał drzwi, podbiegał do Macona i gnał z powrotem do wejścia.

— Rose! — zawołał Macon.

Nie odezwała się.

Wstał, oparł się na kulach i wyszedł po cichutku do holu. Nie była to Sara. Tyle mógł stwierdzić przez koronkową firankę. Otworzył drzwi i spytał:

— O co chodzi?

Był to Garner Bolt, jego sąsiad — chudy, szary człowieczek, który dorobił się na środkach czyszczących. Kiedy ujrzał Macona, na jego impertynenckiej, ostrej twarzy odmalowało się zdumienie.

— Tu pan jest! — powiedział.

Ledwie można było go usłyszeć, bo Edward nadal szczekał jak oszalały.

— Ach, pan Bolt — rzucił Macon.

— Martwiliśmy się, że pan umarł.

— Naprawdę? — Usiłował chwycić obrożę Edwarda, ale mu się nie udało.

— Zobaczyłem, że na trawniku leży stos gazet, a za siatkowymi drzwiami mnóstwo listów, i nie wiedziałem, co o tym myśleć.

— Miałem zamiar wysłać po nie siostrę — powiedział Macon. — Widzi pan, złamałem nogę.

— Jak to się stało?

— To długa historia. — Przestał blokować drzwi.

— Proszę wejść.

Garner zdjął czapkę ze znaczkiem firmy farbiarskiej „Sherwin-Williams". Miał na sobie brązową marynarkę od starego garnituru, która była znoszona i wyświecona, a kombinezon na kolanach przetarł się do białości. Wszedł do środka okrążając psa i zamknął za sobą drzwi. Szczekanie Edwarda przeszło w skowyt.

— Mam w samochodzie górę pańskich listów — oświadczył. — Brenda powiedziała, że powinienem je przywieźć do pańskiej siostry i zapytać, czy wie, gdzie pan jest. Poza tym obiecałem to pańskiej przyjaciółce.

— Jakiej przyjaciółce?

— Takiej pani w rybaczkach.

— Nie znam żadnej pani w rybaczkach — powiedział Macon. Nie przypuszczał nawet, że takie spodnie nadal się nosi.

— Widziałem ją, jak stała na ganku pańskiego domu i waliła kołatką, wołając: „Macon? Jesteś tam?" Chuda kobitka z masą włosów. Wyglądała na dwadzieścia parę lat.

— Nie mam pojęcia, kto to jest.

— Zaglądała nawet ukradkiem do środka.

— Kto to mógł być?

— Dreptała po schodkach ganku w wielkich pantoflach o ostrych noskach, na bardzo wysokich obcasach.

— Psia opiekunka! — krzyknął Macon. — O Jezu!

— Dosyć młoda, nie?

— Nawet jej nie znam!

— Obeszła dom dokoła wołając: „Macon? Macon?"

— Prawie jej nie znam!

— To ona mi powiedziała o okienku.

— Okienku?

— Okienko do piwnicy. Jest wybite. Nadchodzi jesień i pański piec się samoczynnie włączy. To strata energii.

— Ach, tak. Chyba tak by się stało — zgodził się z nim Macon.

— Pomyśleliśmy, że może pana obrabowali czy co.

Macon zaprowadził go do jadalni.

— Widzi pan, złamałem nogę i zamieszkałem z rodziną do czasu, kiedy znowu będę mógł sobie radzić sam.

— Ale nie widzieliśmy karetki ani niczego.

— Zadzwoniłem do siostry.

— To siostra jest lekarzem?

— Żeby przyjechała i zabrała mnie na pogotowie.

— Kiedy Brenda złamała sobie kość biodrową na brakującym stopniu — powiedział Garner — wezwała karetkę.

— A ja zadzwoniłem do siostry.

— Brenda wezwała karetkę.

Wydawało się, że rozmowa utknęła.

— Chyba powinienem zawiadomić pocztę w sprawie moich listów — odezwał się wreszcie Macon. Przysiadł na krześle.

Garner odsunął drugie krzesło i usiadł, trzymając czapkę w rękach.

— Mógłbym je przywozić — zaproponował.

— Nie, poproszę Rose, żeby ich zawiadomiła. Boże, pewnie upływa termin płacenia rachunków...

— Mogę przywozić korespondencję, to żaden problem.

— Dziękuję.

— Może jednak będę przywoził?

— Prawdę mówiąc — powiedział Macon — nie jestem pewien, czy tam wrócę.

Nie przyszło mu to wcześniej do głowy. Złożył kule delikatnie jak chińskie pałeczki i położył na podłodze obok krzesła.

— Może zostanę tu z rodziną — dodał.

— I zostawi pan ten śliczny domek?

— Jest trochę za duży na jedną osobę.

Garner zmarszczył brwi, spoglądając na czapkę. Włożył ją na głowę, rozmyślił się i znowu zdjął.

— Niech pan posłucha — zaczął po chwili. — Kiedy ja i Brenda byliśmy świeżo po ślubie, układało się nam okropnie. Po prostu strasznie. Jedno nie mogło znieść drugiego. Nie mam pojęcia, jakim cudem nasze małżeństwo przetrwało.

— Ale my nie jesteśmy świeżo po ślubie — stwierdził Macon. — Jesteśmy małżeństwem od dwudziestu lat.

— Ja i Brenda nie rozmawialiśmy ze sobą przez ponad pół roku w tysiąc dziewięćset trzydziestym piątym — powiedział Garner. — Od stycznia do sierpnia. Od Nowego Roku do mojego letniego urlopu. Ani jednego cholernego słowa.

Macon się zainteresował.

— Nie mówiliście nawet „Podaj mi sól" albo „Otwórz okno"?

— Nawet tego.

— To jak sobie radziliście w życiu codziennym?

— Ona przeważnie mieszkała u siostry.

— Aha.

— Tego rana, kiedy zacząłem urlop, czułem się taki nieszczęśliwy, że chciałem umrzeć. Pomyślałem sobie: „Co ja właściwie robię?" Zadzwoniłem do Ocean City i zarezerwowałem dwuosobowy pokój. Musi pan wiedzieć, że w tamtych czasach rozmowa zamiejscowa to był nie lada problem. Te wszystkie telefonistki i tak dalej, a kosztowało to kupę forsy. Potem spakowałem trochę ubrań dla siebie i dla Brendy i pojechałem do jej siostry. A ta siostra pyta: „Czego chcesz?" Ona jest typem kobiety, która lubi być świadkiem czyichś kłótni. Mijam ją. Znajduję Brendę w salonie — reperuje pończochy. Otwieram walizkę. „Spójrz, twoja letnia sukienka na kolację w restauracji, gdzie podają morskie przysmaki — mówię. — Dwie pary szortów. Dwie bluzki. Twój kostium kąpielowy." Ona nawet nie patrzy na mnie. „Twój szlafrok — mówię. — Twoja koszula nocna, którą nosiłaś podczas miodowego miesiąca." Ona zachowuje się tak, jakby mnie tam nie było. „Brendo — mówię do niej — Brendo, mam dziewiętnaście lat i nigdy już nie będę tak młody. Nigdy już nie będę żył ponownie. O ile wiem, to jest jedyne życie, które mam do przeżycia, Brendo, i spędziłem spory jego kawał, siedząc samotnie w pustym mieszkaniu, zbyt dumny, żeby się pogodzić, i zbyt przestraszony, że powiesz «nie», ale nawet gdybyś powiedziała «nie», to by nie było gorsze od tego, co przeżywam teraz. Jestem najbardziej samotnym człowiekiem na świecie, Brendo, więc pojedź ze mną do Ocean City."

A ona odkłada swoją robótkę i mówi: „No, skoro prosisz, ale wydaje mi się, że zapomniałeś mojego czepka kąpielowego". I pojechaliśmy. — Triumfalnie odchylił się na krześle.
— No i tak — powiedział.
— No i tak — powtórzył Macon.
— A więc rozumie pan, o co mi chodzi.
— O co?
— Musi pan jej dać do zrozumienia, że pan jej potrzebuje.
— Wie pan, Garner, myślę, że mamy już za sobą takie drobiazgi, jak dawanie do zrozumienia, że...
— Proszę tego nie traktować osobiście, Macon, ale muszę wyrównać z panem porachunki. Chwilami jest pan nieco frustrujący. Nie mówię o sobie, proszę pamiętać; ja to rozumiem. Chodzi o innych sąsiadów — czują się nieco odtrąceni. Na przykład podczas waszej tragedii. W takich chwilach ludzie chcą jakoś pomóc — przysłać kwiaty, odwiedzić w wyznaczonych godzinach, przynieść potrawę na stypę. Tylko że wy nie zamówiliście mszy. Przeprowadziliście kremację, dobry Boże, gdzieś w Wirginii, nie mówiąc nikomu ani słowa, i wróciliście prosto do domu. Peg Everett oznajmia wam, że modli się za was, i Sara odpowiada: „Dziękuję ci, Peg", a co pan na to? Pyta pan Peg, czy jej syn zechciałby zabrać rower Ethana.
Macon chrząknął.
— Tak — powiedział — nie wiem, jak się zachować w takich sytuacjach.
— A potem strzyże pan trawnik, jakby nic się nie stało.
— Trawa rosła cały czas, Garner.
— Wszyscy tak strasznie chcieliśmy to za pana zrobić.
— Dziękuję, ale praca sprawiała mi przyjemność.
— No, sam pan widzi...
— Chwileczkę, spróbujmy wprowadzić nieco logiki do tej dyskusji...
— Właśnie o to mi chodzi!
— Zaczął pan mówić o Sarze, a potem nagle opowiada pan, jak bardzo zawiodłem sąsiadów.
— A co za różnica? Może pan nie wie, Macon, ale jest pan uważany za człowieka, który pruje naprzód w pojedynkę.

Niech pan zauważy, jak pan chodzi! Jak pan zasuwa ulicą biegiem, z wysuniętą do przodu głową. Jeśli ktoś chce pana zatrzymać i, powiedzmy, złożyć kondolencje, może zostać stratowany. Ale wracając do tematu, ja wiem, że panu zależy, i pan to wie, ale jak to wygląda w oczach kogoś innego? Pytam pana! Nic dziwnego, że sobie poszła.

— Garner, doceniam pańską troskę — powiedział Macon — ale Sara doskonale wie, że mi zależy. Nie jestem tak małomówny, jak pan to przedstawia. A poza tym to nie jest układ typu: otwarta sprawa — zamknięta sprawa, „czy można ocalić to małżeństwo". Pan się po prostu cholernie myli, Garner.

— No tak. — Garner zerknął na swoją czapkę i po chwili wsadził ją gwałtownie na głowę. — Chyba przyniosę pańskie listy.

— Dobrze. Dziękuję.

Garner wstał i wyszedł. Wzbudziło to czujność Edwarda, który znowu zaczął szczekać. Macon przyglądał się swojemu gipsowi i słuchał dobiegających z salonu odgłosów serialu. Pies tymczasem skomlił u drzwi i biegał tam i z powrotem, stukając pazurami. Po chwili wrócił Garner.

— Głównie katalogi — powiedział, rzucając swój ładunek na stół. Wniósł ze sobą zapach świeżego powietrza i suchych liści. — Brenda powiedziała, że możemy sobie dać spokój z gazetami i po prostu je wyrzucić.

— Oczywiście — zgodził się Macon. Wstał i uścisnęli sobie dłonie. Palce Garnera były szorstkie i powykręcane.

— Dziękuję, że pan przyjechał.

— Zawsze do usług — odparł Garner, patrząc gdzieś w bok.

— Nie chciałem, wie pan... mam nadzieję, że nie byłem zbyt opryskliwy.

— Nie. — Garner podniósł rękę i opuścił ją. — Cholera. Niech pan się tym nie przejmuje. — Odwrócił się do drzwi.

Macon pomyślał o wielu innych sprawach, o których powinien był wspomnieć. Chciał powiedzieć, że to nie tylko jego wina. Sara też ma w tym swój udział. Chciał powiedzieć, że Sara potrzebuje mężczyzny jak skała, kogoś, kto nie pęka.

Przecież dlatego zechciała mieć go za męża. Ale zachował spokój i patrzył, jak sąsiad wychodzi. Było coś żałosnego w biegnących w dół szyi Garnera dwóch nabrzmiałych żyłach, pomiędzy którymi widniała mała powierzchnia pomarszczonej brązowej skóry.

Kiedy bracia wrócili z pracy, w domu zapanowała atmosfera relaksu i luzu. Rose zasunęła kotary w jadalni i zapaliła kilka lamp dających łagodne światło. Charles i Porter przebrali się w swetry. Macon zaczął mieszać swój specjalny sos do sałaty. Uważał, że jeśli najpierw zetrze się przyprawy tłuczkiem w marmurowym moździerzu, zupełnie zmienia to smak. Wszyscy przyznawali, że niczyj sos nie smakuje tak jak jego.

— Kiedy się wyprowadziłeś — powiedział Charles — musieliśmy kupować ten sos w butelce.

Zabrzmiało to tak, jak gdyby Macon wyprowadził się zaledwie kilka tygodni temu, jak gdyby całe jego małżeństwo było po prostu krótką wycieczką.

Na kolację mieli przyrządzoną przez Rose pieczeń, sałatę z sosem Macona i pieczone kartofle. Pieczone kartofle zawsze były dla nich prawdziwym przysmakiem. Nauczyli się je przyrządzać jako dzieci i nawet gdy byli już na tyle dorośli, że potrafili ugotować pełnowartościowy posiłek, żyli wyłącznie pieczonymi kartoflami, kiedy tylko Alicja zostawiała ich samych sobie. W zapachu piekącego się kartofla Idaho było coś przytulnego i jak określał to Macon, konserwatywnego. Przypomniał sobie niezliczone zimowe wieczory: czerń za oknami kuchni, kąty puszyste od narastającej ciemności, a oni czworo usadowieni przy wyszczerbionym lakierowanym stole, pracowicie napełniający wydrążone łupiny kartofli masłem. Masło topniało w łupinach, podczas gdy mieszali i przyprawiali mączystą masę; łupiny zostawiali na deser. Był to niemal rytuał. Przypomniał sobie, że kiedyś, podczas jednej z dłuższych nieobecności matki, jej przyjaciółka Eliza podała im potrawę, którą nazywała kartoflanymi łódkami — łupiny były wypełnione nadzieniem i nie miało to nic wspólnego z prawdziwymi pieczonymi kartoflami. Dzieci z grymasem na ściągniętych zaskoczeniem twarzach wyjęły nadzienie i zajęły się jak zwykle łupinami, udając, że nie zauważyły jej pomyłki. Łupiny powinny być chrupkie i nie wolno ich solić. Pieprz musi być świeżo zmielony. Papryka była do przyjęcia, ale tylko amerykańska. Węgierska miała zbyt wyraźny smak. Macon mógł się właściwie doskonale obyć bez papryki.

Podczas kolacji Porter zastanawiał się, co ma zrobić ze swoimi dziećmi. Następnego dnia wypadał jego wieczór odwiedzin i miał pojechać do Waszyngtonu, gdzie dzieci mieszkały z matką.

— Chodzi o to — żalił się — że jadanie w restauracjach jest takie sztuczne. Nie jest prawdziwym jedzeniem. A poza tym każde z nich trojga ma inny gust. Zawsze się kłócą, dokąd mamy iść. Jedno jest na diecie, drugie przeszło na wegetarianizm, a trzecie też czegoś tam nie znosi. Wreszcie ja wrzeszczę: „Na miłość boską, idziemy tu czy tam i koniec dyskusji!" Po czym idziemy i podczas całego posiłku wszyscy są obrażeni.

— Może nie powinieneś ich odwiedzać — powiedział rozsądnie Charles, który nie miał własnych dzieci.

— Ależ ja tego chcę, Charles. Chciałbym tylko, żebyśmy robili coś innego. Wiecie, co byłoby idealne? Gdybyśmy mogli robić coś wspólnie za pomocą narzędzi. Tak jak w dawnych czasach, przed rozwodem, kiedy Danny pomagał mi rozkręcić termę, a Susan siadała na desce, którą piłowałem. Gdybym mógł po prostu wpaść do nich. June i jej mąż poszliby do kina czy gdzieś indziej, a ja i dzieci oczyścilibyśmy rynny, uszczelnilibyśmy okna i opatulilibyśmy rury z gorącą wodą... Ten jej mąż jest do niczego, założę się, że zostawia te rury niezabezpieczone. Mógłbym nawet przynieść swoje własne narzędzia. Świetnie byśmy się bawili! Susan mogłaby przygotować dla nas kakao. A pod koniec wieczoru spakowałbym swoje rzeczy i poszedłbym, zostawiając dom w idealnym stanie. Uważam, że June powinna skorzystać z tej szansy.

— To może jej to zaproponuj — podsunął Macon.

— Nie. Nigdy się na to nie zgodzi. Jest taka niepraktyczna. W zeszłym tygodniu powiedziałem jej tak: „Wiesz, że jeden stopień schodów na ganek się rusza? Jeśli tylko źle na nim stanąć, wyłazi z gwoździ". A ona: „O Boże, rzeczywiście tak jest", jakby to było zrządzenie opatrzności i nic nie można było na to poradzić. W rynnach liście z zeszłej zimy, ale liście są w końcu czymś naturalnym — po co działać wbrew naturze. Ona jest strasznie niepraktyczna.

Sam Porter był najbardziej praktycznym człowiekiem, jakiego Macon znał. Jako jedyny członek rodziny Learych znał się na pieniądzach. Jego talent w tej dziedzinie ratował rodzinny interes od upadku, choć ledwo ledwo. Nie była to zamożna firma. Dziadek Leary założył ją na początku stulecia jako fabrykę wyrobów blaszanych, a w roku 1915 przerzucił się na kapsle do butelek. Nazywał siebie Królem Kapsli i tak napisano w nekrologu, ale w gruncie rzeczy większość kapsli zawsze produkowała firma „Crown Cork"; dziadek Leary był dopiero na drugim lub trzecim miejscu. Jego jedyny syn, Książę Kapsli, zdążył tylko rozpocząć pracę w fabryce, po czym zgłosił się na ochotnika do wojska podczas drugiej wojny światowej, co okazało się o wiele bardziej szkodliwym entuzjazmem niż którakolwiek z manii Alicji. Po jego śmierci interes szedł kulawo, bez specjalnych wzlotów i upadków, dopóki Porter nie wkroczył tam prosto ze studiów i nie zajął się sprawami finansowymi. Pieniądze były dla Portera czymś niemal chemicznym — lotną substancją reagującą w połączeniu z innymi na najróżniejsze, ciekawe sposoby. Nie był najemnikiem — nie pragnął pieniędzy dla nich samych, tylko ze względu na ich intrygujące możliwości, a kiedy żona się z nim rozwiodła, oddał jej większość majątku bez słowa skargi.

Porter zarządzał firmą, pompując w nią forsę i pomysły. Charles, który miał większe zdolności techniczne, zajmował się kwestiami produkcji. Macon robił wszystko po trochu, kiedy tam pracował, i potwornie się nudził, bo w gruncie rzeczy nie było wystarczająco dużo pracy dla trzeciej osoby. Nalegania Portera, aby wrócił, podyktowane były głównie kwestią symetrii.

— Słuchaj Macon — powiedział teraz — może byś z nami jutro pojechał i rzucił okiem na swoje stare podwórko?

— Nie, dziękuję — odparł Macon.

— Z tyłu jest mnóstwo miejsca na twoje kule.

— Może innym razem.

Łazili za Rose, kiedy zmywała naczynia. Nie lubiła, żeby jej pomagali, bo twierdziła, że ma własną metodę. Poruszała się bezszelestnie po staroświeckiej kuchni, układając talerze w wysokich drewnianych szafkach. Charles wyprowadził psa, bo Macon nie był w stanie poradzić sobie z kulami na miękkim, wilgotnym podwórku. Porter zaciągał kuchenne rolety, wygłaszając jednocześnie do Rose wykład na temat tego, jak białe powierzchnie odbijają ciepło z powrotem do pokoju, teraz gdy noce są już chłodniejsze.

— Tak, Porterze, wiem o tym — podsumowała Rose podnosząc wazę na sałatę ku światłu i przyglądając się jej bacznie, zanim ją odstawiła.

Jak zwykle obejrzeli wiadomości, a potem wyszli na werandę i usiedli przy stoliku do kart. Grali w tak zwane szczepienie; była to karciana gra, którą wymyślili jako dzieci i która z upływem lat stała się tak zagmatwana, że nikt nie był w stanie się jej nauczyć. Prawdę mówiąc, niejeden gość oskarżał ich, że zmieniają zasady zależnie od okoliczności.

— Chwileczkę — powiedziała kiedyś Sara, gdy jeszcze miała nadzieję, że zdoła pojąć zasady gry. — Chyba mówiłeś, że asy są wysoką figurą.

— Tak.

— Wobec tego to znaczy, że...

— Ale nie wówczas, gdy są ciągnięte z talii.

— Aha! To dlaczego ten, którego wyciągnęła Rose, był policzony wysoko?

— Bo ona go wyciągnęła po dwójce, Saro.

— Asy brane po dwójce są liczone wysoko?

— Nie, asy brane po numerze, który był tuż przedtem brany dwa razy pod rząd.

Sara złożyła swój wachlarzyk kart i położyła je na stole — ostatnia z żon, która się poddała.

Macon miał kwarantannę i musiał oddać siostrze wszystkie swoje karty. Rose przysunęła się z krzesłem do niego i zgarniała jego punkty, a on sam siedział wygodnie oparty i drapał kotkę za uchem. Naprzeciwko, w małych, ciemnych szybkach okiennych, widział ich odbicia — z głęboko osadzonymi oczami i ostrymi kośćmi policzkowymi, ciekawsze wersje ich samych.

Telefon w salonie wydał skrzek, po czym zadzwonił normalnie. Nikt nie zwrócił na to uwagi.

— Świntucha — rzucił Porter, gdy Rose położyła króla na jego damie.

Telefon dzwonił kilka razy. W połowie czwartego dzwonka zamilkł.

— Podskórny — powiedziała Rose do Portera i położyła na królu asa.

— Jesteś prawdziwą świntuchą, Rose — usłyszała ponownie.

Z portretu na ścianie spoglądały zamglonymi oczami dzieci rodziny Learych. Macon zauważył nagle, że tego wieczoru siedzą bardzo podobnie: Charles i Porter po obu jego stronach, a Rose z przodu. Czy zaszły jakiekolwiek zmiany? Przeniknął go dreszcz. Nadal tu jest! Taki sam jak zawsze! „Czego dokonałem?" — pomyślał z paniką; przełknął ślinę i spojrzał na swoje puste dłonie.

VI

— Na pomoc! Ratunku! Zawołaj swojego psa!

Macon przestał stukać w klawisze i uniósł głowę. Głos dobiegał sprzed domu i wznosił się ponad serię ostrych, podnieconych skowytów. Ale Edward był na spacerze z Porterem. To pewnie jakiś inny pies.

— Zawołaj go, do cholery!

Macon wstał, wyprostował się na kulach i podszedł do okna. Oczywiście — Edward. Wyglądało na to, że zagonił kogoś w wielki krzew magnolii na prawo od ścieżki. Szczekał tak zajadle, że podskakiwał zupełnie poziomo, na wszystkich czterech łapach równocześnie, jak zabawka, która wyskakuje wysoko w powietrze, kiedy nacisnąć gumową pompkę.

— Edwardzie! Uspokój się! — krzyknął Macon.

Pies nie zareagował. Pewnie nawet nie usłyszał. Macon pokuśtykał do holu, otworzył frontowe drzwi i zawołał.

— Chodź tu w tej chwili!

Edward w ogóle nie zwrócił na niego uwagi.

Był sobotni poranek, bladoszary i chłodny początek października. Idąc przez ganek Macon czuł, jak w obciętą nogawkę spodni wpełza chłód. Kiedy rzucił jedną kulę i ujął dłonią żelazną poręcz, żeby zejść ze schodków, stwierdził, że metal pokrywa wilgoć.

Dokuśtykał do krzewu magnolii, pochylił się ostrożnie i chwycił wleczoną przez Edwarda smycz. Ściągnął ją bez trudu, bo pies już tracił zainteresowanie nieznajomym. Macon zajrzał w nieprzenikniony gąszcz magnolii.

— Kto tam? — zapytał.

— Twój pracodawca, Maconie.

— Julian?

Julian zlazł z jednej z rozrośniętych gałęzi magnolii. Na przodzie spodni miał smugę brudu. Jego białoblond włosy, zazwyczaj tak starannie uczesane, że mógłby występować w reklamie, sterczały we wszystkie strony.

— Macon — powiedział — naprawdę nie znoszę ludzi, którzy mają wredne psy. Nie tylko nie cierpię takich psów, ale również ich właścicieli.

— Bardzo mi przykro, przepraszam. Myślałem, że on jest na spacerze.

— Wysyłasz go na spacery samego?

— Nie, nie...

— Pies, który odbywa samotne przechadzki; tylko Macon Leary może mieć coś takiego. — Julian wytarł rękawy zamszowej bluzy. — Co się stało z twoją nogą? — zapytał.

— Złamałem ją.

— To widzę, ale w jaki sposób?

— To dosyć trudno wyjaśnić — odparł Macon.

Ruszyli w stronę domu, a Edward dreptał pokornie obok. Julian pomógł Maconowi wejść na schodki. Był typem sportowca w swobodnym, beztroskim stylu. Łatwo było stwierdzić, że żegluje, bo nawet o tej późnej porze roku z czubka nosa złaziła mu skóra. Macon zawsze mu powtarzał, że nikt o tak zdumiewająco jasnych włosach i tak żywo rumianej twarzy nie powinien wystawiać się na słońce i narażać na poparzenia. Ale taki był Julian — nierozważny. Śmiały żeglarz, szybko jeżdżący kierowca, częsty gość barów dla samotnych. Człowiek, który dokonałby zakupu nie zajrzawszy do „Raportu klientów". Nigdy nie miewał nawet chwilowych wątpliwości co do siebie samego, a teraz podążał w stronę domu tak ochoczo, jakby został zaproszony; podniósł drugą kulę Macona, a następnie przytrzymał mu drzwi i zaprosił gestem dłoni do środka.

— A właściwie jak mnie odnalazłeś? — zapytał Macon.

— A co, ukrywasz się?

— Oczywiście, że nie.

Julian obrzucił wzrokiem hol wejściowy, który natychmiast wydał się Maconowi nieco zaniedbany. Jedwabny abażur lampy stojącej na stole miał mnóstwo długich pionowych dziur; wydawało się, że lada moment rozpadnie się zupełnie.

— Twój sąsiad powiedział mi, gdzie jesteś — oznajmił wreszcie Julian.

— Aha, Garner.

— Pojechałem do ciebie, bo nie mogłem się dodzwonić. Czy wiesz, jak bardzo jesteś opóźniony z przewodnikiem?

— Przecież widzisz, że miałem wypadek.

— Wszyscy musieli wstrzymać pracę i czekają na maszynopis. Ciągle im mówię, że spodziewam się go momentalnie, ale...

— Lada chwila — poprawił Macon.

— Słucham?

— Spodziewasz się go lada chwila.

— Tak, a dotąd widziałem dwa rozdziały, które mi przysłałeś bez żadnego wyjaśnienia.

Cały czas coś mówiąc Julian wszedł do salonu. Wybrał najwygodniejszy fotel i usiadł.

— Gdzie Sara? — zapytał.

— Kto?

— Twoja żona, Maconie.

— Ach. Ona i ja jesteśmy...

Powinien był przećwiczyć głośne wypowiadanie tego zdania. Słowo „w separacji" brzmiało jakoś łyso; to było coś, co przytrafiało się innym ludziom. Dotarł do kanapy i wykonał wielki pokaz usadawiania się i układania obok siebie kul. Potem powiedział:

— Ona ma mieszkanie w śródmieściu.

— Rozstaliście się?

Macon kiwnął głową.

— Boże drogi!

Edward rozkazująco podsuwał nos pod dłoń swego pana, domagając się pieszczot. Macon był wdzięczny, że może się czymś zająć.

— Na Boga, co się zepsuło? — zapytał Julian.

— Nic — odpowiedział Macon. Zabrzmiało to zbyt głośno. Zniżył głos. — Nie mogę na to odpowiedzieć.

— Och, przepraszam.

— Nie trzeba... Chodzi mi o to, że... nie ma na to odpowiedzi. Okazuje się, że takie sprawy mogą się zdarzyć bez żadnego konkretnego powodu.

— Mieliście oboje ciężkie przeżycia... Do licha, to co się stało, i w ogóle... Ona wróci, kiedy się z tym upora. To znaczy, nie upora, tylko, no wiesz...

— Możliwe — stwierdził Macon. Było mu wstyd za Juliana, który kiwał nogą obutą w żeglarski pantofel bez pięty.

— Co sądzisz o tych dwóch rozdziałach? — zapytał.

Julian otworzył usta, żeby odpowiedzieć, ale przerwał mu pies. Edward popędził do holu i zaczął wściekle szczekać. Rozległo się stuknięcie, które Macon rozpoznał jako dźwięk otwierających się drzwi frontowych uderzających w kaloryfer. Usłyszał, jak Rose mówi do Edwarda:

— Cicho bądź.

Przeszła przez hol i zajrzała do salonu. Julian wstał.

— Julian Edge, a to moja siostra Rose — powiedział Macon. — A to — dodał na widok wkraczającego za nią Charlesa — mój brat Charles.

Ani Rose, ani Charles nie mogli podać Julianowi ręki, bo nieśli zakupy. Stali pośrodku pokoju, przyciskając do siebie brązowe papierowe torby, a Julian rozpoczął coś, co Macon uważał za jego stały numer pod tytułem „Macon Leary".

— Macon Leary z siostrą! I z bratem! Kto by zgadł? Nigdy nie przyszło mi do głowy, że Macon Leary ma rodzinę.

Rose rzuciła mu uprzejmy, zdziwiony uśmiech. Nie wyglądała najlepiej. Była w długim czarnym płaszczu, który pozbawiał jej twarz wszelkiego koloru. A Charles, tłusty i zadyszany, szamotał się z torbą, usiłując ją mocniej chwycić.

— Pomogę panu — powiedział Julian. Wziął torbę i zajrzał do niej. Macon bał się, że zacznie coś mówić na temat produktów spożywczych Macona Leary'ego, ale Julian zwrócił się do Rose: — Tak, widać rodzinne podobieństwo...

— Pan jest wydawcą Macona — odezwała się Rose. — Pamiętam z nalepki z adresem.

— Nalepki z adresem?

— To ja wysyłałam do pana rozdziały książki Macona.

— Ach, tak.

— Mam panu wysłać następne, ale najpierw muszę kupić koperty o wymiarach dziewięć na dwanaście. Zostały nam tylko dziesięć na trzynaście. To okropne, kiedy rzeczy do siebie nie pasują. Wszystko się rozsypuje i nie jest porządnie ułożone.

— Aha — mruknął Julian i spojrzał na nią uważnie.

— Nie chcielibyśmy cię zatrzymywać, Rose — powiedział Macon.

— Nic się nie stało — odparła. Uśmiechnęła się do Juliana, uniosła wyżej torby z zakupami i wyszła z pokoju. Charles wziął swoją torbę i podążył za nią.

— Macon Leary ma kryzys z kopertami dziewięć na dwanaście — zakpił Julian siadając.

— Przestań! — zdenerwował się Macon.

— Przepraszam. — W głosie Juliana brzmiało zaskoczenie.

Zamilkli. Po chwili Julian rzekł:

— Naprawdę nie miałem pojęcia, Macon. Gdybyś mi powiedział, co się dzieje w twoim życiu...

Znowu kiwał pantoflem. Zawsze był skonfundowany, kiedy nie mógł odegrać swojego numeru pod hasłem: „Macon Leary". Po śmierci Ethana unikał Macona przez wiele tygodni. Przysłał ogromny bukiet, ale nigdy nie wspomniał już o Ethanie.

— Słuchaj — powiedział — jeśli chcesz jeszcze... no, nie wiem... miesiąc...

— Ależ to bzdura, czymże jest jedna czy dwie zaginione żony, no nie? Ha, ha! Poczekaj, przyniosę ci to, co już napisałem; będziesz mógł przejrzeć.

— Skoro tak uważasz...

— Zostało mi tylko podsumowanie! — zawołał przez ramię Macon, kuśtykając do jadalni, gdzie na kredensie leżał ostatni rozdział. — Podsumowanie to drobiazg. Ściągnę większość z poprzedniego wydania.

Wrócił z maszynopisem i wręczył go Julianowi, który od razu zaczął czytać. Macon usiadł na kanapie. Słyszał, że tylnymi drzwiami wchodzi Porter, którego wita wściekłe szczekanie Edwarda.

— Ty potworze — mówił do psa Porter — czy wiesz, jak długo cię szukałem?

Zadzwonił telefon, którego nikt nie odbierał. Julian spojrzał na Macona i uniósł brwi, ale powstrzymał się od komentarza.

Poznali się wiele lat temu, kiedy Macon pracował jeszcze w fabryce kapsli. Zaczął się wówczas rozglądać za inną pracą. Uznał, że być może chciałby pracować w gazecie. Nie miał jednak żadnych kwalifikacji w tej dziedzinie, nie uczestniczył wcześniej w żadnym kursie dziennikarskim. Zaczął więc w jedyny sposób, jaki mu przyszedł do głowy; napisał do lokalnego tygodnika artykuł na temat targów rzemiosła w Waszyngtonie. „Trudno tam dojechać — pisał — bo autostrada jest tak pusta, że człowiek zaczyna się czuć zagubiony i smutny. A kiedy dojedziesz, jest jeszcze gorzej. Ulice są inne niż nasze i nawet nie biegną pod kątem prostym." Następnie oceniał potrawy, których spróbował w budce na świeżym powietrzu; stwierdził, że zawierają one przyprawy, do których nie jest przyzwyczajony, coś zimnego i żółtego, co mógłby niemal uznać za zagraniczne, więc zadowolił się hot dogiem kupionym u ulicznego przekupnia, poza terenem targowym. „Hot doga mogę polecić — pisał — choć sprawił, że poczułem żal, bo Sara, moja żona, używa tego samego rodzaju sosu chili, więc gdy tylko go powąchałem, pomyślałem o domu." Polecał również kołdry patchworkowe, z których jedna miała wzór w gwiazdy, tak jak kołdra w pokoju jego babci. Proponował, żeby czytelnicy opuścili targi nie później niż o wpół do czwartej, bo jadąc do Baltimore koło Lexington Market na pewno zechcą kupić kraby przed zamknięciem sklepów.

Jego artykuł został opublikowany pod nagłówkiem: PRZYJEMNOŚCI ZWIĄZANE Z TARGAMI RZEMIOSŁA, INSTRUKCJA. Niżej widniał podtytuł: „Czuję się taki załamany, że chcę już jechać do domu". Macon nie zdawał sobie sprawy, jaki ton nadał swojemu tekstowi, dopóki nie zobaczył tego podtytułu. Wtedy poczuł się głupio.

Ale Julian Edge uważał, że artykuł jest doskonały. Zadzwonił do Macona.

— To pan napisał ten kawałek o hot dogu w piśmie „Watchbird"?

— Tak.

— Ha!

— Nie rozumiem, co w tym zabawnego — stwierdził Macon sztywno.

— A kto mówi, że to zabawne? To jest doskonałe. Mam dla pana propozycję.

Spotkali się w restauracji „Old Bay", dokąd dziadkowie zwykli byli zabierać całą czwórkę w dniu urodzin któregoś z nich.

— Mogę osobiście polecić zupę z krabów — powiedział Macon. — Nie zmienili w niej nic od czasu, gdy miałem dziewięć lat.

— Ha! — rzucił znowu Julian i odchylił się na krześle. Ubrany był w koszulkę polo i białe drelichowe spodnie, a jego nos miał jaskraworóżowy kolor. Było lato, a może wiosna. W każdym razie łódkę już spuścił na wodę.

— Oto mój plan — oświadczył przy zupie. — Jestem właścicielem małej firmy zwanej „Prasa Biznesmena". Mówię, że jest mała, ale sprzedajemy nasze produkty w całym kraju. Nic specjalnego, ale różne przydatne rzeczy. Notatniki do zapisywania umówionych spotkań, książeczki do zapisywania wydatków, tabele procentów składanych, tabele kursów walut... A teraz chcę wydać przewodnik dla osób podróżujących służbowo. Na początek tylko Stany Zjednoczone, a potem być może inne kraje. Nazwalibyśmy to jakoś chwytliwie, nie wiem... może „Turysta mimo woli"? A pan jest człowiekiem, który to napisze.

— Ja?

— Wiedziałem o tym, gdy tylko przeczytałem pański kawałek o hot dogu.

— Ale ja nie znoszę podróżować.

— Tak też sobie pomyślałem — powiedział Julian.
— Biznesmeni też nie lubią. Ci ludzie nie rozjeżdżają się po kraju dla przyjemności, Macon. Na pewno woleliby siedzieć

w swoim salonie. A pan pomoże im udawać, że właśnie tam się znajdują.

Wyciągnął z kieszeni na piersi kawałek papieru i zapytał:

— Co pan o tym sądzi?

Był to staloryt przedstawiający zarzucony rzeczami fotel. Do jego oparcia przymocowano wielkie, pierzaste skrzydła, jakie widuje się u serafinów w starszych, ilustrowanych wydaniach Biblii. Macon zamrugał powiekami.

— Pańskie logo — wyjaśnił Julian. — Rozumie pan?

— Mhm...

— Podczas gdy fotelowi podróżnicy marzą o tym, żeby gdzieś pojechać, podróżujące fotele marzą o pozostaniu na miejscu. Pomyślałem, że można by to wykorzystać na okładce.

— Aha! — rzucił inteligentnie Macon, po czym zaniepokoił się: — Ale czy ja musiałbym podróżować?

— No tak.

— Aha.

— Ale na krótko. Nie chodzi mi o rodzaj encyklopedii, wręcz przeciwnie. I proszę pomyśleć o pieniądzach.

— A to się opłaca?

— Jeszcze jak.

Nie było to „jeszcze jak", ale wystarczało na spokojne życie. Książka sprzedawała się znakomicie na lotniskach, na stacjach kolejowych i w sklepach z materiałami biurowymi. Przewodnik po Francji rozszedł się jeszcze lepiej. Był częścią kampanii promocyjnej zorganizowanej przez międzynarodową agencję wynajmu samochodów i sprzedawano go razem z „Podręcznikiem obcych zwrotów dla biznesmena", który podawał niemiecką, francuską i hiszpańską wersję takich wyrażeń, jak: „Przewidujemy poprawę w funduszach transgranicznych". Macon, oczywiście, nie był autorem podręcznika wyrażeń. Jedynym obcym językiem, jaki znał, była łacina.

Julian ponownie złożył przeczytane strony.

— Doskonale — powiedział. — Myślę, że możemy to już wysłać. I jeszcze to podsumowanie; dużo zostało ci do napisania?

— Niewiele.

— Potem chcę znowu zacząć USA.

— Tak szybko?

— To już trzy lata, Macon.

— No tak, ale... — Macon wskazał swoją nogę. — Widzisz, że trudno by mi było podróżować.

— Kiedy zdejmują ci gips?

— Najwcześniej pierwszego listopada.

— W porządku! To tylko kilka tygodni.

— Ale mnie się wydaje, że dopiero pisałem o Stanach — bronił się Macon. Opanowało go znużenie. Te ciągłe podróże, Boston, Atlanta, Chicago... Oparł głowę o kanapę.

— Wszystko się ciągle zmienia, Macon. Zmiana! To nam zapewnia powodzenie. Co byśmy zdziałali sprzedając zdezaktualizowane przewodniki?

Macon pomyślał o starej, rozsypującej się książce „Rady dla podróżujących po kontynencie". Podróżnym radzono, aby stawiali kieliszek do góry nóżką na prześcieradle i sprawdzali w ten sposób stopień zawilgocenia pościeli. Panie powinny przed zapakowaniem buteleczek perfum uszczelniać ich korki stopionym woskiem ze świec. Książka stwarzała wrażenie, że turyści przeżywają to wszystko wspólnie, jednakowo niespokojni i bezbronni. Macon mógłby nawet polubić podróżowanie w tamtych czasach.

Julian zbierał się do odejścia. Wstał. Macon zrobił to samo, choć z trudnością. Edward, czując, że zbliża się wyjście gościa, przygnał do salonu i zaczął szczekać.

— Przepraszam! — wrzasnął Macon, usiłując przekrzyczeć hałas. — Edwardzie, uspokój się! Myślę, że to jego instynkt psa pasterskiego — wyjaśnił Julianowi. — Nie cierpi, kiedy ktoś oddala się od stada.

Ruszyli do holu. Pies plątał im się pod nogami, wciąż doskakując i skowycząc. Kiedy doszli do drzwi, Edward zablokował je. Na szczęście nadal ciągnął za sobą smycz, więc Macon oddał Julianowi jedną kulę i pochylił się, żeby ją chwycić. Gdy Edward poczuł szarpnięcie, odwrócił się i warknął na Macona.

— Oho! — przestraszył się Julian, bo warczący Edward wyglądał bardzo paskudnie. Kły jakby mu się wydłużyły. Z głośnym kłapnięciem chwycił zębami smycz, a potem dłoń

Macona. Macon poczuł gorący oddech Edwarda i dziwnie znajomą wilgoć jego zębów. Pies nie tyle ugryzł, ile mocno ścisnął rękę. Macon odczuł wstrząs, jakiego się doznaje przy dotknięciu przewodu elektrycznego. Cofnął się i upuścił smycz. Druga kula upadła mu na podłogę. Cały hol wydawał się pełen kul, a w powietrzu było coś kłującego.

— No, no! — powiedział Julian w nagłej ciszy. Pies dysząc usiadł i zrobił zawstydzoną minę. — Macon, czy on cię ugryzł?

Macon spojrzał na swoją dłoń. Widniały na niej cztery czerwone punkciki — dwa z wierzchu i dwa od spodu — ale nie było krwi i nie bardzo bolało.

— Nic mi nie jest — odparł.

Julian podał mu kule, zerkając na Edwarda.

— Nie trzymałbym takiego psa. Zastrzeliłbym go.

— On tylko usiłował mnie bronić — rzekł usprawiedliwiająco Macon.

— Ja bym zadzwonił do Towarzystwa Opieki nad Zwierzętami.

— Idź teraz, Julianie, dopóki jest spokojny.

— Albo do... jak to się nazywa... do hycla. Powiedz mu, że chcesz, żeby go załatwił.

— Idź już, Julianie.

— No dobrze — powiedział Julian. Otworzył drzwi i wysunął się bokiem, oglądając się na Edwarda. — To nie jest dobry pies — mruknął, zanim wyszedł.

Macon pokuśtykał na tył domu. Edward szedł za nim „na krótkich łapach", z nosem przy samej ziemi.

W kuchni Rose stała na stołeczku przed wielkim oszklonym kredensem i odbierała produkty, które podawali jej Charles i Porter.

— Teraz potrzebuję „k"; dajcie wszystko, co się zaczyna na literę „k" — mówiła.

— A co z tymi kluskami? — zapytał Porter. — „K" jak kluski? „M" jak makaron?

— „G" jak gwiazdki makaronowe. Mogłeś mi to podać — wcześniej.

— Rose — odezwał się Macon — Edward chyba mnie trochę ugryzł.

Odwróciła się, a Charles i Porter zaczęli oglądać jego dłoń. Teraz go bolała — był to głęboki, kłujący ból.

— Och, Macon! — krzyknęła Rose. Zeszła ze stołka.

— Jak to się stało?

— To był wypadek, nic więcej. Ale chyba potrzebny jest środek odkażający.

— Potrzebujesz również zastrzyku przeciwtężcowego — stwierdził Charles.

— Pozbądź się tego psa — poradził Porter.

Spojrzeli na Edwarda, który wyszczerzył się na nich nerwowo.

— On nie chciał zrobić nic złego — powiedział Macon.

— Odgryza ci rękę do łokcia i nie chce zrobić nic złego? Mówię ci, że powinieneś się go pozbyć.

— Zrozum, nie mogę.

— Dlaczego?

— Bo...

Czekali.

— Wiesz, że nie mam nic przeciwko kotu — oświadczyła Rose — ale Edward sieje takie zniszczenie, Macon. Z każdym dniem staje się coraz bardziej nie do wytrzymania.

— Może mógłbyś go oddać komuś, kto potrzebuje psa obronnego — powiedział Charles.

— Na jakąś stację benzynową — podsunęła Rose. Wyjęła z szuflady rolkę gazy.

— Nigdy — odparł Macon. Usiadł tam, gdzie mu wskazała, na krześle przy stole. Oparł kule w rogu. — Edward sam na jakiejś stacji benzynowej? Byłby nieszczęśliwy.

Rose przetarła mu dłoń tamponem ze środkiem dezynfekującym. Ręka wyglądała nieciekawie — wszystkie ślady zębów były spuchnięte i sine.

— Jest przyzwyczajony do sypiania ze mną — tłumaczył Macon. — Nigdy w życiu nie był sam.

Poza tym Edward w głębi serca nie był złym psem — tylko trochę niesfornym. Okazywał współczucie, zależało mu na Maconie i łaził za nim wszędzie. Na czole sierść układała się w literę „w", co nadawało mu wyraz troski. Duże spiczaste aksamitne uszy miały więcej wyrazu niż uszy innych psów;

kiedy był szczęśliwy, odstawały po obu stronach od głowy jak skrzydła samolotu. Jego zapach był bardzo miły — słodkawa woń, jakiej nabiera ulubiony sweter, kiedy leży złożony i nie uprany w szufladzie. I należał do Ethana.

Kiedyś Ethan go szczotkował, kąpał, walczył z nim na podłodze, a kiedy Edward przerywał zapasy, żeby podrapać się za uchem, Ethan pytał ze śmiertelnie poważną galanterią: „Ach, czy mogę ci to podrapać?" Obaj wyglądali co dzień popołudniowej gazety i gdy tylko się pojawiała, Ethan wysyłał psa, który pędził wielkimi susami, aby ją przynieść — tylne łapy stykały się z przednimi. Edward podnosił tumany kurzu, podskakując radośnie. Chwyciwszy gazetę w pysk, zatrzymywał się na chwilę i rozglądał wokół, jak gdyby mając nadzieję, że go wszyscy podziwiają, a potem buńczucznie wracał, bardzo zajęty i ważny, po czym stawał przed lustrem w holu frontowym i podziwiał swoją piękną figurę. „Zarozumialec" — mawiał z czułością Ethan. Chłopiec brał piłeczkę tenisową i rzucał, a Edward tak się tym ekscytował, że drżał mu cały zad. Często wychodzili na dwór z piłką futbolową, a kiedy pies zbyt się zagalopował, zaczynał szarpać piłkę, wpychał ją w żywopłot i wściekle warczał, w powietrzu letniego wieczoru dzwonił śmiech Ethana — wysoki, czysty, pogodny.

— Po prostu nie mogę — powiedział Macon.

Zapadła cisza.

Rose owinęła bandaż wokół jego dłoni tak delikatnie, że niemal nie poczuł. Wepchnęła koniec pod spód i sięgnęła po rolkę przylepca. Potem zaproponowała:

— Może moglibyśmy go wysłać do psiej szkoły, gdzie nauczy się posłuszeństwa.

— Tam uczą drobnych spraw, takich jak na przykład chodzenie przy nodze — odezwał się Porter. — A my mamy poważny problem.

— Nieprawda! — nie zgodził się z nim Macon. — To naprawdę nic ważnego. Ta kobieta w „Miau-Hau" doskonale dawała sobie z nim radę.

— Miau-Hau?

— Tam, gdzie go zostawiłem, kiedy pojechałem do Anglii. Strasznie go polubiła. Chciała mnie namówić, żebym pozwolił jej go tresować.

— No to zadzwoń do niej.

— Może tak zrobię — powiedział Macon.

Oczywiście nie zamierzał tego zrobić. Ta kobieta wydała mu się dziwna. Ale teraz nie było sensu o tym mówić.

W niedzielę rano Edward rozerwał siatkowe drzwi usiłując rzucić się na sąsiada, starszego pana, który przyszedł pożyczyć klucz francuski. Po południu rzucił się na Portera i nie pozwolił mu wyjść po sprawunki. Porter musiał się wymknąć tylnymi drzwiami, w chwili kiedy Edward nie widział.

— To jest upokarzające — powiedział do Macona.

— Kiedy zamierzasz zadzwonić do tego „Kit-Kat" czy jak to się nazywa?

Macon wyjaśnił, że w niedzielę „Miau-Hau" będzie z pewnością zamknięte.

W poniedziałek rano w czasie spaceru Edward rzucił się na biegnącego człowieka i przewrócił Rose. Wróciła do domu z podrapanym kolanem.

— Dzwoniłeś już do „Miau-Hau"? — zapytała.

— Jeszcze nie — odparł Macon.

— Macon — powiedziała Rose bardzo spokojnie. — Powiedz mi coś.

— Co takiego, Rose?

— Czy możesz mi wyjaśnić, dlaczego pozwalasz na takie rzeczy?

Nie, nie mógł — taka była prawda. To, co się działo, zdumiewało nawet jego samego. Był rozwścieczony wybrykami Edwarda, ale odbierał je jako dopust losu. Nic nie mógł na to poradzić. Kiedy pies podszedł do niego później, ciągnąc trzymany w pysku pasek Portera, Macon zdołał tylko jęknąć:

— Och, Edwardzie...

Siedział właśnie na kanapie, zwabiony wyjątkowo okropną sceną serialu Rose. Siostra spojrzała na niego z dziwnym wyrazem twarzy. Nie była to dezaprobata, lecz raczej... Szukał właściwego słowa. Rezygnacja. Tak. Spojrzała na niego, jak spojrzałaby na beznadziejnego włóczęgę, który snuje się naćpany ulicą w śródmieściu. Doszła pewnie do wniosku, że niewiele można zrobić dla takiego człowieka.

— Klinika „Miau-Hau".

— Czy... hm... jest Muriel?

— Chwileczkę.

Czekał oparty o szafkę. (Dzwonił z aparatu w spiżarni.) Słyszał, jak dwie kobiety rozmawiają o zastrzyku przeciwko wściekliźnie. Wreszcie Muriel podniosła słuchawkę.

— Halo!

— Mówi Macon Leary. Nie wiem, czy pani mnie pamięta...

— Ach, Macon! Cześć! Jak się miewa Edward?

— Robi się coraz gorszy.

— No proszę.

— Rzuca się na wszystkich. Warczy, gryzie, zjada różne rzeczy...

— Czy sąsiad mówił ci, że cię szukałam?

— Co? Tak.

— Byłam na twojej ulicy i załatwiałam różne sprawy. Zarabiam dzięki temu trochę forsy. To się nazywa „George". Nie sądzisz, że sympatycznie?

— Słucham?

— „George." Tak się nazywa ta firma. Zostawiłam ci pod drzwiami ulotkę. Napisano tam: „Niech George to zrobi", a dalej wyliczono wszystkie ceny: za wychodzenie na samolot, usługi szoferskie, kurierskie, zakupy... Najdroższe jest kupowanie prezentów, bo wtedy muszę się kierować własnym gustem. Nie znalazłeś tej ulotki? Naprawdę wpadłam jednak, żeby cię odwiedzić. Ale twój sąsiad powiedział, że cię nie ma.

— Złamałem nogę.

— To niedobrze!

— Nie mogłem sobie sam dać rady, więc...

— Powinieneś był zadzwonić do „George'a".

— Jakiego George'a?

— Do mojej firmy! Tej, o której ci przed chwilą mówiłam.

— Ach tak.

— Nie musiałbyś się wynosić z tego sympatycznego domu. Podobał mi się. Czy tam mieszkałeś, kiedy byłeś żonaty?

— Tak.

— Dziwię się, że zgodziła się go oddać.

— Chodzi o to — zmienił temat Macon — że jestem u kresu wytrzymałości, jeśli chodzi o Edwarda, i pomyślałem, że być może mogłabyś mi pomóc.

— Oczywiście, że mogę!

— Wspaniale.

— Mogę go nauczyć wszystkiego: szukaj i waruj, szukaj i ratuj, bomby, narkotyki...

— Narkotyki?

— Tresura obronna, tresura do ataku, znajdowanie trucizny, psia choroba sieroca...

— Chwileczkę, nie wiem nawet, co to jest — wtrącił Macon.

— Mogę go nawet nauczyć rozdwojenia osobowości.

— Co to jest rozdwojona osobowość u psa?

— Kiedy jest, na przykład, miły w stosunku do ciebie, ale zabija wszystkich innych.

— Myślę, że to trochę za skomplikowane dla mnie.

— Nie, nie! Nie mów tak!

— Mam tylko jeden problem. Jedyną wadą Edwarda jest to, że chce mnie bronić.

— Obrona może posunąć się za daleko — stwierdziła Muriel.

Macon zdobył się na żart.

— On usiłuje mi powiedzieć, że na zewnątrz jest dżungla. To właśnie usiłuje mi wytłumaczyć. „Ja wiem lepiej niż ty, Macon."

— Oho... Pozwalasz, żeby ci mówił po imieniu?

— No...

— Musi się nauczyć szacunku — stwierdziła Muriel. — Będę przychodzić pięć albo sześć razy w tygodniu, tak długo, jak będzie trzeba. Zacznę od spraw podstawowych — zawsze się tak robi. Siad, chodzenie przy nodze... Biorę pięć dolarów za lekcję. Liczę ci ulgowo, bo zwykle biorę dziesięć.

Macon ścisnął mocniej słuchawkę.

— To dlaczego ode mnie nie chcesz dziesięciu? — zapytał.

— Bo nie! Ty jesteś przyjacielem.

Poczuł się zażenowany. Podał jej adres i ustalił porę spotkania, mając dręczące poczucie, że coś mu się wymyka spod kontroli.

— Ale słuchaj — powiedział — jeśli chodzi o stawkę...

— Do zobaczenia jutro — przerwała mu i odłożyła słuchawkę.

Kiedy opowiedział to rodzeństwu przy kolacji, wydawało mu się, że zdali sobie sprawę, iż stało się coś ważnego.

— Naprawdę tam zadzwoniłeś? — zapytał Porter.

— Tak, a co? — odparł bardzo swobodnie Macon.

Wszyscy pojęli aluzję i natychmiast przestali o tym mówić.

VII

— Kiedy byłam mała — mówiła Muriel — nie lubiłam psów ani żadnych innych zwierząt. Wydawało mi się, że umieją czytać moje myśli. Rodzina dała mi na urodziny szczeniaka, który przekrzywiał głowę. Wiesz, jak one to robią? Przekrzywiał głowę i wpatrywał się we mnie tymi jasnymi okrągłymi oczkami, a ja krzyczałam: „Ojej! Zabierzcie go ode mnie! Wiecie, że nie znoszę, kiedy ktoś się we mnie wpatruje".

Miała głos, który wędrował zbyt daleko we wszystkich kierunkach. Był skrzekliwy w górnych rejestrach, a potem opadał w chrapliwy pomruk.

— Musieli go zabrać. Oddali go synowi sąsiada i zrobili mi całkiem inny prezent: trwałą ondulację, taką jak w salonie fryzjerskim, o której od dawna marzyłam.

Stali z Maconem w głównym holu. Nadal miała na sobie płaszcz — kosmaty czarny ciuch z watowanymi ramionami, długości trzy czwarte, podobny do tych, jakie widywało się w latach czterdziestych. Edward siedział przed nią, tak jak mu kazała. Powitał ją w drzwiach swoim zwykłym występem, skacząc i warcząc, ale ona przeszła niemal przez niego i wskazując na jego zad, kazała mu siąść. Gapił się na nią zdumiony. Schyliła się i dźgnęła go w tyłek długim, ostrym palcem wskazującym.

— Musisz cmoknąć językiem — powiedziała do Macona i zademonstrowała to. — One uczą się, że takie cmoknięcie oznacza pochwałę. A kiedy wyciągam rękę... widzisz?... to oznacza, że ma nadal siedzieć.

Edward siedział, ale co kilka sekund wydobywał się z niego skowyt, przypominający Maconowi bulgotanie maszynki do kawy. Muriel wydawała się tego nie słyszeć. Zaczęła omawiać plan lekcji, a po chwili, bez żadnej wyraźnej przyczyny, przeszła do autobiografii. Ale czy Edwardowi nie należało już pozwolić wstać? Jak długo ona każe mu siedzieć?

— Pewnie się zastanawiasz, dlaczego marzyłam o trwałej, skoro mam tak kręcone włosy. Stara miotła! Ale prawdę mówiąc, to nie jest naturalne. Moje włosy są bardzo proste i mizerne. Czasami rozpaczałam z tego powodu. Czy uwierzysz, że jako dziecko byłam blondynką? Jak księżniczka z bajki. Ludzie mówili mojej matce, że gdyby mi zakręciła włosy, wyglądałabym jak Shirley Temple, więc zrobiła to — zakręciła je na puszki po soku pomarańczowym. Miałam też niebieskie oczy i ich kolor się nie zmieniał przez długi czas, o wiele dłużej niż u innych dzieci. Ludzie myśleli, że zawsze tak będę wyglądać i radzili mi, żebym się starała o pracę w filmie. Naprawdę! Matka zapisała mnie do szkoły stepowania, kiedy miałam zaledwie kilka lat. Nikt nie przypuszczał, że moje włosy zwrócą się przeciwko mnie.

Edward zaskomlał. Muriel przeniosła wzrok poza Macona i spojrzała w szkło wiszącego za nim obrazu. Dotknęła dłonią końców włosów, jak gdyby badając ich wagę.

— Pomyśl, jak człowiek się czuje — powiedziała — kiedy budzi się któregoś dnia i stwierdza, że ma ciemne włosy. Mówię ci, to niemal zabiło moją matkę. Zwykła, nieciekawa Muriel z mętnobrązowymi oczami i włosami czarnymi jak sadza.

Macon czuł, że powinien coś powiedzieć, ale był zbyt niespokojny o Edwarda.

— No, tak... — bąknął, po czym dodał: — Może powinniśmy mu pozwolić wstać?

— Wstać? Ach, psu. Za chwilę — oznajmiła. — No więc... Są tak skręcone, bo zrobiłam mocną trwałą. Słyszałeś o czymś takim? Miała tylko nadać włosom puszystość, ale coś nie wyszło. Uważasz, że to źle wygląda? Gdybym je szczotkowała, sterczałyby na wszystkie strony i byłyby całkiem proste. Naprawdę, na wszystkie strony. Jak jakaś peruka stracha na wróble. Tak się to nazywa, prawda? Więc nawet nie mogę ich szczotkować. Wstaję rano i jestem gotowa do wyjścia. Boże, wolę nie myśleć o tym, jak są splątane.

— Może mogłabyś je po prostu uczesać — podsunął Macon.

— Trudno jest przeciągnąć po nich grzebieniem. Wszystkie małe zęby by się wyłamały.

— Może przydałby się taki grzebień z grubymi zębami, jakiego używają czarni?

— Wiem, o czym mówisz, ale głupio bym się czuła kupując coś takiego.

— Dlaczego? — zapytał Macon. — Przecież one wiszą w supermarketach. To żaden problem. Kup mleko, chleb, coś jeszcze i grzebień afro. Nikt nie zwróci uwagi.

— Może masz rację — stwierdziła Muriel, ale teraz, kiedy sprawiła, że się zaciekawił, nagle straciła zainteresowanie tą sprawą. Strzeliła palcami nad głową Edwarda. — Dobrze! — pochwaliła.

Edward skoczył na równe nogi i zaczął szczekać.

— Bardzo dobrze — powiedziała do niego.

Prawdę mówiąc, było tak dobrze, że Macon się trochę zezłościł. Miał ochotę oświadczyć, że sprawa nie może być aż tak prosta. Edward poprawił się zbyt szybko. Stało się to tak, jakby ból zęba minął właśnie w chwili przekroczenia progu poczekalni dentysty.

Muriel zsunęła torebkę z ramienia i położyła ją na stole w holu. Wyjęła z niej długą niebieską smycz przymocowaną do kolczatki.

— Ma to stale nosić — poleciła. — Zawsze, kiedy jest tresowany. Dzięki temu możesz go szarpnąć, kiedy zrobi coś niewłaściwego. Smycz kosztuje równo sześć dolarów, a kolczatka dwa dziewięćdziesiąt pięć. Razem z podatkiem będzie dziewięć czterdzieści. Możesz mi zapłacić po lekcji.

Nałożyła Edwardowi kolczatkę, po czym obejrzała swój paznokieć.

— Jeżeli złamię kolejny, zacznę krzyczeć — powiedziała. Cofnęła się i wskazała palcem zadek Edwarda. Po chwili wahania pies usiadł. Macon uznał, że w pozycji siedzącej wygląda szlachetnie — zarozumiały i poważny, całkiem inny niż zwykle. Ale kiedy Muriel strzeliła palcami, skoczył na równe nogi tak niesfornie jak zawsze.

— Teraz ty spróbuj — zwróciła się do Macona.

Wziął smycz i wskazał na zad Edwarda. Pies nawet nie drgnął. Macon zmarszczył brwi i wskazał bardziej surowo. Czuł się głupio. W przeciwieństwie do tej kobiety Edward wiedział, jak mały autorytet ma jego pan.

— Przyduś go palcem — poradziła Muriel.

To nie było proste. Odstawił kulę pod kaloryfer i sztywno schylił się, żeby dźgnąć Edwarda jednym palcem. Pies usiadł. Macon cmoknął. Potem wyprostował się i cofnął, wystawiając dłoń, ale Edward, zamiast nadal siedzieć, wstał i ruszył za nim. Muriel syknęła przez zęby. Edward znowu usiadł.

— On cię nie traktuje poważnie — stwierdziła.

— Wiem o tym — warknął Macon.

Zaczynał czuć ból w złamanej nodze. Czy ona każe Edwardowi długo tak siedzieć?

— Prawdę mówiąc, przez całe dzieciństwo nie miałam nawet kociaka — powiedziała Muriel. — A dwa lata temu zobaczyłam w gazecie ogłoszenie: „Możesz zarobić dodatkowe pieniądze w wolnych godzinach, pracując tyle, ile zechcesz". Była to firma tresury psów w domach klientów. Nazywała się „Piesku, zrób to". Czy to nie okropna nazwa? Kojarzy mi się z psim gównem. W każdym razie zgłosiłam się. „Uczciwie mówiąc, nie lubię zwierząt" — oznajmiłam, ale właściciel, pan Quarles, oświadczył, że to nie ma znaczenia. Stwierdził, że najwięcej kłopotu jest z ludźmi, którzy się nad nimi zbytnio rozczulają.

— To brzmi logicznie. — Macon spojrzał na Edwarda. Słyszał, że psy, które zmusza się do zbyt długiego siedzenia, zaczynają mieć bóle kręgosłupa.

— Okazało się, że byłam właściwie jego najlepszą uczennicą. Chyba mam dobre podejście do zwierząt. Tak więc dostałam pracę w „Miau-Hau". Przedtem pracowałam w Ośrodku Szybkiego i Łatwego Kopiowania i daję ci słowo, że pragnęłam zmiany. Kim jest ta pani?

— Pani?

— Ta, która przed chwilą przechodziła przez jadalnię.

— To Rose.

— Twoja była żona? Czy kto?

— To moja siostra.

— Ach, twoja siostra!

— To jej dom.

— Ja też mieszkam sama.

Macon zamrugał oczami. Czyż nie powiedział, że mieszka z siostrą?

— Czasami późną nocą, kiedy rozpaczliwie chcę z kimś porozmawiać, dzwonię na zegarynkę — powiedziała Muriel. — „Po sygnale będzie godzina jedenasta... czterdzieści osiem. I pięćdziesiąt sekund." — Jej głos nabrał dojrzałego brzmienia: — „Godzina jedenasta... czterdzieści dziewięć. Dokładnie." Możesz go teraz zwolnić.

— Słucham?

— Pozwól psu wstać.

Macon strzelił palcami. Edward skoczył i zaczął szczekać.

— A ty? — zapytała Muriel. — Czym zarabiasz na życie?

— Piszę przewodniki turystyczne.

— Przewodniki turystyczne! Szczęściarz.

— A co w tym takiego wspaniałego?

— Podróżujesz po różnych miejscach.

— Ach, podróże...

— Strasznie bym chciała podróżować.

— W moim przypadku to głównie podróże służbowe.

— Czy wiesz, że nigdy nie leciałam samolotem?

— To też kierat. Kolejki po bilety, kolejki do odprawy celnej... Czy Edward powinien tak szczekać?

Muriel spojrzała na Edwarda przymrużywszy oczy i pies się uspokoił.

— Gdybym mogła gdzieś pojechać, pojechałabym do Paryża — stwierdziła.

— Paryż jest okropny. Wszyscy są nieuprzejmi.

— Szłabym brzegiem Sekwany, tak jak w piosence. „Znajdziesz swą miłość w Paryżu — zanuciła chrypliwie — jeśli przejdziesz się wzdłuż..." Uważam, że to brzmi bardzo romantycznie.

— Ale tak nie jest.

— Założę się, że nie wiesz, gdzie patrzeć, to wszystko. Zabierz mnie ze sobą następnym razem! Pokażę ci dobre miejsca.

Macon odchrząknął.

— Mam bardzo ograniczony budżet na wydatki — powiedział. — Nigdy nie zabierałem nawet żony czy... hm... mojego...

— Żartowałam.

— Aha.

— Myślisz, że mówiłam poważnie?

— Ależ nie.

Nagle Muriel się ożywiła.

— Czternaście czterdzieści, razem ze smyczą i kolczatką.

Podczas gdy Macon grzebał w portfelu, dodała:

— Musisz ćwiczyć z nim to, czego się nauczył, i nikt nie może cię w tym wyręczać. Przyjdę jutro na drugą lekcję. Czy ósma rano to nie za wcześnie? O dziewiątej muszę być w „Miau-Hau".

— Ósma będzie w sam raz.

Macon odliczył czternaście dolarów i wyjął wszystkie monety, które miał luzem w kieszeni: trzydzieści sześć centów.

— Możesz mi dopłacić cztery centy jutro — zaproponowała, po czym kazała Edwardowi usiąść i wręczyła Maconowi smycz. — Zwolnij go, kiedy pójdę — poleciła.

Macon wyciągnął otwartą dłoń i twardo patrzył Edwardowi w oczy, błagając go, żeby nie wstał. Pies siedział, ale kiedy zobaczył, że Muriel odchodzi, zaczął skomleć. Gdy Macon strzelił palcami, skoczył i rzucił się na frontowe drzwi.

Macon i Edward ćwiczyli przez całe popołudnie i wieczór. Edward nauczył się opuszczać zad na najlżejszy ruch palca. Siedział wyrzekając i przewracając oczami, a Macon cmokał z aprobatą. Przy kolacji cmokanie stało się już częścią języka całej rodziny. Charles cmokał nad kotletami schabowymi Rose. Później Porter cmokał, kiedy Macon dał mu dobre karty.

— Wyobraźcie sobie tancerkę flamenco cierpiącą na galopujące suchoty — powiedziała Rose do Charlesa i Portera.
— Tak wygląda treserka Edwarda. Usta jej się nie zamykają. Nie wiem, kiedy ma czas zaczerpnąć powietrza. Kiedy mówiła o planie lekcji, cały czas używała słowa „uproszczone" zamiast „proste".

— Myślałem, że nie będziesz się pokazywać — rzekł Macon.
— A co, widziałeś mnie?
— Muriel cię widziała.
— No pewnie! Cały czas się rozglądała za twoimi plecami i wtykała nos we wszystko.

Z salonu dochodziły odgłosy uderzeń, bo nowa smycz Edwarda zaczepiała się o bujany fotel i pies ciągnął go za sobą. W ciągu tego wieczoru pogryzł ołówek na drzazgi, ukradł kość z kosza na śmieci i narzygał na dywan na werandzie; ale teraz, gdy umiał już siadać na rozkaz, wszyscy mieli nieco więcej nadziei.

— Kiedy byłam w szkole średniej, zdałam wszystkie egzaminy typu „A"* — powiedziała Muriel. — To cię dziwi, no nie? Myślisz, że jestem taka... że nie jestem intelektualistką. Wiem, co sobie myślisz. Jesteś zdziwiony.
— Nie, nie jestem — zaprzeczył Macon, choć w gruncie rzeczy był.
— Zdałam egzaminy, bo stosowałam pewną sztuczkę — oznajmiła Muriel. — Myślisz, że to jest niemożliwe? Na wszystko znajdzie się sposób; dzięki temu można jakoś przeżyć.

Stali przed domem, oboje w płaszczach przeciwdeszczowych, bo był wilgotny, dżdżysty poranek. Muriel miała krótkie zamszowe buty z wywiniętymi do góry czubkami i cienkimi jak igła obcasami: jej nogi wystawały z nich jak wykałaczki.

---

* Egzaminy, które kwalifikują do zdawania na studia (przyp. tłum.).

Trzymała smycz. Miała uczyć Edwarda prawidłowego chodzenia, a zamiast tego opowiadała o swoich szkolnych czasach. — Niektórzy nauczyciele twierdzili, że powinnam pójść na studia. Zwłaszcza jedna... Właściwie nie była nauczycielką, tylko bibliotekarką, a ja pomagałam jej w bibliotece — układałam książki na półkach i tak dalej. Często powtarzała; „Muriel, może byś poszła na studia do Towson State?" Ale jakoś tak wyszło... A teraz sama mówię mojej siostrze: „Masz iść na studia, słyszysz? Nie odpadnij tak jak ja". Mam siostrzyczkę, Claire. Jej włosy nigdy się nie zmieniły. Jest jasna jak aniołek. Zabawne, że jej kompletnie na niczym nie zależy. Zaplata włosy byle jak, żeby jej tylko nie właziły do oczu. Nosi zniszczone dżinsy i zapomina golić nogi. Bywa tak, no nie? Moi rodzice uważają, że jest cudowna. Ona to dobra córeczka, a ja zła. Nie mam do niej żalu. Ludzie po prostu zostają zamknięci w ramkach opinii innych ludzi o nich. Nie uważasz, że tak jest? W jasełkach Claire zawsze grała rolę Matki Boskiej. Chłopcy oświadczali się jej już w szkole podstawowej, a ja byłam w szkole średniej i nikt mi się nie oświadczał, zapewniam cię. Chłopcy w szkole średniej są tacy frustrujący, no nie? Umawiali się ze mną do kina, gdzie ogląda się filmy z samochodu i tak dalej; byli spięci i tajemniczy, obejmowali mnie ukradkiem, tak jakby sądzili, że tego nie zauważam, a potem błądzili dłonią coraz niżej, wpatrując się jednocześnie w film z takim zainteresowaniem, jakby to było najciekawsze widowisko na świecie. Można im było tylko współczuć. A w poniedziałek rano zachowywali się tak, jak gdyby nic się nie stało, przechwalali się i wygłupiali z kolegami, trącali się, kiedy przechodziłam obok, ale nawet mi nie mówili „cześć". Myślisz, że nie ranili moich uczuć? Żaden z nich nie traktował mnie jako swojej stałej dziewczyny. Zapraszali mnie w sobotni wieczór i chcieli, żebym była dla nich miła, ale czy myślisz, że w poniedziałek kiedykolwiek zjedli ze mną obiad w szkolnej stołówce albo odprowadzili mnie do klasy?

Spojrzała w dół na Edwarda. Znienacka klepnęła się po biodrze; jej czarny plastykowy płaszcz przeciwdeszczowy zaszeleścił.

— To jest komenda „do nogi" — powiedziała.
Ruszyła, a Edward niepewnie podążył za nią. Macon został
na miejscu. Zejście ze schodków na ganku było wystarczająco
trudnym zadaniem.

— Musi dostosowywać swoje tempo do wszystkiego,
cokolwiek ja robię — zawołała.

Przyspieszyła. Kiedy Edward wybiegał przed nią, wcho-
dziła na niego, a kiedy się wałkonił, podciągała smycz. Żwawo
tupotała na wschód; jej płaszcz tworzył sztywny, kołyszący się
trójkąt pod mniejszym trójkątem rozwianych włosów. Macon
czekał, stojąc po kostki w mokrych liściach.

W drodze powrotnej Edward trzymał się lewej strony
Muriel.

— Myślę, że zrozumiał, o co chodzi. — Podeszła do
Macona i podała mu smycz. — Teraz twoja kolej.

Usiłował się klepnąć po biodrze, co było trudne z uwagi na
kule. Potem ruszył. Szedł bardzo powoli i Edward wyrywał się
do przodu.

— Podciągnij smycz! — krzyknęła Muriel, drepcząc za
nim. — On wie, co ma robić. Uparte stworzenie.

Edward wreszcie zaczął iść przy nodze, ale spoglądał
w bok i miał znudzony, hardy wyraz pyska.

— Nie zapomnij o cmokaniu. Musisz go cały czas chwa-
lić. — Z tyłu za nimi skrzypiały jej obcasy. — Kiedyś
tresowałam psa, który w ogóle nie był nauczony porządku.
Miał dwa lata i właściciele odchodzili od zmysłów. Najpierw
nie mogłam tego pojąć, ale potem zrozumiałam. Ten pies
uważał, że nie powinien nigdzie siusiać — ani w domu, ani na
dworze. Nikt go nigdy nie chwalił, kiedy zrobił to tam, gdzie
należy. Czy słyszałeś kiedykolwiek o czymś takim? Musiałam
go przyłapać na siusianiu na dworze — a możesz mi wierzyć,
że nie było to łatwe, bo psiak był ciągle zawstydzony
i próbował się z tym kryć — i wtedy zaczęłam go wychwalać;
po jakimś czasie zrozumiał, o co chodzi.

Doszli do rogu.

— Teraz, kiedy ty staniesz, on powinien usiąść — powiedziała Muriel.

— Ale jak mam to ćwiczyć? — zapytał Macon.

— O co ci chodzi?

— Jestem przecież o kulach.

— No to co? To dobra gimnastyka dla twojej nogi — stwierdziła. Nie zapytała go, w jaki sposób złamał nogę. W gruncie rzeczy pomimo zainteresowania jego życiem prywatnym była w niej jakaś nieczułość. — Ćwicz po trochu, po dziesięć minut w czasie każdej lekcji.

— Dziesięć minut!

— Wracajmy.

Szła przodem swoim kanciastym, kołyszącym krokiem, stukając ostrymi obcasami. Macon i Edward podążali za nią. Kiedy dotarli do domu, zapytała, która godzina.

— Ósma pięćdziesiąt — rzucił Macon ostro. Nie ufał kobietom, które nie noszą zegarka.

— Muszę iść. Poproszę o pięć dolarów i cztery centy, które jesteś mi winien za wczoraj.

Dał pieniądze. Wetknęła je do kieszeni płaszcza.

— Następnym razem zostanę dłużej i porozmawiamy. Obiecuję.

Pomachała mu palcami i stukając obcasami ruszyła w kierunku zaparkowanego na ulicy samochodu — starego szarego, podobnego do łodzi sedana wypolerowanego na wysoki połysk. Kiedy wślizgnęła się do środka i zatrzasnęła za sobą drzwi, rozległ się odgłos, jak gdyby spadały puszki po piwie. Silnik brzęczał i warczał, zanim wreszcie zaskoczył. Macon kiwnął głową i obaj z Edwardem wrócili do domu.

Pomiędzy środą a czwartkiem Macon spędził, jak mu się wydawało, pół życia, kuśtykając po Dempsey Road obok Edwarda. Cały czas bolały go pachy. Udo przeszywał pionowy prąd bólu. To nie miało sensu — powinna go boleć łydka. Zastanawiał się, czy nie stało się coś złego — może kość została, na przykład, nieprawidłowo złożona, tak że każdy większy wysiłek obciążał kość udową. Może będzie musiał wrócić do szpitala i pozwolić ponownie złamać sobie nogę, zapewne pod narkozą i z wynikającymi z niej przerażającymi komplikacjami; potem spędzi wiele miesięcy na wyciągu i być może do końca życia będzie utykał. Wyobraził sobie siebie

pochylonego, jak przechodzi przez skrzyżowanie grotesko-
wym, koślawym krokiem. Sara, przejeżdżając obok,
nacisnęłaby hamulec do dechy i stanęła. „Macon?" Opuściłaby
szybę. „Macon, co się stało?!"

A on uniósłby rękę, opuściłby ją i pokuśtykałby dalej.
Albo powiedziałby jej: „Dziwię się, że obchodzi cię to na
tyle, żeby pytać".

Nie, po prostu pokuśtykałby dalej.

Prawdopodobnie te drobne napady litości nad sobą, uczucia, którego normalnie nie znosił, były spowodowane
zwykłym fizycznym wyczerpaniem. Jak się w to wpakował?
Już klepnięcie się po biodrze stanowiło problem; potem musiał
odzyskać równowagę i ściągnąć smycz, jeśli Edward pomylił
krok. Poza tym musiał przez cały czas uważać na wiewiórki
i przechodniów. Syczał, cmokał, potem znowu syczał. Podejrzewał, że przechodnie uważają go za wariata. Edward
biegł susami obok, chwilami ziewał i rozglądał się za rowerzy-
stami, których ściganie sprawiało mu wyjątkową rozkosz.
Kiedy tylko dostrzegł jakiegoś, jeżyła mu się sierść na karku
i rzucał się do przodu. Macon czuł się jak człowiek na linie,
którą nagle wprawiono w ruch.

Wędrując nierównym, chwiejnym krokiem, widział o wiele więcej, niż gdyby był zdrowy. Zauważał każdy krzak
i każdą wysuszoną rabatkę. Zapamiętywał nierówności chod-
nika, na których mógłby się potknąć. Ulicę tę zamieszkiwali
starzy ludzie; chodniki i jezdnia nie były w najlepszym stanie.
Sąsiedzi spędzali czas dzwoniąc do siebie i sprawdzając, czy
nikt z nich nie dostał wylewu, kiedy szedł samotnie po
schodach, albo zawału w łazience, czy nie złamał biodra, czy
nie zakrztusił się lub nie dostał zawrotu głowy przy piecu,
który miał włączone wszystkie palniki. Niektórzy z nich
wypuszczali się na spacer i w kilka godzin później stawali
zagubieni na środku jakiejś ulicy, zastanawiając się, dokąd
zmierzali. Inni zaczynali sobie szykować południową
przekąskę — jajko na miękko czy filiżankę herbaty — a o za-
chodzie słońca nadal kręcili się bezproduktywnie po kuchni,
grzebiąc i szukając soli i zapominając, jak działa opiekacz do
grzanek. Macon wiedział o tym wszystkim od siostry, którą

wzywali sąsiedzi mający kłopoty. „Rose, kochana! Rose!" — zawodzili i wchodzili niepewnym krokiem na podwórko, machając zaległym rachunkiem, denerwującym listem czy buteleczką pigułek z zakrętką zabezpieczoną tak, aby nie mogły jej otworzyć dzieci.

Wieczorem, wychodząc z Edwardem na ostatni spacer, Macon spoglądał w okna i widział ludzi zanurzonych w kwiecistych fotelach, z twarzami niebieskawymi i migotliwymi od światła telewizora. Zespół Orioles wygrywał drugi mecz w światowych rozgrywkach, ale ci ludzie byli wpatrzeni tylko we własne myśli. Maconowi wydawało się, że w jakiś sposób ściągają go w dół, sprawiają, że ciężko mu chodzić, że się garbi i brak mu oddechu. Nawet pies szedł ociężałym krokiem i wydawał się zniechęcony.

A kiedy wrócił do domu, reszta rodziny przeżywała właśnie kolejny atak niemożności podjęcia decyzji. Czy lepiej ustawić na noc termostat na niższą temperaturę, czy nie? Czy piecyk nie będzie zmuszony do cięższej pracy, jeśli się ją obniży? Porter chyba czytał coś na ten temat? Ciągnęli nie kończącą się debatę, ustalając coś, a w chwilę potem zaczynając od nowa. „No tak — pomyślał Macon — nie różnią się zbytnio od sąsiadów, sami się starzeją." Wtrącił własne trzy grosze (oczywiście, że należy obniżyć temperaturę), ale ponieważ był zmęczony, więcej się nie odezwał.

Tej nocy śniło mu się, że siedzi w buicku swojego dziadka, zaparkowanym koło „Lake Roland". Było ciemno, a obok siedziała jakaś dziewczyna. Nie znał jej, ale gorzki zapach perfum wydawał mu się znajomy, podobnie jak szelest spódnicy, kiedy przysunęła się bliżej. Odwrócił się i spojrzał na nią. To była Muriel. Zaczerpnął powietrza i zamierzał zapytać, co tu robi, ale ona przyłożyła palec do ust i powstrzymała go. Przysunęła się jeszcze bliżej. Wzięła od niego kluczyki i położyła je na tablicy rozdzielczej. Wpatrując się spokojnie w jego twarz, rozpięła mu pasek od spodni i wsunęła do środka chłodną, zręczną dłoń.

Obudził się zdumiony i zawstydzony i usiadł wyprostowany w łóżku.

— Wszyscy mnie ciągle pytają: „Jaki jest twój pies?" — powiedziała Muriel. — „Założę się, że jest wzorem dobrego wychowania", mówią. A chcesz usłyszeć coś śmiesznego? Nie mam psa. A kiedy raz miałam, uciekł. To był pies Normana, Duch. Mojego byłego męża. Pierwszego wieczoru po naszym ślubie Duch uciekł do matki Normana. Myślę, że mnie nienawidził.

— Ależ to niemożliwe — zaprotestował Maron.

— Nienawidził mnie. Czułam to.

Byli znowu na dworze i przygotowywali się do szkolenia Edwarda w chodzeniu w różnym tempie. Macon przyzwyczaił się już do rytmu tych lekcji. Czekał, ściskając smycz.

— To było jak w którymś z filmów Walta Disneya — kontynuowała Muriel. — Wiesz, w tym, co pies wędruje wiele kilometrów do Jukonu czy gdzieś tam, tyle że Duch zawędrował jedynie do Timonium. Matka Normana dzwoni: „Gdzie zgubiliście Ducha?" A Norman pyta: „O czym ty mówisz?"

Zmieniała głos naśladując poszczególne osoby. Macon słyszał cienkie zawodzenie matki Normana i jego chłopięce jąkanie. Przypomniał sobie swój sen i znowu poczuł się zawstydzony. Spojrzał wprost na nią, mając nadzieję, że ujrzy jakieś wady, i znalazł ich całe mnóstwo: długi wąski nos, ziemista niezdrowa cera i piegowata skóra na wystających obojczykach, które zapowiadały mało ponętne ciało.

— Jego mama obudziła się rano — ciągnęła Muriel — a na progu siedział Duch. Dopiero kiedy zadzwoniła, zorientowaliśmy się, że go nie ma. Norman mówi: „Nie wiem, co mu się stało. Nigdy przedtem nie uciekał". I rzuca mi spojrzenie pełne wątpliwości. Wiem, że zastanawiał się, czy to nie moja wina. Może uznał, że to jakiś omen czy co. Byliśmy o wiele za młodzi na małżeństwo. Teraz to rozumiem. Ja miałam siedemnaście lat, a on osiemnaście i był jedynakiem, pieszczoszkiem mamusi. Owdowiałej mamusi. Miał świeżą, różową twarz jak dziewczyna, najkrótsze włosy ze wszystkich chłopców w szkole i zapinał wszystkie guziki koszuli, aż po szyję. Sprowadzili się z Parkville pod koniec pierwszej klasy. Zobaczył mnie w plażowej sukience bez ramiączek i na każdej lekcji wybałuszał na mnie oczy. Inni chłopcy naśmiewali się z niego, ale nie zwracał na to uwagi. Był taki... niewinny, wiesz? Dzięki niemu czułam, że mam jakąś władzę. Łaził za mną po korytarzach, dźwigając furę książek, a ja pytałam: „Norman, chcesz zjeść ze mną lunch?" Czerwienił się i odpowiadał: „Hm, czy mówisz poważnie?" Nie umiał nawet prowadzić samochodu, ale powiedziałam mu, że jeśli będzie miał prawo jazdy, to umówię się z nim. „Moglibyśmy pojechać w jakieś spokojne miejsce, porozmawiać i być sami — mówiłam — wiesz, co mam na myśli?" Och, byłam podła. Nie wiem, co we mnie wstąpiło. W mgnieniu oka zdobył prawo jazdy i przyjechał po mnie chevroletem matki, kupionym od mojego ojca, który był sprzedawcą firmy „Ruggles Chevrolet". Dowiedzieliśmy się o tym podczas wesela. Pobraliśmy się pod koniec ostatniej klasy. Koniecznie chciał się ze mną ożenić, wiec co mogłam powiedzieć? A na weselu mój tata mówi do jego matki: „Wydaje mi się, że niedawno sprzedałem pani samochód". Ale ona zbyt była zajęta płaczem, żeby zwrócić na to uwagę. Ta kobieta zachowywała się tak, jak gdyby małżeństwo było czymś gorszym niż śmierć. A potem, kiedy Duch uciekł do niej, mówi nam: „Sądzę, że powinnam go zatrzymać, bo widać wyraźnie, że nie jest mu u was dobrze". Naprawdę chciała powiedzieć, że nie jest mu dobrze ze mną. Miała mi za złe, że zabrałam jej syna. Twierdziła, że zaprzepaściłam jego szanse — chciała, żeby zdał maturę. Ale ja nigdy nie przeszkadzałam mu w robieniu matury. To on stwierdził, że może rzucić szkołę. Powiedział, że nie ma sensu zostawać w szkole, skoro może dobrze zarabiać na podłogach.

— Na czym? — zapytał Macon.

— Na podłogach. Na szlifowaniu podłóg. Jego wuj był właścicielem firmy „Pritchett-Remonty". Norman zaczął tam pracować zaraz po naszym ślubie i jego matka ciągle powtarzała, że się marnuje. Mówiła, że mógłby zostać księgowym albo kimś takim, ale nie wiem, kogo chciała oszukać. Mnie Norman nigdy nie wspominał o księgowości.

Zdjęła z rękawa płaszcza psi włos, obejrzała go i wyrzuciła.

— No to zobaczmy.

— Słucham?

— Zobaczmy, jak chodzi przy nodze.

Macon klepnął się po biodrze i ruszył. Edward wlókł się tuż za nim. Kiedy Macon przystawał, pies również się zatrzymywał, po czym siadał. Macon był mile zaskoczony, ale Muriel oznajmiła:

— On nie siedzi.

— Co? To jak to nazwiesz?

— Trzyma pupę około pięciu centymetrów nad ziemią. Chce sprawdzić czy mu to ujdzie na sucho.

— Och, Edwardzie... — powiedział Macon ze smutkiem. Zawrócili.

— Będziesz musiał nad tym popracować — oświadczyła Muriel. — Ale na razie przejdziemy do leżenia. Spróbujmy w domu.

Macon obawiał się, że spotkają Rose, ale nie było jej widać. W głównym holu unosił się zapach kurzu z rozgrzewającego się kaloryfera. Zegar w salonie wybił pół godziny.

— I to jest największy problem do rozwiązania w przypadku Edwarda — stwierdziła Muriel. — Trzeba go nauczyć leżeć, żeby nie skakał ciągle na drzwi.

Pokazała mu komendę — dwa tupnięcia nogą. Jej but zaskrzypiał. Edward nie zareagował, więc schyliła się i wyciągnęła mu przednie łapy. Potem pozwoliła mu wstać i powtórzyła to samo kilkakrotnie. Nadal nie robił tego, co powinien. Kiedy Muriel tupała nogą, dyszał i spoglądał w inną stronę.

— Ty uparciuchu! Jesteś uparty jak osioł — powiedziała do niego, po czym zwróciła się do Macona: — Wiele psów tak się zachowuje. Nie znoszą leżeć. Nie wiem czemu. Teraz ty.

Macon tupnął nogą. Edward wydawał się zafascynowany czymś, co znajdowało się na lewo od niego.

— Chwyć go za łapy — poleciła Muriel.

— Na kulach?

— Jasne.

Macon westchnął. Pochylił się, trzymając nogę w gipsie przed sobą, chwycił Edwarda za łapy i zmusił go do położenia się. Edward warknął groźnie, ale w końcu uległ. Chcąc wstać, Macon musiał się przytrzymać stolika z lampą.

— To jest naprawdę bardzo trudne — stwierdził, ale na Muriel nie zrobiło to wrażenia.

— Słuchaj, uczyłam psa człowieka, który nie miał obu nóg.

— Naprawdę? — zdziwił się Macon. Wyobraził sobie człowieka bez nóg, sunącego po chodniku z jakimś wrednym psem, i Muriel stojącą obok niewzruszenie i oglądającą swoje paznokcie. — Pewnie nigdy nie złamałaś nogi — powiedział oskarżycielsko. — Poruszanie się jest trudniejsze, niż się wydaje.

— Kiedyś złamałam rękę — oznajmiła Muriel.

— Ręka nie da się z tym porównać.

— To się stało podczas tresury psa. Zostałam zrzucona z ganku przez dobermana.

— Dobermana!

— Po czym ujrzałam go, jak stoi nade mną i szczerzy zęby. Przypomniałam sobie, co mawiano w „Piesku, zrób to”: „Tylko jedno z was może być szefem”. Więc powiedziałam do niego: „W żadnym wypadku!” Te słowa jako pierwsze przyszły mi do głowy — tak mawiała moja matka, kiedy nie zamierzała mi na coś pozwolić. „W żadnym wypadku!”, mówię do tego psa; prawe ramię mam złamane, więc wyciągam lewą rękę, wysuwam dłoń i patrzę mu w oczy — psy nie znoszą, kiedy patrzysz im prosto w oczy — i podnoszę się bardzo powoli. I niech mnie licho, jeśli ten pies nie siada na zadzie.

— Dobry Boże!

— Cocker-spaniel rzucił mi się wprost do gardła. Najpaskudniejsze zwierzę na świecie. Owczarek niemiecki chwycił mnie zębami za kostkę. Ale potem puścił.

Podniosła stopę i obróciła ją. Jej noga miała w kostce grubość ołówka.

— Czy kiedykolwiek poniosłaś porażkę? — zapytał Macon. — Czy był jakiś pies, przy którym zrezygnowałaś z tresury?

— Nigdy — odrzekła. — I Edward nie będzie pierwszy.

Ale Edward wydawał się myśleć inaczej. Muriel pracowała z nim przez następne pół godziny i chociaż warował, kiedy już leżał, to kategorycznie nie życzył sobie kłaść się z własnej woli. Za każdym razem trzeba go było zmuszać.

— Nic nie szkodzi — powiedziała Muriel. — Większość psów tak się zachowuje. Założę się, że jutro będzie tak samo uparty, wiec opuszczę jeden dzień. Ty z nim ćwicz, a ja przyjdę o tej samej porze w sobotę.

Potem kazała Edwardowi usiąść, wzięła pieniądze i szybko się wymknęła.

Patrząc na wyprostowaną, pełną buntu sylwetkę Edwarda Macon poczuł zniechęcenie. Po co wynajmować treserkę, skoro ona każe jemu szkolić psa?

— Ach, sam nie wiem — mruknął do siebie.

Edward westchnął i poszedł sobie, mimo że Macon nie pozwolił mu wstać.

Przez całe popołudnie i wieczór Edward odmawiał kładzenia się. Macon przypochlebiał się, groził i przymilał, a Edward warczał złowieszczo i ani drgnął. Rose i chłopaki krążyli wokół nich, uprzejmie odwracając wzrok, jak gdyby byli świadkami czyjejś prywatnej kłótni.

Następnego ranka Edward rzucił się na listonosza. Macon zdołał chwycić smycz, ale obudziło to w nim pewne wątpliwości. Co to całe siadanie i chodzenie przy nodze ma wspólnego z rzeczywistym problemem?

— Powinienem cię odesłać do zagrody dla chodzącego samopas bydła — powiedział do Edwarda. Tupnął nogą dwa razy, ale pies się nie położył.

Po południu zadzwonił do „Miau-Hau".

— Czy mogę mówić z Muriel? — zapytał. Nie mógł sobie przypomnieć jej nazwiska.

— Muriel dziś nie pracuje — usłyszał w odpowiedzi.

— Rozumiem.

— Jej synek jest chory.

Nie wiedział, że ma synka. Poczuł, że coś mu się przestawia wewnątrz — a więc jest trochę inną osobą, niż sobie wyobrażał.

— Mówi Macon Leary — przedstawił się. — Porozmawiam więc z nią jutro.

— Ach, pan Leary. Czy chce pan zadzwonić do niej do domu?

— Nie, to nic pilnego.

— Mogę dać panu jej numer.

— Porozmawiam z nią jutro. Dziękuję.

Rose załatwiała coś w śródmieściu, więc zgodziła się wysadzić go przy budynku, w którym mieściło się biuro „Prasy Biznesmena". Chciał dostarczyć resztę przewodnika. Rozparty z kulami na tylnym siedzeniu patrzył na okolicę: stare budynki biurowe, gustowne restauracje, sklepy ze zdrową żywnością i kwiaciarnie — wszystko rysowało się dziwnie ostro i wyraźnie w świetle wspaniałego październikowego popołudnia. Rose jechała spokojnie i powoli, niemal jak w hipnozie. Na głowie miała mały okrągły kapelusik w kształcie miski, z opadającymi na plecy wstążkami. Wyglądała w nim sztywno, jak uczennica szkółki niedzielnej.

Jedną z charakterystycznych cech wszystkich dzieci z rodziny Learych był kompletny brak orientacji w terenie. Macon uważał, że to jakiś rodzaj dysleksji — dysleksji geograficznej. Żadne z nich nie ruszało się z domu bez obsesyjnego zapamiętania wszelkich możliwych znaków rozpoznawczych; wszyscy trzymali się mapy najbliższej okolicy rozpaczliwie tworzonej w umyśle. U siebie w domu Macon przechowywał stosik fiszek, na których miał zapisane dokładne wskazówki, jak dojechać do domów przyjaciół — nawet tych, których znał od dziesiątków lat. A kiedy Ethan poznawał nowego kolegę, pierwsze nerwowe pytanie Macona brzmiało: „Czy wiesz, gdzie on mieszka?" Ethan miał skłonność do zawierania niekonwencjonalnych znajomości. Nie umiał się kolegować z synem sąsiadów — ależ skąd! Musiał to być ktoś, kto mieszkał kawał drogi za Beltway. Co go to obchodziło? On nie miał kłopotów z orientacją. Macon stworzył teorię, że to dlatego, iż całe życie mieszkał w jednym domu. Natomiast człowiek, który wiele podróżuje i często się przeprowadza, nie ma żadnego stałego punktu odniesienia i wiecznie wędruje we mgle — dryfuje bezradnie nad planetą, modląc się, żeby szczęśliwym trafem udało mu się dotrzeć do miejsca przeznaczenia.

W każdym razie Rose i Macon zgubili się. Rose wiedziała, dokąd chce jechać — do sklepu, w którym sprzedawano specjalny rodzaj pasty do mebli — a Macon setki razy bywał w biurze Juliana; mimo to jeździli w kółko, aż Macon ujrzał znajomą wieżę.

— Stop! Skręć w lewo! — krzyknął.

Rose skręciła tam, gdzie wskazał. Macon wygrzebał się z samochodu.

— Dasz sobie radę? — zapytał. — Myślisz, że znajdziesz drogę powrotną, żeby mnie zabrać?

— Mam nadzieję.

— Pamiętaj, szukaj wieży.

Kiwnęła głową i odjechała.

Macon wdrapał się na trzy granitowe stopnie prowadzące do ceglanego domu, w którym mieściła się „Prasa Biznesmena". Drzwi były wykonane z polakierowanego na złoty kolor drewna. Podłogę wyłożono małymi, czarno-białymi ośmiokątnymi płytkami na tyle nierówno, że Macon znajdował oparcie dla kul.

Nie było to typowe biuro. Sekretarka pisała na maszynie w pokoju z tyłu, a Julian, który nie znosił samotności, siedział z przodu. Rozmawiał przez czerwony telefon, siedząc za biurkiem zarzuconym mnóstwem reklam, ulotek, nie zapłaconych rachunków, listów, na które nie odpisał, pustych kartonów po chińskim jedzeniu i butelek po wodzie mineralnej Perrier. Ściany pokrywały mapy żeglarskie. Na półkach znajdowało się niewiele książek, ale za to stało bardzo dużo mosiężnych staroświeckich urządzeń nawigacyjnych, które zapewne już nie działały. Każdy mógł stwierdzić, że sercem Julian przebywa nie w „Prasie Biznesmena", tylko gdzieś w zatoce Chesapeake. Macon uważał, że jest to dla niego korzystne, bo nikt inny nie wydawałby nadal serii jego przewodników: wiązało się to z ogromnymi kosztami i ciągłą koniecznością uaktualniania informacji.

— Rita przyniesie croissanty* — mówił Julian do słuchawki. — A Joe zrobi swój quiche.* — Zauważył gościa.

— Macon! Stefanio, zadzwonię później.

Odłożył słuchawkę.

— Jak twoja noga? Siadaj.

Zsunął z krzesła stos magazynów żeglarskich. Macon usiadł i wręczył mu teczkę.

— Oto reszta materiału na temat Anglii — powiedział.

— No, nareszcie!

— Myślę, że to wydanie będzie o dziesięć lub dwanaście stron dłuższe od poprzedniego przez dodanie informacji dla kobiet biznesmenek: które hotele oferują eskortę w windzie, gdzie podaje się drinki w foyer... Myślę, że powinieneś mi więcej zapłacić.

— Omówię to z Marvinem. — Julian przerzucał maszynopis.

Macon westchnął. Julian wydawał pieniądze na prawo i lewo, ale Marvin był bardziej rozważny.

— A więc teraz będziesz znowu pisał o Stanach — przypomniał Julian.

— Jeśli tak chcesz.

— Mam nadzieję, że nie zajmie ci to dużo czasu.

— Nie dam rady zrobić tego zbyt szybko. Stany mają wiele miast.

— Tak, zdaję sobie z tego sprawę. Właściwie mógłbym wydać tę edycję częściami: północny wschód, środkowa część wybrzeża Atlantyku... Nie wiem... — Nagle zmienił temat. — Czy opowiadałem ci o nowym pomyśle? Zajmuje się tym mój przyjaciel, który jest doktorem: „Przypadkowy turysta ma kłopoty zdrowotne". Spis kształconych w Ameryce lekarzy i dentystów we wszystkich stolicach świata oraz pewne dodatkowe informacje na temat podstawowego wyposażenia medycznego: aspiryna, podręcznik Mercka...

— Tylko nie podręcznik Mercka! — sprzeciwił się Macon.

— Kiedy go czytasz, każda zanokcica wydaje ci się rakiem.

---

* Croissant — rogalik z francuskiego ciasta (przyp. tłum.).
* Quiche — zapiekanka z ciasta, szynki, warzyw i jaj (przyp. tłum.).

ANNE TYLER

— Zanotuję to — oświadczył Julian nie biorąc nawet ołówka do ręki. — Nie poprosisz mnie, żebym ci się podpisał na gipsie? Jest taki biały.

— Podoba mi się, że jest biały. Poleruję go pastą do butów.

— Nie wiedziałem, że to można robić.

— Używam płynnej pasty. Tej z twarzą pielęgniarki na nalepce, jeśli kiedyś będzie ci potrzebna ta informacja.

— „Przypadkowy turysta o kulach" — rzucił Julian i szczerząc zęby, odchylił się w fotelu.

Macon wiedział, że Julian zamierza odegrać swój występ pod hasłem „Macon Leary". Wstał szybko i powiedział:

— No, to chyba już pójdę.

— Tak szybko? Może byśmy wypili drinka?

— Nie, dziękuję, nie mogę. Siostra ma mnie zabrać, jak tylko skończy załatwiać swoje sprawy.

— Aha — mruknął Julian. — Jakie sprawy?

Macon spojrzał na niego podejrzliwie.

— No? Pralnia chemiczna? Szewc?

— Po prostu zwykłe sprawunki, Julianie, nie specjalnego.

— Sklep z artykułami żelaznymi? Apteka?

— Nie.

— To co?

— Hm... miała kupić pastę do mebli.

Julian odchylił się w fotelu tak daleko, że Macon obawiał się, iż może się przewrócić. W gruncie rzeczy nawet chciał, żeby tak się stało.

— Macon, wyświadcz mi przysługę... Czy mógłbyś zaprosić mnie kiedyś na rodzinną kolację?

— Nie jesteśmy zbyt towarzyscy.

— Nie musi to być nic specjalnego. Po prostu to, co normalnie jadacie. Co wy normalnie jadacie? Albo sam przyniosę jakieś danie. Mógłbyś zamknąć psa... jak on się nazywa?

— Edward.

— Aha, Edward! Przyszedłbym spędzić z wami wieczór.

— No cóż... — powiedział Macon niezobowiązująco. Ustawił się na kulach.

— Może wyjdę i poczekam z tobą?

— Wolałbym, żebyś tego nie robił — odparł Macon.

Nie chciał, aby Julian ujrzał mały miskowaty kapelusik jego siostry.

Wyszedł na krawężnik i stał patrząc w kierunku, z którego powinna nadjechać Rose. Przypuszczał, że znowu się zgubiła. Pod naciągniętą na gips skarpetę zaczął już wpełzać chłód.

Uznał, że Julianowi po prostu nic się jeszcze nigdy nie przydarzyło. Jego rumiana, radosna twarz nie była skalana niczym — co najwyżej opalenizną. Jedyne zainteresowanie okazywał śmiesznie nieskutecznemu środkowi transportu. Krótkotrwałe małżeństwo Juliana skończyło się spokojnie i przyjaźnie. Nie miał dzieci. Macon nie chciał, aby uważano go za człowieka z uprzedzeniami, ale zawsze odnosił wrażenie, że ludzie bezdzietni nigdy naprawdę nie dorastają. Czuł, że nie są całkiem... prawdziwi.

Nagle wyobraził sobie Muriel w chwili, gdy doberman zrzucił ją z ganku. Jej ramię zwisało bezwładnie. Ale Muriel zignorowała to — nie spojrzała nawet na nie. Pobrudzona, potargana i poobijana wyciągnęła drugą rękę i powiedziała: „W żadnym wypadku!"

Przyjechała następnego ranka z włosami owiniętymi sztywną gazową chustką i rękami wbitymi głęboko w kieszenie płaszcza. Edward tańczył entuzjastycznie wokół niej. Wskazała na jego zadek. Usiadł, a ona pochyliła się, żeby wziąć smycz.

— Jak się czuje twój synek? — zapytał Macon.

Spojrzała na niego uważnie.

— Co? — zdziwiła się.

— Przecież był chory?

— Kto ci o tym powiedział?

— Ktoś w klinice, kiedy zadzwoniłem.

Nadal mu się przyglądała.

— Co to było? Grypa? — dopytywał się.

— Tak, chyba tak — odparła po chwili. — Coś z żołądkiem.

— To pewnie ta pora roku.

— A po co dzwoniłeś?

— Chciałem się dowiedzieć, dlaczego Edward nie chce leżeć.

Odwróciła wzrok ku Edwardowi. Owinęła smycz wokół dłoni i patrzyła na niego.

— Tupię nogą, ale on mnie w ogóle nie słucha — powiedział Macon. — Coś jest nie w porządku.

— Mówiłam ci, że będzie uparty w tej sprawie.

— Tak, ale ćwiczyłem z nim przez dwa dni, a on nie robi żadnych...

— A czego się spodziewasz? Myślisz, że jestem magikiem czy co? Dlaczego mnie obwiniasz?

— Ależ ja cię nie obwiniam...

— Oczywiście, że tak. Mówisz mi, że coś jest nie w porządku, dzwonisz do mnie.

— Chciałem tylko...

— Uważasz, że to dziwne, że nie wspomniałam o Aleksandrze, prawda?

— Aleksandrze?

— Uważasz, że jestem nienormalną matką.

— Co? Chwileczkę...

— Nie pomyślisz już o mnie nawet przez sekundę, teraz, kiedy już wiesz, że mam dziecko, prawda? Myślisz pewnie: „Ach, dajmy sobie spokój, nie ma się co angażować w taką sprawę", a potem zastanawiasz się, dlaczego ci od razu o nim nie powiedziałam. Czy to nie oczywiste dlaczego? Nie widzisz, co się dzieje, kiedy o nim mówię?

Macon nie był w stanie zrozumieć jej logiki, może dlatego, że jego uwagę zaprzątał Edward. Im ostrzejszy stawał się głos Muriel, tym bardziej psu jeżyła się sierść na karku. Zły znak. Bardzo zły znak. Górna warga Edwarda powoli się unosiła. Stopniowo, na początku niemal niedosłyszalnie, zaczął warczeć.

Muriel spojrzała na niego i zamilkła. Nie wyglądała na przestraszoną. Po prostu tupnęła dwa razy nogą. Ale Edward, który cały czas siedział, nie tylko się nie położył, lecz wstał. Pomiędzy jego łopatkami wznosił się teraz wyraźny garb zjeżonej sierści. Wydawało się, że zmienia zupełnie swój kształt. Uszy położył płasko przy czaszce.

— Leżeć — powiedziała Muriel spokojnie.

Edward z jazgotem skoczył jej prosto ku twarzy. Wszystkie zęby były odsłonięte. Wargi miał zmarszczone w strasznym grymasie, a z pyska leciały mu płaty białej piany. Muriel natychmiast szarpnęła smycz. Podciągnęła ją do góry obiema dłońmi i uniosła Edwarda nad podłogę. Przestał szczekać, zaczął wydawać charkotliwe dźwięki.

— On się dusi! — przestraszył się Macon.

Z gardła Edwarda dobywało się dziwne klekotanie.

— Przestań! Już wystarczy! Dusisz go!

Ona jednak nadal pozwalała mu zwisać. Oczy Edwarda uciekły w tył głowy. Macon chwycił Muriel za ramię, ale złapał w garść tylko kawałek płaszcza. Mimo to potrząsnął nim. Muriel opuściła Edwarda na podłogę. Padł jak szmaciana kukła, nogi mu się ugięły, a głowa opadła. Macon pochylił się nad nim.

— Edwardzie? Edwardzie? Och, Boże, on nie żyje!

Edward uniósł głowę i z trudem oblizał wargi.

— Widzisz? Kiedy liżą wargi, to znak, że się poddają — ucieszyła się Muriel. — Nauczono mnie tego w „Piesku, zrób to".

Macon się wyprostował. Cały dygotał.

— Kiedy liżą wargi, to dobrze, ale kiedy stawiają łapę na twojej stopie, to źle — ciągnęła Muriel. — To wygląda na jakiś tajemny język, prawda?

— Nigdy więcej nie waż się tego robić — wycedził Macon.

— Co takiego?

— Właściwie możesz już nie przychodzić.

Zapadła pełna zdumienia cisza.

— No, doskonale... — powiedziała Muriel, zawiązując chustkę. — Jeśli tak to traktujesz, to wspaniale.

Zgrabnie przeszła obok Edwarda i otworzyła frontowe drzwi.

— Chcesz mieć psa, z którym sobie nie radzisz? Mnie to nie przeszkadza.

— Wolę mieć psa szczekającego niż okaleczonego i zahukanego — odparł Macon.

— Chcesz mieć psa, który gryzie wszystkich twoich przyjaciół? Śmiertelnie przeraża dzieci sąsiadów? Doprowadzi do tego, że ludzie zaczną ci wytaczać sprawy sądowe? Chcesz mieć psa, który nienawidzi całego świata? Złego, paskudnego, wściekłego psa?! Który zabija cały świat?

Wyślizgnęła się przez siatkowe drzwi i zamknęła je za sobą. Potem spojrzała przez siatkę prosto w oczy Macona.

— Cóż, myślę, że tego właśnie chcesz — zakończyła.

Edward, siedzący na podłodze w holu, zaskomlił i patrzył, jak Muriel odchodzi.

VIII

Dni stały się krótsze i chłodniejsze. Drzewa wysypały na trawnik całe pokłady liści, ale mimo to były nadal nimi pokryte, więc kończąc grabienie wystarczyło spojrzeć w górę, aby ujrzeć ogromną, pomarańczowo-żółtą chmurę, która tylko czekała, żeby opaść deszczem liści na trawę, w chwili gdy człowiek się odwróci. Charles i Porter pojechali do domu Macona i tam również zgrabili liście, zapalili wieczny płomyk w kominku i zreperowali okienko w piwnicy. Opowiedzieli, że wszystko wydaje się w porządku. Macon wysłuchał tych wieści bez większego zainteresowania. W nadchodzącym tygodniu miał mieć zdjęty gips, ale nikt z rodziny nie pytał go, kiedy wraca do domu.

Co rano ćwiczył z Edwardem chodzenie przy nodze. Przebywali z trudem odległość jednego kwartału, przy czym Edward tak doskonale dopasowywał krok do kuśtykania Macona, że sam wydawał się kaleką. Kiedy mijali przechodniów, warczał, ale nie rzucał się na nich. Macon miał ochotę powiedzieć komuś: „No, proszę". Rowerzyści stanowili oddzielną kwestię, ale wierzył, że pewnego dnia da sobie radę i z tym.

Kazał Edwardowi siadać, po czym cofał się i wyciągał dłoń. Edward siedział. Ach, nie był takim złym psem! Macon chętnie zmieniłby gesty rozkazów: podniesiona dłoń, wyciągnięty palec — wszystko, czego nauczyła ta bezduszna treserka, ale obawiał się, że już za późno. Tupnął nogą. Edward warknął.

— Mój drogi — poprosił Macon, opadając ciężko obok niego — może zechciałbyś się położyć?

Pies odwrócił wzrok. Macon pogłaskał miękką szeroką powierzchnię pomiędzy jego uszami.

— No dobrze, może jutro — zgodził się.

Reszta rodziny nie żywiła zbytniej nadziei.

— A co będzie, kiedy znowu zaczniesz podróżować? — zapytała Rose. — Ja z nim nie zostanę. Nie umiałabym dać sobie z nim rady.

Macon obiecał, że pomyśli o tym, kiedy przyjdzie właściwa pora. Trudno mu było wyobrazić sobie ponowne podróże. Czasami pragnął pozostać w gipsie na zawsze. Prawdę mówiąc, chciał być nim pokryty od stóp do głów. Ludzie stukaliby lekko w jego pierś i zaglądaliby w otwory na oczy. „Macon, jesteś tam?" — pytaliby. Może byłby, a może nie. Nikt by się nigdy nie dowiedział.

Któregoś wieczoru tuż po kolacji wpadł Julian ze stosem papierów. Macon musiał zapędzić Edwarda klapsami do spiżarni, zanim otworzył drzwi.

— No, jesteś! — powiedział Julian przechodząc obok niego. Miał na sobie sztruksowe spodnie, wyglądał rumiano i zdrowo. — Od trzech dni usiłuję się do ciebie dodzwonić... Czy ten pies nie łazi gdzieś tutaj? Słyszę go.

— Zamknąłem go w spiżarni.

— Przyniosłem ci materiały, głównie na temat Nowego Jorku. Mamy wiele sugestii, jeśli chodzi o Nowy Jork.

Macon jęknął. Julian położył papiery na kanapie i rozejrzał się.

— A gdzie reszta? — zapytał.

— Gdzieś tam są — odparł Macon wymijająco, ale w tym momencie pojawiła się Rose, a tuż za nią Charles.

— Mam nadzieję, że nie przeszkadzam w kolacji — powiedział Julian.

— Nie, nie — zaprzeczyła Rose.

— Właśnie skończyliśmy — oznajmił Macon triumfalnie.

Twarz Juliana posmutniała.

— Naprawdę? A o której jadacie?

Macon milczał. Jadali o piątej trzydzieści. Julian by się uśmiał.

— Ale nie piliśmy jeszcze kawy. Napije się pan z nami? — zaproponowała Rose.

— Z największą przyjemnością.

— To się wydaje trochę niemądre — stwierdził Macon — skoro jeszcze nie jadłeś kolacji.

— Tak. — Zgodził się Julian. — Myślę, że może się wydawać niemądre komuś takiemu jak ty, Maconie, ale dla mnie domowa kawa to prawdziwa uczta. Wszyscy lokatorzy z mojego bloku jadają na mieście i nie mają w kuchni nic oprócz kilku puszek orzeszków i dietetycznej wody sodowej.

— Co to za dom? — zapytała Rose.

— Calvert Arms; dom dla osób samotnych. Nikt nie ma rodziny.

— Cóż za ciekawy pomysł.

— Niezupełnie. Nie na dłuższą metę. Na początku mi się to podobało, ale teraz działa na mnie przygnębiająco. Czasami chciałbym, żeby wszystko odbywało się w tradycyjny sposób; żeby były rodziny, dzieci i starzy ludzie, tak jak w normalnych domach.

— Doskonale pana rozumiem — powiedziała Rose. — Zaraz panu zrobię dobrą, gorącą kawę.

Wyszła, a pozostali usiedli.

— No, tak. Mieszkacie tu we trójkę? — zapytał Julian.

Macon nie odpowiedział, ale Charles rzekł:

— Ależ nie, jest jeszcze Porter.

— Porter? Gdzie jest Porter?

— Hm, nie jesteśmy pewni.

— Czyżby zaginął?!

— Poszedł do sklepu z artykułami żelaznymi i sądzimy, że się zgubił.

— Dobry Boże, kiedy to się stało?

— Tuż przed kolacją.

— Przed kolacją. Czyli dzisiaj.

— Po prostu robi sprawunki — wyjaśnił Macon. — Nie zaginął na stałe.

— Gdzie jest ten sklep?

— Gdzieś przy Howard Street — odpart Charles. — Rose potrzebowała zawiasów.

— Zgubił się na Howard Street?

Macon wstał.

— Pójdę pomóc Rose — powiedział.

Rose ustawiała kubki z przezroczystego szkła na srebrnej tacy.

— Mam nadzieję, że on nie słodzi — zwróciła się do Macona. — Cukierniczka jest pusta, a w spiżarni, gdzie trzymam zapasy, siedzi Edward.

— Nie martwiłbym się tym.

— Może mógłbyś tam pójść i przynieść mi cukier.

— Daj mu samą kawę i powiedz, że jak nie chce, to może nie pić.

— Macon! Przecież to twój szef!

— Przyszedł tu, bo liczy na to, że zrobimy coś ekscentrycznego. Ma jednostronną opinię na nasz temat. Modlę się tylko, żeby nikt z nas nie powiedział w jego obecności niczego niekonwencjonalnego, słyszysz?

— A cóż takiego moglibyśmy powiedzieć? — zapytała Rose. — Jesteśmy najbardziej konwencjonalnymi ludźmi, jakich znam.

Była to absolutna prawda, ale w jakiś dziwny sposób nie do końca prawda. Macon nie umiał tego wyjaśnić. Westchnął i wyszedł za nią z kuchni.

W salonie Charles niezmordowanie prowadził rozważania, czy powinni odebrać telefon, jeśli zadzwoni, bo może to być Porter i może zechcieć, żeby spojrzeli na plan miasta.

— Raczej nie zadzwoni — zadecydował — bo wie, że nie odbierzemy. Albo myśli, że nie odbierzemy. Albo... sam nie wiem... A może uważa, że mimo wszystko odebralibyśmy, bo się martwimy?

— Czy zawsze poświęcacie tyle uwagi telefonom? — zapytał Julian.

— Napij się kawy, Julianie. Spróbuj bez mleka — zmienił temat Macon.

— Dziękuję — odrzekł Julian. — Wziął kubek i zaczął czytać napis na nim: — „Wiek postępu 1933".
— Uśmiechnął się i uniósł kubek w toaście. — Za postęp
— powiedział.
— Za postęp — zawtórowali Rose i Charles.
Macon spojrzał spode łba.
— Czym zarabiasz na życie, Charles? — zagadnął Julian.
— Robię kapsle do butelek.
— Kapsle do butelek! Naprawdę?!
— No, to nic wielkiego — odparł Charles. — To znaczy, nie jest to nawet w połowie tak interesujące jak brzmi.
— A Rose? Pracujesz?
— Tak — odrzekła Rose dzielnie i szczerze, jak osoba, której potencjalny szef zadaje pytania podczas rozmowy kwalifikacyjnej. — Pracuję w domu. Prowadzę gospodarstwo dla chłopców. Zajmuję się również sąsiadami. To na ogół ludzie starzy i potrzebują mnie, żebym przeczytała im recepty, zreperowała rury kanalizacyjne i takie rzeczy.
— Reperujesz im rury? — zdziwił się Julian.
Zadzwonił telefon. Domownicy zesztywnieli.
— Jak myślisz? — zapytała Rose Macona.
— Hm...
— On wie, że nie odbierzemy — stwierdził Charles.
— Tak, na pewno zadzwoni do sąsiada.
— Z drugiej strony... — zaczął Charles.
— Z drugiej strony... — przerwał mu Macon.
Wyraz twarzy Juliana — zadowolony i ożywiony — sprawił, że natychmiast podjął decyzję. Podszedł do stolika w rogu i podniósł słuchawkę.
— Leary — rzucił.
— Macon?
To była Sara.
Macon spojrzał na pozostałych i odwrócił się plecami.
— Tak — odpowiedział.
— No, nareszcie...
Jej głos brzmiał dziwnie płasko i twardo. Nagle ujrzał ją wyraźnie: była ubrana w jedną z jego przeznaczonych do wyrzucenia koszul i siedziała obejmując nagie kolana.

— Usiłowałam dodzwonić się do ciebie do domu, po czym przyszło mi do głowy, że może jesteś na kolacji u rodziny.

— Czy coś się stało? — zapytał.

Niemal szeptał. Być może Rose zrozumiała, kto dzwoni, bo nagle podjęła ożywioną rozmowę z Charlesem i Julianem.

— Co? Nie słyszę cię — powiedziała Sara.

— Wszystko w porządku?

— Kto tam rozmawia?

— Jest tu Julian.

— Ach, Julian! Przekaż mu moje pozdrowienia. Jak się miewa „Sukie"?

— Sukie?

— Jego łódź, Macon.

— Świetnie. — O ile wiedział, „Sukie" stała pośrodku zatoki Chesapeake.

— Zadzwoniłam, bo pomyślałam, że powinniśmy porozmawiać — oświadczyła Sara. — Może moglibyśmy się umówić któregoś wieczoru na kolację?

— Aha. No cóż, myślę, że moglibyśmy — odparł Macon.

— Czy jutro ci odpowiada?

— Oczywiście.

— W jakiej restauracji?

— Może w „Old Bay" — zaproponował.

— „Old Bay." Jasne. — Sara westchnęła albo się roześmiała, nie był pewien.

— Zaproponowałem to miejsce tylko dlatego, że możesz tam dojść na piechotę.

— Dobrze, ustalmy więc: ty lubisz jadać wcześnie. Powiedzmy o szóstej?

— Doskonale — zgodził się Macon.

Kiedy odłożył słuchawkę, zastał Rose zatopioną w dyskusji na temat języka angielskiego. Udawała, że nie zauważyła, iż do nich dołączył. Mówiła, że to szokujące, jak niechlujny stał się codzienny język. Wszyscy uważają, że powinni mówić *the hoi polloi,** a *the* jest całkiem zbędne, bo

---

* Hoi polloi — słowo greckie, oznacza tłum, ciżbę (przyp. tłum.).

już *hoi* jest rodzajnikiem. Że „szowinista" stało się określeniem „męskiego szowinisty", w wyniku czego ludzie nie znają, niestety, pierwotnego znaczenia tego słowa. Charles wtrącił, że kobiety będące gwiazdami filmowymi podróżują incognito, mimo iż każdy idiota powinien wiedzieć, że należy użyć formy incognita. Julian wydawał się podzielać ich oburzenie. Powiedział, że jeszcze bardziej niewiarygodne jest to, że każdy chętnie rzuca słówkiem „niewiarygodne", choć na ziemi doprawdy jest niewiele spraw, które zaprzeczałyby wiarygodności.

— Wierze — poprawił go Macon, ale Rose odezwała się tak, jak gdyby Macon nic nie mówił.

— Ach, wiem, o co ci chodzi — powiedziała do Juliana.

— Słowa ulegają dewaluacji, prawda?

Dziecięcym gestem zebrała na kolanach fałdy swojej szarej, prostej sukienki. Można by pomyśleć, że nigdy jej nie ostrzeżono, iż nie należy ufać obcym.

Macon musiał pokonać kilka stopni, żeby wejść do restauracji „Old Bay". Zanim złamał nogę, nawet nie zauważał, że one istnieją, a tym bardziej że są wykonane z gładkiego, nieskazitelnego marmuru, co powodowało, że kule omal mu się nie wyślizgnęły. Potem musiał sforsować ciężkie frontowe drzwi, spiesząc się trochę, bo Rose, wioząc go tutaj, źle skręciła, i zrobiło się już pięć po szóstej.

W foyer było ciemno jak w nocy, a w znajdującej się dalej jadalni niewiele jaśniej, bo oświetlały ją tylko świece na stolikach. Macon wpatrzył się w mrok.

— Mam się z kimś spotkać — powiedział do hostessy.

— Czy ona już tu jest?

— O ile wiem, nie, złotko.

Poprowadziła go obok zbiornika z niemrawymi homarami, dwóch starszych dam w nobliwych kapeluszach, popijających jasnoróżowe napoje i przez całe pole pustych stolików. Było jeszcze za wcześnie na jedzenie kolacji i wszyscy goście siedzieli w barze. Stoliki stały blisko siebie, a obrusy opadały na podłogę i Macon wyobraził sobie, że zaczepia kulą o obrus i ściąga wszystko, łącznie ze świecą. Kasztanowy dywan w kwiaty buchnąłby płomieniem. Ulubiona restauracja jego dziadka — a całkiem możliwe, że i pradziadka — zmieniłaby się w kupkę stopionych metalowych naczyń na kraby.

— Panienko, proszę zwolnić! — zawołał, ale hostessa nadal pruła do przodu, muskularna i wysportowana, w swojej sukience z odkrytymi ramionami, takiej, jaką nakłada się do ludowego tańca, i białych pantoflach z gumowymi podeszwami.

Usadziła go w kącie, co okazało się wygodne, bo miał gdzie oprzeć kule. Ale gdy je składał i zamierzał odstawić, hostessa oświadczyła:

— Wezmę je od pana, mój drogi.

— Ależ nie, mogą tu stać.

— Muszę je oddać w szatni, złotko. Taki mamy przepis.

— Macie przepis dotyczący kul?

— Inni klienci mogliby się o nie potknąć, złotko.

Było to mało prawdopodobne, bo pozostali dwaj klienci siedzieli daleko, w drugiej części sali, ale Macon oddał kule. Właściwie może mu być bez nich wygodniej. Sara nie odniesie wrażenia (przynajmniej na pierwszy rzut oka), że pod jej nieobecność zupełnie się rozsypał.

Gdy tylko został sam, zaczął poprawiać spinki u mankietów, aż ukazało się pół centymetra białego materiału. Miał na sobie szarą tweedową marynarkę od garnituru i szare flanelowe spodnie — stare, więc nic nie szkodziło, że obciął jedną nogawkę. Charles przywiózł je z domu, a Rose obszyła. Przystrzygła mu także włosy. Porter pożyczył swój najlepszy krawat w prążki. Cała rodzina pomagała w tak dyskretny sposób, że nie wiadomo czemu ogarnął go niewytłumaczalny smutek.

Hostessa ponownie pojawiła się w drzwiach, a za nią Sara. Macon doznał nagłego, zadziwiającego objawienia; było to jak przypadkowe ujrzenie w lustrze własnego odbicia. Aureola jej włosów, sposób, w jaki płaszcz spływał z niej miękkimi fałdami, jej zdecydowany, sprężysty chód w lekkich pantofelkach na wysokich obcasach — jak to się stało, że zapomniał to wszystko?

Uniósł się z krzesła. Czy go pocałuje? Czy też, nie daj Boże, chłodno uściśnie mu dłoń? Nie zrobiła ani tego, ani tego, tylko coś znacznie gorszego. Obeszła stolik i na moment przytuliła swój policzek do jego, jak gdyby byli zwykłymi znajomymi, którzy się spotykają na koktajlu.

— Witaj, Maconie — powiedziała.

Bez słowa wskazał jej krzesło naprzeciwko siebie. Usiadł z pewnym trudem.

— Co się stało z twoją nogą? — zapytała.

— Przydarzył mi się... upadek.

— Złamałeś ją?

Kiwnął głową.

— A co ci się stało w rękę?

Uniósł ją, żeby się przyjrzeć.

— Pies mnie ugryzł. Ale już się prawie zagoiło.

— Chodziło mi o tamtą rękę.

Knykcie drugiej dłoni były owinięte bandażem.

— Ach, to. To tylko zadrapanie. Pomagałem Rose budować wejście dla kota.

Przyjrzała mu się.

— Ale czuję się całkiem dobrze — dodał. — Gips jest prawie wygodny. Niemal jak coś znajomego! Zastanawiam się, czy w poprzednim wcieleniu złamałem kiedyś nogę.

— Czy przynieść państwu coś do picia? — zapytała kelnerka.

Stała nad nimi z przygotowanym bloczkiem i ołówkiem. Sara zaczęła nerwowo przeglądać kartę. Macon zdecydował się od razu:

— Poproszę o wytrawne sherry.

Patrzył wyczekująco na Sarę.

— Och — powiedziała — niech spojrzę. Może Rob Roya?* Tak, Rob Roy będzie dobry, z dodatkowymi wiśniami.

Zapomniał o jeszcze jednej sprawie — jak bardzo lubiła zamawiać w restauracjach skomplikowane drinki. Poczuł, że kąciki ust unoszą mu się w górę.

— No dobrze — odezwała się Sara po odejściu kelnerki. — Ale po co Rose buduje wejście dla kota? Myślałam, że nie mają żadnych zwierząt.

---

* Rob Roy — koktajl składający się ze szkockiej whisky, słodkiego wermutu i gorzkich kropli (przyp. tłum.).

— To dla naszej kotki Helen. Ja i Helen mieszkamy tam.

— Dlaczego?

— Z powodu mojej nogi.

Sara milczała.

— Wyobrażasz sobie mnie na schodach w domu? — zapytał. — Wyprowadzanie Edwarda na spacery? Wyrzucanie śmieci?

Ale Sara była zajęta zdejmowaniem płaszcza. Pod spodem miała fałdzistą wełnianą sukienkę w nieokreślonym kolorze. Światło świec zmieniało wszystkie barwy w sepię, niby na starej fotografii. Macon miał czas, żeby się zastanowić, czy nie odniosła błędnego wrażenia. Może jego słowa wyglądały na skargę, jak gdyby karcił ją za to, że zostawiła go samego.

— Ale naprawdę — dodał — doskonale sobie radzę.

— To dobrze. — Sara uśmiechnęła się do niego i ponownie zaczęła studiować kartę.

Postawiono przed nimi drinki na małych kartonowych podkładkach z wytłaczanymi krabami.

— Czy państwo już wybrali? — zapytała kelnerka.

— Myślę, że wezmę gorącą zakąskę i wołowinę Pierre — zdecydowała Sara. — To — pokazała — i to.

Zdziwiona kelnerka zerknęła jej przez ramię w kartę.

— Jak pani sobie życzy. — Zapisała zamówienie.

Sara nigdy nie rozumiała, na czym polega wyjątkowość „Old Bay".

— A ja wezmę, no, wie pani... — powiedział Macon — zupę z krabów i sałatkę z krewetek. — Oddał kartę. — Saro, czy napijesz się wina?

— Nie, dziękuję.

Kiedy zostali sami, zapytała:

— Od jak dawna mieszkasz u rodziny?

— Od września — odparł.

— Od września! Tak dawno złamałeś nogę?

Kiwnął głową i upił łyk sherry.

— Jutro mi zdejmują gips — oznajmił.

— Edward też tam jest?

Znowu potaknął.

— Czy to Edward cię ugryzł?

— No... tak.

Zastanawiał się, czy zachowa się tak jak inni i zacznie go namawiać, żeby wezwał kogoś z Towarzystwa Opieki nad Zwierzętami. Jednakże Sara w zamyśleniu wyjęła z kieliszka wiśnię na plastykowym mieczyku.

— Sądzę, że był zdenerwowany — powiedziała.

— Tak, to prawda — zgodził się z nią Macon. — Zupełnie się zmienił.

— Biedny Edward.

— Prawdę mówiąc, wymyka się spod kontroli.

— Zawsze był wrażliwy na zmiany.

Macon nabrał odwagi.

— Rzuca się na wszystkich. Musiałem wynająć specjalną treserkę, ale okazała się zbyt surowa. Właściwie wręcz brutalna. Omal go nie udusiła, kiedy chciał ją ugryźć.

— To śmieszne — stwierdziła Sara. — Był tylko przestraszony. Edward atakuje, kiedy się boi. Taki już jest. Nie należy go jeszcze bardziej ranić.

Macon poczuł nagły przypływ miłości.

Ach, chwilami wściekał się na nią, nienawidził jej lub całkiem o niej zapominał. Zdarzały się chwile, kiedy wydawało mu się, że nigdy mu na niej nie zależało, a zaczął się nią interesować tylko dlatego, że wszyscy inni ją podrywali. Jednakże była jego najstarszym przyjacielem. Przeżyli razem rzeczy, o których nikt inny nie miał pojęcia. Wrosła mocno w jego życie i było zbyt późno, aby to zmienić.

— Wszystko, czego potrzebuje — mówiła — to poczucie stałego porządku dnia. Tylko to mu potrzebne: poczucie pewności.

— Saro, życie oddzielnie jest okropne.

Spojrzała na niego. Błysk światła sprawił, że jej oczy wydawały się ciemniejsze w swym błękicie, niemal czarne.

— Też tak uważasz? — Postawiła kieliszek. — Macon, miałam konkretny powód, żeby się z tobą spotkać.

Wiedział, że jest to coś, o czym nie chce słyszeć.

— Musimy omówić szczegóły naszej separacji.

— Jesteśmy w separacji. Co tu jest do omawiania?

— Chodzi mi o sprawy prawne.

— Rozumiem.

— Według prawa stanu Maryland...

— Myślę, że powinnaś wrócić do domu.

Pojawiło się pierwsze danie; umieściła je przed nimi dłoń, która wydała się Maconowi oddzielona od ciała. Buteleczki z przyprawami zostały niepotrzebnie przestawione, a metalowy pojemnik z kostkami cukru przesunięty o centymetr.

— Czy podać coś jeszcze? — zapytała kelnerka.

— Nie! — rzucił Macon. — Dziękuję.

Kelnerka odeszła.

— Saro...

— To niemożliwe — odparła.

Przesuwała pojedynczą perłę na zawieszonym na szyi łańcuszku. Dał jej tę perłę, kiedy zaczęli się spotykać. Czy fakt, że włożyła ją tego wieczoru, miał jakieś znaczenie? A może już tak mało ją obchodzi, że nawet nie pomyślała, żeby jej nie wkładać? Tak, to bardziej prawdopodobne.

— Posłuchaj — powiedział. — Nie mów „nie", dopóki mnie nie wysłuchasz. Czy kiedykolwiek brałaś pod uwagę to, że moglibyśmy mieć drugie dziecko?

Zobaczył, że ją zaskoczył. Wstrzymała oddech. Siebie też zaskoczył.

— Dlaczego nie? — zapytał. — Nie jesteśmy za starzy.

— Och, Maconie.

— Tym razem byłoby to łatwe. Nie zajęłoby nam kolejnych siedmiu lat. Jestem pewien, że natychmiast zaszłabyś w ciążę!

Pochylił się ku niej. Chciał, żeby sobie wyobraziła siebie kwitnącą w ckliwej sukience ciążowej, którą kiedyś nosiła. Dziwnym trafem zamiast tego wywołał w myśli obraz tych pierwszych siedmiu lat i ich rozczarowanie co miesiąc. Wtedy wydawało mu się, choć był to tylko głupi przesąd, że ich porażka jest symbolem czegoś głębszego, jakiegoś istotnego braku porozumienia. Nie mogli się porozumieć w najbardziej podstawowym i dosłownym sensie. Kiedy wreszcie zaszła w ciążę, czuł nie tylko ulgę, lecz także winę, jakby udało im się kogoś oszukać.

Odsunął te myśli.

— Zdaję sobie sprawę, że to nie byłby Ethan. Wiem, że nikt nie zdoła go zastąpić. Ale...

— Nie — przerwała mu Sara.

Jej oczy wyrażały zdecydowanie. Znał tę minę. Nigdy nie zmieni zdania.

Zaczął jeść zupę. Była to najlepsza zupa z krabów w Baltimore, ale niestety przyprawy wywoływały u niego katar. Miał nadzieję, że Sara nie pomyśli, iż płacze.

— Przykro mi — powiedziała nieco łagodniej — ale nic by z tego nie wyszło.

— Dobrze, nie mówmy już o tym. To szaleństwo, prawda? Szalony pomysł. Kiedy dziecko miałoby dwadzieścia lat, my mielibyśmy... Nie będziesz jadła?

Spojrzała na swój talerz, po czym wzięła widelec.

— Przypuśćmy, że zrobiłbym coś takiego... — ciągnął Macon. — Spakowałbym twoje ubrania w walizkę, zapukałbym do twoich drzwi i powiedziałbym: „Chodź, jedziemy do Ocean City. Straciliśmy już wystarczająco dużo czasu".

Spojrzała na niego z karczochem zastygłym w połowie drogi do ust.

— Ocean City? — zdziwiła się. — Ty przecież nienawidzisz Ocean City!

— Tak, ale chodziło mi o to, że...

— Zawsze mówiłeś, że jest tam zbyt dużo ludzi.

— Tak, ale...

— A poza tym o jakich ubraniach mówisz? Wszystkie są w moim mieszkaniu.

— Tak się tylko wyraziłem.

— Doprawdy, Maconie — stwierdziła Sara — nie porozumiewasz się nawet wówczas, gdy się porozumiewasz.

— Och, „porozumiewasz" — powtórzył (było to słowo, którego nie znosił). — Chodzi mi po prostu o to, że powinniśmy zacząć wszystko od nowa.

— Ja to robię. — Sara odłożyła nie dojedzonego karczocha na talerz. — Robię, co mogę, żeby zacząć od nowa, ale to nie znaczy, że chcę po raz drugi żyć takim samym życiem. Usiłuję pójść w nowym kierunku. Chodzę na różne kursy, a nawet na randki.

— Randki?

— Spotykam się z pewnym konowałem.

Zapadła cisza.

— Mogłabyś go po prostu nazwać lekarzem.

Sara przymknęła na chwilę oczy.

— Słuchaj, wiem, że jest ci ciężko. Obojgu nam jest ciężko. Ale czy nie widzisz, że naprawdę niewiele nas już łączyło? Do kogo się zwróciłeś, kiedy złamałeś nogę? Do swojej siostry Rose! Nawet mnie nie zawiadomiłeś, a masz przecież mój telefon.

— A gdybym się zwrócił do ciebie, przyjechałabyś?

— No... przynajmniej mogłeś poprosić. Ale nie, zadzwoniłeś do rodziny. Jesteś z nimi bardziej związany, niż kiedykolwiek byłeś ze mną.

— To nieprawda. A raczej jest to prawda, ale nie o to chodzi. To znaczy w pewnym sensie oczywiście jesteśmy sobie bliżsi, bo łączą nas więzy krwi.

— Granie w tę śmieszną grę karcianą, której nikt nie potrafi zrozumieć — mówiła Sara. — Planowanie waszych drobnych domowych spraw. Rose ze swoim kluczem francuskim i lutownicą, krążąca po sklepach z artykułami żelaznymi, jak inni krążą po butikach.

— Tak jak inni krążą po butikach — poprawił Macon i zaraz tego pożałował.

— Pastwienie się nad czyjąś angielszczyzną — dodała Sara — i wyciąganie przy każdej okazji słownika. Roztrząsanie kwestii metody. Rodzinka, która zawsze zapina pasy bezpieczeństwa.

— Na miłość boską, Saro, cóż złego jest w zapinaniu pasów?

— Zawsze chodzą do jednej restauracji, do której kiedyś chadzał ich dziadek, i nawet tam muszą przestawić zastawę i ułożyć wszystko tak, żeby siedzieć przy stole identycznie jak w domu. Roztrząsają i deliberują, nie potrafią nawet zasunąć kotary bez grupowej dyskusji, z przywoływaniem punktów za i przeciw. „Jeśli zostawimy ją, będzie bardzo gorąco, ale jeśli ją zasuniemy, wszystko przejdzie stęchlizną..." Muszą wypić swoje sześć szklanek wody dziennie. Każdego wieczoru muszą zjeść swoje ukochane pieczone kartofle. Nie ufają długopisom, elektrycznym maszynom do pisania czy automatycznym skrzyniom biegów. Nie wierzą w „Dzień dobry" i „Do widzenia".

— Dzień dobry? Do widzenia?

— Żebyś tak kiedyś przyjrzał się sobie! Wchodzą ludzie, a ty po prostu rejestrujesz to wzrokiem; wychodzą, a ty szybko odwracasz wzrok. Nie uznajesz czyjegoś przybycia albo odejścia. Najlepszy na świecie dom mógłby zostać wystawiony na sprzedaż, ale ty byś go nie kupił, bo właśnie zamówiłeś nalepki z adresem starego domu, tysiąc pięćset podgumowanych nalepek, i musisz je zużyć, zanim się przeprowadzisz.

— To nie ja, tylko Charles — sprostował Macon.

— Tak, ale równie dobrze mógłbyś to być ty. Żona się z nim rozwiodła z tego powodu i wcale jej się nie dziwię.

— A teraz ty zamierzasz zrobić to samo, do cholery! Chcesz zniszczyć dwadzieścia lat małżeństwa z powodu tego, że zapinam pasy.

— Uwierz mi, te lata już dawno zostały zniszczone.

Macon odłożył łyżkę i zmusił się do wzięcia głębokiego oddechu.

— Saro — powiedział — mówimy nie na temat.

Po chwili milczenia Sara mruknęła:

— Chyba tak.

— Zniszczyło nas to, co się stało z Ethanem... — zaczął Macon.

Oparła łokieć o stół i zakryła dłonią oczy.

— Ale nie musiało tak być — ciągnął. — Takie sprawy zbliżają ludzi. Jak to się stało, że pozwalamy, aby nas to oddaliło?

— Czy wszystko w porządku? — zapytała kelnerka.

Sara wyprostowała się i zaczęła grzebać w torebce.

— Tak, oczywiście — odparł Macon.

Kelnerka przyniosła tacę z głównym daniem. Rzuciła pełne wątpliwości spojrzenie na zakąskę Sary.

— Czy to sprzątnąć? — zapytała Macona.

— Chyba tak.

— Nie smakowało?

— Bardzo smakowało. Proszę zabrać.

Kelnerka krzątała się wokół stołu w pełnym urazy milczeniu. Sara odłożyła torebkę. Spojrzała na swoje danie, które stanowiło coś brązowego i kleistego.

— Chętnie podzielę się z tobą moją sałatką z krewetek — zaproponował Macon, kiedy kelnerka odeszła.

Potrząsnęła głową. Jej oczy były pełne łez, które jednak nie spływały.

— Maconie, od czasu śmierci Ethana musiałam uznać, że ludzie są z zasady niedobrzy. Źli, Maconie. Tak źli, że potrafią strzelić dwunastoletniemu chłopcu w tył głowy bez żadnego powodu. Czytam teraz gazetę i rozpaczam; przestałam oglądać wiadomości telewizyjne. Jest tam tyle zła — dzieci podpalające inne dzieci, dorośli, którzy wyrzucają dzieci z okna drugiego piętra, gwałty, tortury i terroryzm, starzy ludzie, których się bije i obrabowuje, członkowie naszego własnego rządu, którzy chcą wysadzić świat w powietrze, obojętność, chciwość i wściekłość na każdym rogu. Patrzę na moich studentów; są całkiem przeciętni, ale dokładnie tacy sami, jak ten chłopak, który zabił Ethana. Gdyby pod zdjęciem tego chłopca nie było podpisu mówiącego, za co go aresztowano, czy nie pomyślałbyś, że to ktoś zwyczajny? Ktoś, kto należy do drużyny koszykówki albo zdobywa stypendium w college'u? Nikomu nie można ufać. Nie mówiłam ci tego, ale ostatniej wiosny, gdy przycinałam nasz żywopłot, zobaczyłam, że ktoś ukradł karmnik dla ptaków z krzewu mirtu. Jakiś łajdak kradnie jedzenie ptaszkom! Wpadłam w szał i rzuciłam się na ten krzew. Pocięłam go, poszarpałam, powyrywałam gałęzie, posiekałam nożycami do strzyżenia... — Łzy płynęły jej teraz strumieniem po twarzy. Pochyliła się nad stołem.

— Są chwile, kiedy nie jestem pewna, czy potrafię... Nie chcę, by to zabrzmiało melodramatycznie, ale... Maconie, nie wiem, czy potrafię dalej żyć w takim podłym świecie.

Czuł, że musi być bardzo ostrożny. Musi dobrać odpowiednie słowa. Odchrząknął.

— Rozumiem, o co ci chodzi, ale... — Znowu odchrząknął. — To, co mówisz o ludziach, to prawda. Nie zamierzam z tym polemizować. Ale powiedz mi jedno, Saro: dlaczego to cię skłoniło do opuszczenia m n i e?

Zmięła serwetkę i wytarła nos.

— Bo wiedziałam, że nie będziesz polemizował. Ty zawsze uważałeś, że są źli.

— Więc...

— Przez ten ostatni rok czułam, że się chowam. Zapadam w siebie. Czułam, że się kurczę. Unikałam tłumów, nie chodziłam na przyjęcia, nie zapraszałam naszych przyjaciół. Kiedy latem pojechaliśmy nad morze, wokół nas na plaży siedzieli ci wszyscy ludzie z wrzeszczącymi odbiornikami radiowymi, plotkujący i kłócący się. Leżałam wtedy na kocu i myślałam: „Oni są tacy przygnębiający. Tacy niesympatyczni. W gruncie rzeczy wstrętni". Czułam, że się kurczę i oddalam od nich. Jak ty, Maconie. Przepraszam: tak jak ty. Tak jak ty zawsze postępowałeś. Czułam, że się zmieniam w kogoś z rodziny Learych.

Macon spróbował nadać rozmowie lżejszy ton.

— Myślę, że są gorsze nieszczęścia.

Nie uśmiechnęła się.

— Nie mogę sobie na to pozwolić — powiedziała.

— Pozwolić?

— Skończyłam czterdzieści dwa lata. Nie mam tyle czasu, żeby go trwonić na chowanie się w skorupie. Dlatego zaczęłam działać. Uwolniłam się. Mieszkam w mieszkaniu, którego byś nie zniósł; mam w nim totalny bałagan. Zawarłam wiele nowych znajomości; sadzę, że tych ludzi też byś nie polubił. Studiuję u rzeźbiarza. Zawsze chciałam być artystką, ale nauczanie było rozsądniejsze. To twój sposób myślenia: rozsądne. Tak bardzo chcesz być rozsądny, Maconie, że odpuściłeś sobie niemal wszystko.

— Co sobie odpuściłem?

Złożyła serwetkę i wytarła oczy. Rozmazała tusz do rzęs. Wyglądała wzruszająco.

— Pamiętasz Betty Grand? — zapytała.

— Nie.

— Chodziła do mojej szkoły. Podobała ci się, zanim mnie poznałeś.

— Nikt mi się nie podobał, zanim poznałem ciebie.

— Betty Grand ci się podobała. Powiedziałeś mi o tym na pierwszej randce. Zapytałeś, czy ją znam. Powiedziałeś, że kiedyś uważałeś, że jest ładna, i zaprosiłeś ją na mecz, ale ci odmówiła. Powiedziałeś, że wtedy zmieniłeś zdanie na temat jej urody. Mówiłeś, że kiedy się uśmiecha, widać jej dziąsła.

Macon nadal nie pamiętał, ale zapytał:

— No i co?

— Rzucałeś bez mrugnięcia okiem wszystko, co mogłoby cię dotknąć, zdenerwować czy zakłócić ci spokój, i spokojnie obywałeś się bez tego; mówiłeś, że tak naprawdę nigdy tego nie chciałeś.

— Pewnie byłoby lepiej, gdybym całe życie usychał z tęsknoty za Betty Grand.

— Przynajmniej okazałbyś jakieś uczucia.

— Okazuję uczucia, Saro. Siedzę tu z tobą, prawda? Chyba nie uważasz, że pozbywam się ciebie.

Udała, że nie słyszy.

— A kiedy umarł Ethan — ciągnęła — zdarłeś z drzwi jego sypialni wszystkie nalepki. Opróżniłeś jego szafę i biurko, jak gdybyś nie był w stanie pozbyć się go wystarczająco szybko. Ciągle proponowałeś ludziom jego rzeczy, które były w piwnicy: szczudła, sanki i deskorolki, i nie mogłeś zrozumieć, dlaczego ich nie chcą. „Nie znoszę, kiedy rzeczy leżą bezużytecznie" — mówiłeś. Macon, wiem, że go kochałeś, ale myślę, że nie tak bardzo jak ja. Jego odejście nie spowodowało u ciebie takiego załamania. Wiem, że go opłakiwałeś, ale w twoim przeżywaniu wszystkiego jest coś... jak się to mówi... tak przytłumionego... obojętne, czy chodzi o miłość, smutek czy cokolwiek innego. Tak jakbyś usiłował prześlizgnąć się przez życie nie zmieniony. Czy rozumiesz, dlaczego musiałam odejść?

— Saro, nie jestem przytłumiony. Ja... trwam. Staram się przetrwać, stoję mocno i trzymam się.

— Jeśli naprawdę tak uważasz, to się oszukujesz. Nie trzymasz się, tylko jesteś skostniały. Jesteś zamknięty w futerale. Jesteś jak coś w kapsułce. Jesteś wysuszonym orzechem. Och, Maconie, to nie przypadek, że pisujesz te głupie książki,

w których mówisz ludziom, jak podróżować bez wstrząsów.
Ten podróżujący fotel to nie tylko twoje logo — to ty.
— Nie — zaprzeczył Macon. — Nieprawda!
Sara niezdarnie naciągnęła płaszcz. Jeden róg kołnierza
był zawinięty do środka.
— Tak czy owak — oświadczyła — chcę cię uprzedzić,
że John Albright przyśle ci list.
— Kim jest John Albright?
— To mój prawnik.
— Aha — mruknął Macon.
Upłynęła co najmniej minuta, zanim dodał:
— Chyba masz na myśli adwokata.
Sara wzięła torebkę, wstała i wyszła.

Macon skrupulatnie spożywał swoją sałatkę z krewetek.
Zjadł surówkę z marchwi i kapusty, bo zawierała witaminę C.
Potem zjadł wszystkie frytki, mimo iż wiedział, że następnego
ranka będzie miał wyschnięty język.
Kiedyś, gdy Ethan był mały — miał nie więcej niż dwa lub
trzy latka — wybiegł na ulicę za piłką. Macon był zbyt daleko,
aby go zatrzymać. Zdołał tylko krzyknąć „Nie!", a potem
patrzył, zmartwiały z przerażenia, jak zza zakrętu wyłania się
pędząca na oślep półciężarówka. W tym momencie poddał się.
W ułamku sekundy pogodził się z przyszłością, w której nie
będzie Ethana — bezgranicznie ponurą, ale również, w ramach
rekompensaty, prostszą i normalniejszą, wolną od problemów,
jakie niesie ze sobą małe dziecko: ciągłych wymagań, bałaganu i walki o zainteresowanie matki. Potem ciężarówka
stanęła, Ethan odzyskał swoją piłkę, a pod Maconem ugięły się
kolana z ulgi. Ale zawsze później pamiętał, jak szybko się
z tym pogodził. Czasami myślał, że być może to pierwsze
pogodzenie się jakoś w nim zostało i dlatego to, co się stało
z Ethanem, nie było dla niego takim szokiem, jakim mogło
być. Ale gdyby ludzie się nie przystosowywali do sytuacji, jak
mogliby znieść dalsze życie?
Poprosił o rachunek i zapłacił.
— Czy coś było nie w porządku? — zapytała kelnerka.
— Czy pańskiej przyjaciółce nie smakowało jedzenie? Prze-

cież mogła je kazać zabrać, złotko. Zawsze pozwalamy klientom to robić.

— Wiem o tym — powiedział Macon.

— Może było dla niej zbyt mocno przyprawione.

— Było bardzo dobre. Czy mogę prosić o kule?

Poszła po nie, kręcąc głową.

Będzie musiał znaleźć taksówkę, bo nie umówił się z Rose, że go odbierze. W cichości ducha miał nadzieję, że pojedzie z Sarą do domu. Teraz ta nadzieja wydawała się żałosna. Rozejrzał się po sali i zauważył, że większość stolików jest zajęta i wszyscy mają towarzystwo. Tylko on siedział sam. Trzymał się prosto i godnie, ale wiedział, że w środku rozpada się na kawałki. A kiedy kelnerka przyniosła mu kule i wstał, żeby wyjść, wydawało mu się normalne, że tak idzie niemal zgięty wpół, z podbródkiem opuszczonym na pierś, wymachując niezdarnie łokciami, które przypominały skrzydła pisklęcia. Ludzie przyglądali mu się, gdy ich mijał. Ktoś parsknął śmiechem. Czyżby jego głupota była tak widoczna? Kiedy mijał dwie starsze nobliwe panie, jedna z nich pociągnęła go za rękaw.

— Proszę pana!

Stanął.

— Chyba dali panu moje kule — powiedziała.

Spojrzał na kule. Oczywiście, nie jego. Te były malutkie, niewiele większe niż dziecięce. Kiedy indziej natychmiast by się zorientował, ale dzisiaj jakoś tego nie zauważył. Kiedy indziej ruszyłby do działania — zawołałby kierownika i wypomniałby, że restauracja nie troszczy się o ludzi kalekich. Dziś stał ze zwieszoną głową i czekał, aż ktoś mu pomoże.

IX

Kiedy dziadek Leary po raz pierwszy zaczął mieć kłopoty z głową, nikt nie wiedział, co się dzieje. Był takim prostym, mocnym starcem. Był wyraźny i określony.

— Słuchaj — powiedział do Macona — dwunastego czerwca trzeba będzie wyjąć mój paszport ze skrytki. Ruszam statkiem do Lassaque.

— Lassaque, dziadku?

— Jeśli mi się tam spodoba, może zostanę.

— Ale gdzie jest to Lassaque?

— To wyspa obok wybrzeży Boliwii.

— Aha — mruknął Macon, po czym dodał: — Zaraz...

— Interesuje mnie to miejsce, bo mieszkańcy Lassaque nie mają pisanego języka. Jeśli przywieziesz cokolwiek do czytania, konfiskują. Mówią, że to czarna magia.

— Ale nie wydaje mi się, żeby Boliwia miała jakieś wybrzeże...

— Nie pozwalają nawet mieć książeczki czekowej z nazwiskiem. Zanim zejdziesz na ląd, musisz zedrzeć nalepkę z dezodorantu. Pieniądze trzeba zmienić na małe kolorowe wafle.

— Dziadku, czy to żart?

— Żart! Sprawdź, jeśli mi nie wierzysz. — Dziadek Leary spojrzał na swój zegarek kieszonkowy, po czym energicznie zaczął go nakręcać. — Ciekawym efektem ich analfabetyzmu — ciągnął — jest szacunek dla ludzi starszych. To dlatego, że wiedza tych wyspiarzy nie pochodzi z książek, tylko z życia; słuchają każdego słowa z ust tych, którzy żyją najdłużej.

— Rozumiem — powiedział Macon, bo uważał, że faktycznie zrozumiał. — My też słuchamy twoich słów...

— Możliwe, ale mimo to zamierzam zobaczyć Lassaque, zanim ulegnie korupcji.

Macon milczał przez chwilę. Potem podszedł do półki z książkami i wyjął tom z zestawu spłowiałych brązowych encyklopedii dziadka.

— Daj go tu. — Dziadek wyciągnął obie dłonie. Wziął chciwie książkę i zaczął przerzucać kartki. W powietrzu uniósł się zapach pleśni. — Laski... — mruczał — Lassalle, Lassaw... — Opuścił książkę i się zachmurzył. — Nie mogę... — powiedział. Wrócił do encyklopedii. — Lassalle, Lassaw...

Wydawał się skonsternowany, niemal przerażony. Twarz mu nagle zwiotczała — zjawisko, które ostatnio kilkakrotnie zdumiało Macona.

— Nie rozumiem — szepnął dziadek. — Nie rozumiem.

— Może to był sen. Jeden z tych snów, które wydają się realne.

— Macon, to nie był sen. Znam to miejsce. Kupiłem bilet. Odpływam dwunastego czerwca.

Macon poczuł dziwne zimno pełznące po krzyżu.

Potem dziadek został wynalazcą — opowiadał o różnych projektach, które opracowywał, jak mówił, w piwnicy. Siedział w swoim czerwonym skórzanym fotelu w nieskazitelnym garniturze i białej koszuli, w wyglansowanych do blasku czarnych butach, zadbane dłonie miał złożone na brzuchu, i oznajmiał, że właśnie skończył spawać motocykl, który będzie ciągnął pług. Zawzięcie dyskutował o wałach korbowych i bolcach, podczas gdy Macon — choć okropnie przygnębiony — z trudem tłumił wybuch śmiechu, wyobrażając sobie jakiegoś obutego w skórzane wysokie buty Anioła Piekła* orzącego pole. „Gdybym zdołał tylko uporać się z kilkoma drobiazgami, zbiłbym niezłą fortunę. Wszyscy bylibyśmy

---

* Anioły Piekła (*Hell's Angels*) — bandy ubranych w czarne skórzane kurtki, spodnie i buty motocyklistów (przyp. tłum.).

bogaci" — mówił dziadek. Wydawało się, że uważa, iż znowu jest biedny i boryka się z problemem zarobienia paru groszy. Jego zmotoryzowane radio, które podążało za człowiekiem z jednego pokoju do drugiego, jego pływający telefon, jego samochód, który podjeżdżał, kiedy się go wołało — może te wszystkie przedmioty znalazłyby jakieś zastosowanie? Może właściwy człowiek zapłaciłby za nie majątek?

Przesiedziawszy cały czerwcowy ranek na werandzie i starannie wygładziwszy wszystkie zagniecenia na spodniach dziadek oznajmił, że udoskonalił nowy typ hybrydy: kwiaty, które zamykają się na widok łez. „Kwiaciarze zaklębią się wokół mnie — przewidywał. — Pomyślcie o dramatycznym efekcie podczas pogrzebów!" Następnie zaczął pracować nad krzyżówką bazylii z pomidorem. Stwierdził, że firmy produkujące sos do spaghetti zrobią z niego bogacza.

W owym czasie wszyscy jego trzej wnukowie opuścili już dom, a żona nie żyła, więc zajmowała się nim sama Rose. Bracia zaczęli się o nią martwić. Coraz częściej wpadali do domu.

— Naprawdę nie musicie tego robić — powiedziała kiedyś Rose.

— Czego? Robić czego? O czym ty mówisz? — oni na to.

— Jeśli przyjeżdżacie tak często z powodu dziadka, to niepotrzebnie. Doskonale daję sobie radę, a on też. Jest bardzo szczęśliwy.

— Szczęśliwy?!

— Naprawdę... sądzę — stwierdziła Rose — że przeżywa najbogatszy i najbardziej... kolorowy okres swego życia. Założę się, że nawet za młodu nigdy się tak świetnie nie bawił.

Pojęli, o co jej chodzi. Macon czuł niemal zawiść, gdy o tym myślał. A potem, kiedy ten okres się skończył, żałował, że trwał tak krótko. Ich dziadek bowiem zaczął wkrótce coś mruczeć bez ładu i składu, potem milczał z wytrzeszczonymi oczami, aż wreszcie umarł.

Wczesnym rankiem we środę Maconowi śniło się, że dziadek Leary budzi go i pyta, gdzie jest sztanca.

— O czym ty mówisz? — zdziwił się Macon. — Ja nie brałem twojej sztancy.

— Och, Maconie — rzekł smutno dziadek — czyż nie widzisz, że nie mówię tego, o co mi chodzi?

— A zatem o co ci chodzi?

— Utraciłeś sens życia, Macon.

— Tak, wiem o tym — potwierdził Macon i wydawało mu się, że trochę dalej na lewo stoi Ethan, którego jasna głowa jest niemal na tym samym poziomie co głowa starca.

Ale dziadek powiedział „nie, nie", uczynił niecierpliwy gest, jakby coś z siebie strząsał, i podszedł do biurka. (W tym śnie Macon nie znajdował się na werandzie, tylko na górze, w swojej dziecięcej sypialni, gdzie stało biurko, którego kryształowe gałki Rose dawno ukradła i używała ich jako naczyń dla swoich lalek.)

— Chodzi mi o Sarę. — Dziadek wziął szczotkę do włosów. — Gdzie ona jest?

— Odeszła ode mnie, dziadku.

— Sara jest najlepsza z nas wszystkich! — oznajmił dziadek. — A ty zamierzasz siedzieć i gnić w tym starym domu? Czas się wygrzebać! Jak długo zamierzasz tu tkwić?

Macon otworzył oczy. Było jeszcze ciemno.

W powietrzu nadal unosiło się wrażenie obecności dziadka. Jego drobny gest strząsania, o którym Macon kompletnie zapomniał, powrócił teraz samorzutnie. Ale w życiu dziadek nigdy by nie powiedział tego, co powiedział we śnie. Lubił Sarę, ale uważał żony za coś obcego i na weselu każdego z wnuków jego twarz nosiła wyraz rezygnacji i tolerancji. O żadnej kobiecie nie pomyślałby jako o „sensie życia". Może z wyjątkiem, uświadomił sobie nagle Macon, swojej własnej żony, czyli babci Leary. To po jej śmierci zaczęły się jego kłopoty z głową.

Macon leżał, nie śpiąc aż do świtu. Pierwsze ruchy na górze przyniosły mu wielką ulgę. Wstał, ogolił się, ubrał i wysłał Edwarda po gazetę. Kiedy Rose zeszła na dół, nastawił już kawę w maszynce. To wzbudziło jej niepokój.

— Czy wziąłeś poranne ziarna czy wieczorne? — zapytała.

— Poranne — zapewnił ją. — Wszystko jest w porządku.

Krzątała się po kuchni: podniosła rolety, nakryła stół i otworzyła karton z jajami.

— Więc dzisiaj zdejmują ci gips — powiedziała.

— Na to wygląda.

— A po południu jedziesz do Nowego Jorku.

— No... — rzucił wymijająco, po czym zapytał, czy chce kupon na bekon, który znalazł w gazecie.

— Jedziesz dzisiaj po południu? — nie dawała za wygraną.

— Tak.

Problem polegał na tym, że jechał do Nowego Jorku, a nie poczynił żadnych ustaleń co do Edwarda. W starej klinice go nie przyjmą, a w nowej była ta cała Muriel... Zdaniem Macona, Edwardowi byłoby najlepiej w domu, z rodziną. Tylko że Rose się na pewno nie zgodzi. Wstrzymał oddech, ale Rose zaczęła nucić „Clementine" i wbijać jaja do rondla.

O dziewiątej w gabinecie przy St. Paul Street lekarz zdjął Maconowi gips za pomocą małej, cicho mruczącej elektrycznej piły. Noga była śmiertelnie biała, pomarszczona i brzydka. Kiedy Macon stanął, drżała mu w kostce. Nadal utykał. Poza tym zapomniał przynieść drugie spodnie i musiał paradować z powrotem wśród innych pacjentów w swoich letnich khaki z jedną nogawką, ukazując obrzydliwą goleń. Zastanawiał się, czy kiedyś wróci do swojej dawnej, nie połamanej postaci.

Wioząc go do domu Rose wreszcie zapytała, gdzie zamierza zostawić Edwarda.

— Jak to? Zostawiam go u ciebie — odpowiedział udając zdziwienie.

— U mnie? Wiesz przecież, jaki on jest nieposłuszny.

— Co się może zdarzyć w ciągu tak krótkiego czasu? Wracam jutro wieczorem. W najgorszym wypadku zamkniesz go w spiżarni i wrzucisz mu od czasu do czasu trochę suchego pokarmu, dopóki nie wrócę.

— Wcale mi się to nie podoba — stwierdziła Rose.

— Jego denerwują goście. A ty się chyba nie spodziewasz żadnych gości.

— Ależ nie — powiedziała i dzięki Bogu przestała poruszać ten temat. Obawiał się, że będzie musiał stoczyć cięższą walkę.

Wziął prysznic i przebrał się w garnitur podróżny. Potem zjadł wczesny lunch. Tuż przed południem Rose zawiozła go na stację kolejową, ponieważ nie ufał jeszcze swojej lewej stopie. Kiedy wysiadł z samochodu, wydawało mu się, że noga zacznie się wyginać.

— Zaczekaj! — zwrócił się do Rose, która podawała mu torbę. — Czy sądzisz, że dam sobie radę?

— Jestem pewna, że tak — odparła bez zastanowienia. Zamknęła drzwi od strony pasażera, pomachała mu na pożegnanie i odjechała.

Od czasu jego ostatniej podróży pociągiem ze stacją kolejową stało się coś cudownego. Nad głową łagodnie wznosił się łukiem błękit nieba. Z mosiężnych haków zwieszały się blade kuliste lampy. Znikły przepierzenia, które tak długo dzieliły poczekalnię, i ukazały się wyglansowane drewniane ławki. Macon stał zdumiony całkiem nowym, błyszczącym okienkiem kasowym. „Może podróże nie są takie złe" — pomyślał. Może to jemu się wszystko pomieszało. Poczuł, jak zaczyna w nim rosnąć mała gałązka nadziei.

Jednakże w chwilę potem, kiedy szedł utykając w kierunku wyjścia na peron, dopadło go poczucie zagubienia, które podczas podróży zawsze go prześladowało. Wyobraził sobie siebie jako największego samotnika w tłumie par i trójek. Spójrzcie na tę grupę przy okienku informacji, na tych pewnych siebie młodych ludzi z plecakami i śpiworami. Spójrzcie na tę rodzinę zajmującą całą ławkę, z czterema wystrojonymi córeczkami sztywnymi w nowych płaszczykach w szkocką kratę i kapelusikach ze wstążkami — od razu wiadomo, że na stacji docelowej będą na nie czekać dziadkowie. Nawet osoby siedzące samotnie — stara kobieta z bukiecikiem kwiatów w butonierce czy blondynka z kosztowną skórzaną torbą — stwarzały wrażenie, że do kogoś przynależą.

Usiadł na ławce. Zapowiedziano pociąg w kierunku południowym i połowa tłumu wyszła, aby doń wsiąść, a za nimi, jak zawsze, przegalopowała po chwili bez tchu potargana kobieta ze zbyt dużą liczbą toreb i paczek. Po schodach zaczęli wchodzić przyjezdni. Mieli oszołomiony wyraz twarzy kogoś, kto jeszcze przed chwilą był gdzie indziej. Jakąś kobietę powitał mężczyzna z dzieckiem; pocałował ją i od razu podał jej dziecko, jak gdyby była to niezwykle ciężka paczka. Dziewczyna w dżinsach, doszedłszy do szczytu schodów, ujrzała inną dziewczynę w dżinsach, zarzuciła jej ręce na szyję i zaczęła płakać. Macon przyglądał się, choć udawał, że nie patrzy, i wymyślał wytłumaczenia tej sytuacji. Przyjechała do domu na pogrzeb matki? Jej ucieczka z ukochanym okazała się pomyłką?

Zapowiedziano jego pociąg, więc wziął torbę i pokuśtykał za rodziną z licznymi córeczkami. Na dole schodów uderzył go powiew zimnego świeżego powietrza. Bez względu na pogodę na peronach zawsze wył wiatr. Najmniejszej córeczce trzeba było zapiąć płaszczyk. Pojawił się pociąg, z wolna rosnący wokół punkcika żółtego światła.

Okazało się, że większość wagonów jest zajęta. Macon zrezygnował z szukania pustego przedziału i usadowił się obok pulchnego młodego człowieka z teczką. Chcąc się zabezpieczyć, wyjął „Pannę MacIntosh".

Pociąg ruszył, zmienił zamiar, po czym znowu szarpnął do przodu i pojechał. Maconowi wydawało się, że czuje małe strupy rdzy na szynach — jazda nie była zbyt gładka. Obserwował znajome widoki, które zbliżały się ku niemu i znikały — rzędy domów, zamglone puste działki, sztywno wiszące na chłodzie pranie.

— Chce pan gumę? — zapytał sąsiad.

— Nie, dziękuję — odparł Macon i szybko otworzył książkę.

Po około godzinie podróży poczuł, że powieki zaczynają mu ciążyć. Oparł głowę o zagłówek. Myślał, że tylko przymknął oczy, ale zasnął. Obudził się, gdy konduktor zapowiadał Filadelfię. Macon drgnął, usiadł prosto i złapał książkę, zanim spadła mu z kolan.

Jego sąsiad zajmował się papierkową robotą, używając teczki jako podkładki. Oczywiście biznesmen — jeden z tych, dla których pisze swoje książki. Zabawne, ale nigdy nie wyobrażał sobie swoich czytelników. Co właściwie robią biznesmeni? Ten notował coś na fiszkach, od czasu do czasu zaglądając do pełnej rysunków broszury. Jeden z nich przedstawiał małe czarne ciężarówki defilujące przez stronę

— cztery, siedem ciężarówek, trzy i pół ciężarówki. Macon uznał, że pół ciężarówki wygląda ułomnie i żałośnie.

Tuż przed przyjazdem skorzystał z toalety na końcu wagonu — nie była idealna, ale i tak bardziej przytulna niż to, co będzie mógł znaleźć w Nowym Jorku. Wrócił na swoje miejsce i schował do torby „Pannę MacIntosh".

— Będzie zimno — powiedział jego sąsiad.

— Chyba tak — zgodził się Macon.

— Według prognozy ma być zimno i wietrznie.

Tym razem nie odpowiedział.

Zazwyczaj podróżował bez płaszcza — jeszcze jedna uciążliwa rzecz do noszenia — ale za to miał na sobie ciepły podkoszulek i kalesony. Zimno było najmniejszym z jego zmartwień.

W Nowym Jorku pasażerowie natychmiast się rozproszyli. Maconowi skojarzyło się to z pękającym strąkiem pełnym nasion. Postanowił nie spieszyć się i metodycznie posuwał się w tłumie w górę po brzęczących ciemnych schodach, przez kolejny tłum, jeszcze większy niż ten, który zostawił na dole. Na Boga, gdzie te kobiety kupowały swoje stroje? Jedna była ubrana w puszysty futrzany wigwam i buty ze skóry lamparta. Inna miała oliwkowobrązowy kombinezon, taki, jak noszą mechanicy samochodowi, tylko skórzany. Macon chwycił mocniej torbę i przepchnął się przez drzwi; wyszedł na ulicę, gdzie bez przerwy ryczały klaksony, a powietrze pachniało szaro i ostro, niby wnętrze nieczynnego komina. Uważał Nowy Jork za zagraniczne miasto. Zawsze szokowała go panująca tu przenikliwa atmosfera celowości — twarde, ostre spojrzenia kierowców, energia i zdecydowanie przechodniów prujących swoją drogą przez wszelkie przeszkody, bez rozglądania się na boki.

Zatrzymał taksówkę, przesunął się na zużytym, śliskim siedzeniu i podał adres hotelu. Kierowca natychmiast zaczął rozmawiać o swojej córce.

— Ma trzynaście lat — powiedział włączając się do ruchu — i trzy pary otworów w uszach, w każdym z nich kolczyk — a teraz znowu chce je sobie przekłuć, tylko nieco wyżej. Trzynastolatka!

Nie wiadomo, czy dosłyszał adres, ale jechał.

— Nie popierałem nawet pierwszego przekłucia uszu — oznajmił. — Powiedziałem jej: „Co, nie czytasz Ann Landers?" Ann Landers mówi, że przekłuwanie uszu to katowanie własnego ciała. Czy to była Ann Landers? Chyba tak. Równie dobrze można by nosić kółko w nosie, jak Afrykanie, no nie? Powiedziałem to mojej córce, a ona na to: „No i co? Co ci się nie podoba w kółku w nosie? Może następnym razem to właśnie zrobię". Wierzę, że jest gotowa to zrobić. Teraz czwarta para dziur ma być przebita w chrząstce, a większość tych miejsc, gdzie przekłuwają uszy, nie chce tego robić. Widzi pan więc, jakie to zwariowane. Chrząstka to całkiem inna sprawa. Nie jest tak gąbczasta jak płatek ucha.

Macon miał wrażenie, że jest częściowo niewidoczny. Słuchał człowieka, który mówił do siebie, który być może mówił, zanim on jeszcze wsiadł, i który będzie zapewne mówił dalej, kiedy on wysiądzie. A może go w ogóle nie ma w tej taksówce? Takie myśli często dopadały go podczas podróży.

— Mhm... — mruknął z rozpaczą.

Kierowca, o dziwo, przestał mówić. Jego kark wyrażał czujność. Macon musiał się odezwać.

— Niech pan jej powie coś, co ją przestraszy.

— Na przykład?

— Na przykład... proszę jej powiedzieć, że zna pan dziewczynę, której odpadły uszy.

— Nigdy w to nie uwierzy.

— Niech pan to wyjaśni w sposób naukowy. Niech pan powie, że jeśli się przekłuje chrząstkę, to ona natychmiast obumiera.

— Hm... — Kierowca nie wydawał się przekonany. Zatrąbił klaksonem na ciężarówkę dostawczą.

— Niech pan jej powie: „Wyobraź sobie, jak byś się czuła, gdybyś musiała już zawsze nosić tę samą fryzurę, która zakrywałaby twoje zwiotczałe uszy".

— Myśli pan, że mi uwierzy?

— Czemu nie? — zapytał Macon i dodał po chwili: — W gruncie rzeczy to może być prawda. Nie uważa pan, że mogłem to gdzieś przeczytać?

— Może i tak — odparł kierowca. — Brzmi jakoś znajomo.

— Może nawet widziałem zdjęcie. Czyjeś wyschnięte, skurczone uszy.

— Takie pomarszczone — zgodził się kierowca.

— Jak dwie suszone morele — dodał Macon.

— Jezu! Powiem jej.

Taksówka zatrzymała się przed hotelem. Macon zapłacił za kurs.

— Mam nadzieję, że to poskutkuje — powiedział wysiadając.

— Jasne. Do następnego razu. Dopóki nie zechce kółka w nosie czy czegoś w tym stylu.

— Proszę pamiętać, że nos to też chrząstka! Nos też może uschnąć.

Kierowca pomachał mu i ruszył.

Po zainstalowaniu się w pokoju Macon pojechał metrem do hotelu „Buford", który polecił mu listownie pewien sprzedawca sprzętu elektronicznego. Wynajmowano tam biznesmenom małe mieszkania na dzień lub na tydzień. Dyrektor, pan Aggers, okazał się niskim okrągłym człowieczkiem, który utykał tak samo jak Macon. Macon uznał, że idąc przez foyer do wind muszą wyglądać bardzo dziwnie.

— Większość naszych mieszkań należy do różnych korporacji — powiedział pan Aggers. Nacisnął guzik windy. — Firmom, które regularnie przysyłają tu swoich pracowników, kalkuluje się kupić lokale. Właściciele liczą, że w czasie kiedy mieszkania są puste, znajdę im innych lokatorów, aby obniżyć koszty.

Macon zapisał to na marginesie swojego przewodnika. Niezwykle drobnym pismem zanotował również uwagi na temat wystroju foyer, które przypominało mu staroświecki klub dla dżentelmenów. Na masywnym stole o nogach w kształcie łap, znajdującym się między dwiema windami, stała metrowa mosiężna figura nagiej kobiety, ciągnącej za sobą mosiężne draperie; kobieta stała na mosiężnych chmurach i trzymała w górze małą zakurzoną żarówkę, z której zwisał wystrzępiony przewód elektryczny. Nadjechała winda;

na jej podłodze leżał wyblakły kwiecisty dywan, a ściany były wyłożone boazerią.

— Pozwoli pan, że zapytam — odezwał się pan Aggers — czy pan osobiście pisze serię „Przypadkowy turysta"?

— Tak — odrzekł Macon.

— No proszę! To prawdziwy zaszczyt. Trzymamy we foyer pańskie książki dla naszych gości. Ale, nie wiem czemu, wyobrażałem sobie pana nieco inaczej.

— Jak pan mnie sobie wyobrażał?

— Myślałem, że nie jest pan taki wysoki. Może nieco potężniejszy. Trochę tęższy.

— Rozumiem — rzekł Macon.

Winda zatrzymała się, ale drzwi otworzyły się nie od razu. Pan Aggers poprowadził Macona korytarzem. Kobieta z wózkiem z bielizną odsunęła się na bok, żeby ich przepuścić.

— Proszę — powiedział pan Aggers. Otworzył drzwi i zapalił światło.

Macon wszedł do mieszkania, które mogło pochodzić z lat pięćdziesiątych. Zobaczył tam kwadratową kanapę z metalicznymi nitkami w materiale, obramowany chromem stół i krzesła, a w sypialni podwójne łóżko, którego wezgłowie było obite winylem w kolorze kremowym. Wypróbował materac. Zdjął buty, położył się i rozmyślał przez chwilę. Pan Aggers stał nad nim ze złożonymi dłońmi.

— Hmm — mruknął Macon. Usiadł, włożył buty i udał się do łazienki. Na sedesie zauważył biały pasek z napisem „Odkażone". — Nigdy tego nie rozumiałem — powiedział.

— Dlaczego fakt, że przylepili pasek papieru wokół sedesu, ma mnie uspokoić?

Pan Aggers rozłożył bezradnie ręce. Macon rozsunął zasłonkę prysznica w różowe i niebieskie ryby i sprawdził brodzik. Wyglądał na czysty, choć od kranu biegła plama rdzy.

W kuchence znalazł jeden garnek, po dwa wyblakłe plastykowe talerze i kubki oraz całą półkę szklanek do whisky.

— Nasi goście zazwyczaj nie gotują zbyt wiele — wyjaśnił pan Aggers — ale mogą zaprosić swoich partnerów handlowych na drinka.

Macon kiwnął głową. Miał tu do czynienia ze znanym sobie przypadkiem, czyli wąską granicą pomiędzy „wygodny" a „podniszczony". Prawdę mówiąc, czasami to, co wygodne, musiało być nieco podniszczone. Otworzył małą lodówkę znajdującą się pod blatem kuchennym. Pojemniki na lód w zamrażalniku były dokładnie takie same, jakie Rose miała w Baltimore: z bąbelkowego przezroczystego plastyku, mocno porysowane.

— Musi pan przyznać, że jest dobrze wyposażona — powiedział pan Aggers. — Widzi pan? W kuchennej szufladzie jest nawet fartuch. To pomysł mojej żony. Chroni garnitury.

— Tak, to bardzo dobre — przyznał Macon.

— Tak jakby byli w domu, mimo że z dala od domu; chcę, żeby to tak wyglądało.

— Ach, dom — westchnął Macon. — Żadne miejsce nie jest naprawdę domem.

— Dlaczego? Czego tu brak? — zapytał pan Aggers. Miał bardzo bladą, delikatną skórę, która zaczynała błyszczeć, kiedy był zaniepokojony. — Co by pan jeszcze dodał?

— Prawdę mówiąc, zawsze uważałem, że hotel powinien oferować różne małe zwierzęta.

— Zwierzęta?

— Chodzi mi o kota, który spałby w nocy w twoim łóżku, albo psa, który cieszyłby się, kiedy wracasz. Czy pan kiedykolwiek zauważył, że pokój hotelowy wydaje się całkiem pozbawiony życia?

— Tak, ale... nie wiem, jak mógłbym... są pewne przepisy sanitarne czy coś... komplikacje, papierkowa robota, karmienie tych wszystkich... no i alergie, oczywiście; wielu gości ma...

— Ależ rozumiem, rozumiem... — Na marginesie książki Macon notował liczbę koszy na śmieci: cztery. Wspaniale.

— Nie sądzę, by ktoś mnie kiedykolwiek poparł w tej sprawie.

— Czy mimo to zarekomenduje nas pan?

— Oczywiście. — Macon zamknął przewodnik i poprosił o cennik.

Resztę popołudnia spędził w hotelach, o których pisał poprzednio. Odwiedzał dyrektorów w ich biurach, odbywał krótkie wycieczki, oprowadzany przez kogoś, aby sprawdzić, czy nic nie popadło w ruinę, oraz słuchał wywodów na temat rosnących cen, planów przebudowy i nowych, lepszych sal konferencyjnych. Potem wrócił do swojego pokoju i włączył wieczorne wiadomości. Świat nie radził sobie najlepiej, ale oglądając program telewizyjny w tym obcym wnętrzu, wyciągnąwszy bolącą nogę i usadowiwszy się w fotelu, który wydawał się zrobiony na kogoś o innych wymiarach, Macon miał wrażenie, że żadna z oglądanych przez niego wojen ani plag głodu nie jest prawdziwa. Wszystkie wydawały mu się spektaklem. Wyłączył telewizor i zszedł na dół, żeby wezwać taksówkę.

Za radą Juliana kolację miał zjeść na najwyższym piętrze niezwykle wysokiego budynku. (Macon zauważył, że Julian lubi restauracje ze sztuczkami. Nie był zadowolony, jeśli lokal nie obracał się, nie pływał lub nie można było do niego dotrzeć po kładce.) „Wyobraź sobie — mówił — jakie wrażenie wywiera to na kliencie spoza miasta. Tak, to musi być ktoś spoza miasta. Nie sądzę, żeby rodowity nowojorczyk..." Macon wtedy prychnął. Teraz taksówkarz również to zrobił.

— Filiżanka kawy będzie tam pana kosztować pięć dolców — powiedział.

— Zgadza się.

— Lepiej by pan poszedł do którejś z tych małych francuskich restauracyjek.

— To mam w planie na jutro: pójść tam, dokąd chodzą miejscowi klienci.

Taksówka jechała ulicami, które stawały się coraz ciemniejsze i bardziej puste; oddalali się od tłumów. Macon wyjrzał przez okno. Zobaczył samotnego mężczyznę skulonego w drzwiach i otulonego w długi płaszcz. Smużki pary unosiły się z pokryw studzienek kanalizacyjnych. Wszystkie sklepy były zamknięte i zabezpieczone żelaznymi kratami.

Taksówka zatrzymała się przy końcu najciemniejszej ulicy. Kierowca znowu prychnął. Macon zapłacił i wysiadł. Nie był przygotowany na wiatr, który uderzył weń gwałtownie. Ruszył pospiesznie chodnikiem, niemal niesiony; nogawki spodni trzepotały mu wokół nóg. Zanim wszedł do budynku, spojrzał w górę. Patrzył coraz wyżej, aż wreszcie ujrzał zamgloną białą wieżyczkę znikającą w głębokoczarnym, bezgwiezdnym, niesamowicie dalekim niebie. Przypomniał sobie, jak kiedyś, dawno temu, Ethan, będąc jeszcze mały, stanął w zoo przed słoniem; uniósł zdumioną twarzyczkę tak wysoko, że przewrócił się na plecy.

Wewnątrz wszystko było z żyłkowanego różowego marmuru i setek metrów gładkiej wykładziny dywanowej. Winda wielkości pokoju, do połowy wypełniona ludźmi, stała otwarta. Macon wszedł i zajął miejsce pomiędzy dwiema kobietami w jedwabiach i brylantach. Ich perfumy były niemal widoczne. Wydało mu się, że widzi, jak falują w powietrzu.

Kiedy winda wystrzeliła w górę, zapisał w przewodniku: Miej pod ręką gumę do żucia. Huczało mu w uszach. Panowała gęsta, pozbawiona akustyki cisza, w której głosy kobiet miały blaszane brzmienie. Włożył przewodnik do kieszeni i spojrzał na migające nad głową numery. Były to kolejne dziesiątki: czterdzieści, pięćdziesiąt, sześćdziesiąt... Jeden z mężczyzn powiedział, że muszą kiedyś przyprowadzić tu jakiegoś Harolda — „Pamiętacie, jak Harold przestraszył się wyciągu narciarskiego?" — i wszyscy wybuchnęli śmiechem.

Winda wydała śpiewny odgłos — drzwi otworzyły się bezszelestnie. Dziewczyna w białym garniturze poprowadziła ich korytarzem w stronę ciemnej przestrzeni, w której migotały świeczki. Sala była otoczona wielkimi czarnymi oknami, od podłogi do sufitu, ale Macona zabrano do stolika, z którego nie było widoku na zewnątrz. Uznał, że samotni goście stanowią tu kłopot. Może jest pierwszym. Ilość srebra znajdująca się przy jego pojedynczym nakryciu mogłaby z łatwością obsłużyć czteroosobową rodzinę.

Kelner, ubrany o wiele lepiej niż Macon, wręczył mu kartę i zapytał, czego się napije.

— Poproszę o wytrawne sherry — powiedział Macon.

Gdy tylko kelner odszedł, złożył kartę na pół i usiadł na niej. Potem rozejrzał się po sąsiadach. Wszyscy świętowali jakieś okazje. Mężczyzna i kobieta w ciąży trzymali się za ręce i uśmiechali do siebie przez księżycowy blask świecy.

Hałaśliwa grupa siedząca na lewo od niego cały czas wznosiła toasty na cześć jednego z mężczyzn.

Wrócił kelner, balansując wprawnie kieliszkiem sherry na tacy.

— Doskonale — oznajmił Macon. — A teraz poproszę o kartę.

— Kartę? Nie dałem panu?

— Może to było przeoczenie — odparł, niezupełnie kłamiąc.

Kelner przyniósł drugą kartę i otworzył ją przed nim szerokim gestem. Macon popijał sherry i analizował ceny. Astronomiczne. Jak zwykle postanowił zjeść to, co jego zdaniem mogliby jeść jego czytelnicy — nie pulpety ani nerkówkę, tylko średnio wysmażony stek. Kiedy zamówił, wstał, wsunął krzesło i zabrał swoje sherry do okna.

Nagle wydało mu się, że umarł.

Widział rozpostarte daleko w dole miasto, niby błyszczący, złoty ocean, z ulicami jak małe wstążeczki światła, planetę zaokrągloną na obrzeżach, i niebo — szkarłatną rozciągającą się w nieskończoność pustkę. Nieważna była wysokość, tylko odległość. Ogromne, samotne oddalenie od wszystkich, którzy byli dla niego ważni. Ethan ze swoim podrygującym chodem — skąd ma wiedzieć, że jego ojciec został uwięziony w tej iglicy w niebie? Skąd ma wiedzieć Sara, leniwie opalająca się w słońcu? Bo uważał, że tam, gdzie ona w tej chwili jest, świeci słońce — taki dystans dzielił ją od niego. Pomyślał o siostrze i braciach, którzy zajmują się swoimi sprawami, grają wieczorem w karty, nieświadomi, jak daleko za sobą ich zostawił. Nie było już stąd powrotu. Nigdy, nigdy nie wróci. Dotarł do punktu najbardziej oddalonego od wszystkich innych ludzi we wszechświecie i wszystko było nierealne oprócz jego własnej kościstej dłoni zaciśniętej wokół kieliszka sherry.

Upuścił kieliszek, co spowodowało gwar głosów, obrócił się, niezgrabnie pobiegł przez salę i wypadł przez drzwi. Ale tam był ten nie kończący się korytarz; nie był w stanie go przebyć, więc skręcił w prawo. Minął pomieszczenie z telefonem i chwiejnie wszedł do toalety, na szczęście męskiej.

Znowu marmury, lustra i biała porcelana. Pomyślał, że zwymiotuje, ale kiedy wszedł do kabiny, uczucie nudności przeniosło się z żołądka do głowy. Jego mózg wydawał się niezwykle lekki. Stał nad sedesem i przyciskał skronie. Nagle zaczął się zastanawiać, ile metrów rur potrzeba do toalety na tej wysokości.

Usłyszał, że ktoś wchodzi i kaszle. Trzasnęły drzwi sąsiedniej kabiny. Uchylił swoje i wyjrzał. Bezosobowy przepych tego pomieszczenia przywiódł mu na myśl filmy science fiction.

Cóż, ten problem pewnie pojawiał się tu często, prawda? Może nie dokładnie ten, ale podobne — ludzie z lękiem wysokości, którzy, na przykład, wpadają w panikę i muszą zawołać... kogo? kelnera? dziewczynę, która ich odebrała przy windzie?

Ostrożnie wyszedł z kabiny, a następnie z toalety i omal się nie zderzył z kobietą, która stała przy telefonie. Miała na sobie kilka metrów bladego szyfonu. Właśnie odkładała słuchawkę; zebrała fałdy spódnicy i ruszyła wdzięcznie ku sali jadalnej. „Przepraszam panią, czy byłaby pani tak dobra i hm...." — powiedział w myśli. Ale jedyne życzenie, jakie mu przyszło do głowy, pochodziło z najwcześniejszego dzieciństwa: „Weź mnie na ręce!"

Mała, wyszywana cekinami torebka wieczorowa była ostatnim widocznym fragmentem kobiety — ciągnęła się za nią trzymana białą dłonią, podczas gdy właścicielka znikała w ciemności restauracji.

Podszedł do telefonu i podniósł słuchawkę. Była zimna — kobieta zapewne nie rozmawiała długo. Zaczął grzebać w kieszeniach, znalazł monety i wrzucił do aparatu. Ale nie miał do kogo zadzwonić. Nie znał nikogo w Nowym Jorku. Zadzwonił więc do domu. Obawiał się, że rodzina swoim zwyczajem nie odbierze telefonu, ale odezwał się Charles.

— Tu Leary.

— Charles?

— Macon! — powiedział Charles z ożywieniem.

— Charles, jestem na szczycie tego budynku i... stało się coś śmiesznego. Słuchaj, musisz mnie stąd wydostać.

— Wydostać ciebie?! O czym ty mówisz? To ty mnie musisz wydostać!

— Słucham?

— Jestem zamknięty w spiżarni; twój pies mnie tu zagonił.

— Ach, bardzo mi przykro, ale... Charles, to jest jak choroba. Nie przypuszczam, żebym zdołał zjechać windą czy zejść po schodach i...

— Macon, czy słyszysz to szczekanie? To Edward. Mówię ci, że mnie tu zapędził i musisz natychmiast wracać do domu.

— Ale ja jestem w Nowym Jorku! Jestem na szczycie tego budynku i nie mogę dostać się na dół!

— Kiedy tylko otwieram, on przybiega z wrzaskiem, więc zatrzaskuję drzwi, a on na nie skacze; chyba już do połowy je wydrapał.

Macon zmusił się do głębokiego oddechu.

— Charles, czy mogę porozmawiać z Rose? — zapytał.

— Wyszła.

— Aha.

— A myślisz, że jakim cudem znalazłem się w takiej sytuacji? Julian przyszedł i zabrał ją na kolację, a...

— Julian?

— Przecież tak się nazywa, nie?

— Julian, mój szef?!

— Tak. I wtedy Edward znowu dostał szału, więc Rose powiedziała,: „Szybko, zamknij go w spiżarni". Chwyciłem smycz, a on się na mnie rzucił i omal nie odgryzł mi ręki. No to sam zamknąłem się w spiżarni, a Rose pewnie już wyszła, więc...

— Czy nie ma Portera?

— To wieczór jego odwiedzin u dzieci.

Macon wyobraził sobie, jak bezpieczna musi być spiżarnia z dżemami Rose, ustawionymi w szyku alfabetycznym, z czarnym telefonem, tak starym, że numer na jego tarczy należał jeszcze do starej centrali Tuxedo. Cóż by dał, żeby tam być!

Poczuł się dziwnie. W piersi coś mu zatrzepotało, coś nie przypominającego normalnego bicia serca.

— Jeśli mnie stąd nie wydostaniesz, zadzwonię po policję, żeby przyjechali i zastrzelili go — zagroził Charles.

— Nie! Nie rób tego!

— Nie mogę tu siedzieć i czekać, aż przegryzie drzwi.

— Nie przegryzie. Możesz otworzyć drzwi i przejść obok niego. Uwierz mi, Charles. Proszę cię, jestem na szczycie tego budynku i...

— Może o tym nie wiesz, ale cierpię na klaustrofobię — biadolił Charles.

Macon uznał, że jedyne wyjście, to powiedzieć obsłudze restauracji, że ma atak serca. Zawał brzmi tak szacownie. Poślą po karetkę i zostanie, och tak, zaniesiony — tego mu było trzeba. A może nie będą musieli go nieść, wystarczy, że go dotkną, po prostu ludzki dotyk na ramieniu, ręka na jego ręce, coś, co pozwoli mu znowu połączyć się z resztą świata. Od tak dawna nie czuł dotyku drugiej osoby.

— Powiem im o kluczu w skrzynce na listy, więc nie będą musieli wyważać drzwi — przerwał mu te myśli głos Charlesa.

— Co? Kto?

— Policja. I powiem im, żeby... Macon, przykro mi, ale wiesz, że tego psa trzeba będzie wcześniej czy później zabić.

— Nie rób tego! — krzyknął Macon.

Mężczyzna wychodzący z toalety spojrzał w jego stronę, Macon zniżył głos i powiedział:

— On należał do Ethana.

— Czy to znaczy, że może mi rozszarpać gardło?

— Słuchaj, nie działajmy w pośpiechu. Zastanówmy się. Zadzwonię do... do Sary. Poproszę, żeby przyjechała i zajęła się Edwardem. Słuchasz mnie, Charles?

— A jeśli na nią też się rzuci?

— Nie zrobi tego, uwierz mi. Nie rób niczego, dopóki ona nie przyjedzie, rozumiesz? Nie rób niczego nieprzemyślanego.

— No... — wykrztusił Charles z powątpiewaniem.

Macon odłożył słuchawkę i wyjął z kieszeni portfel, Przerzucał wizytówki i wycinki z gazet, niektóre pożółkłe ze starości — trzymał je w ukrytej przegródce. Kiedy znalazł numer Sary, wystukał go drżącymi palcami i wstrzymał oddech. „Saro — powie — jestem na szczycie tego budynku i..."

Nie było odpowiedzi.

Ta możliwość nie przyszła mu do głowy. Słuchał, jak dzwoni jej telefon. Co teraz? Co, na Boga, teraz?

Wreszcie odłożył słuchawkę. Z rozpaczą przerzucał inne numery: dentysta, aptekarz, treser zwierząt....

Treser zwierząt?

Początkowo przyszedł mu do głowy ktoś z cyrku — krzepki mężczyzna w jedwabnych spodniach. Potem ujrzał nazwisko: Muriel Pritchett. Wizytówka była napisana odręcznie i wycięta krzywo z większego kawałka papieru.

Zadzwonił do niej. Natychmiast podniosła słuchawkę.

— Hal-lo — powiedziała chropawym głosem, niby zmęczona barmanka.

— Muriel? Mówi Macon Leary — przedstawił się.

— Ach! Jak się masz?

— Doskonale. A właściwie... Słuchaj, problem w tym, że Edward zagonił mojego brata do spiżarni... Przesadza, znaczy Charles, on zawsze przesadza, a ja jestem na szczycie pewnego budynku w Nowym Jorku i mam jakieś zaburzenia, rozumiesz? Patrzyłem w dół na miasto, które było o wiele mil stąd, nie umiem ci opisać, jak...

— Upewnijmy się, że dobrze cię zrozumiałam — przerwała mu Muriel. — Edward jest w twojej spiżarni...

Macon opanował się i zaczął od początku:

— Edward jest na zewnątrz spiżarni i szczeka. Mój brat jest w środku. Mówi, że zadzwoni po policję i powie im, żeby zastrzelili Edwarda.

— Co za idiotyczny pomysł.

— Właśnie! — potwierdził Macon. — Więc pomyślałem, że gdybyś mogła przyjechać, wyjąć klucz ze skrzynki na listy... leży na jej dnie...

— Zaraz jadę.

— Cudownie!

— To tymczasem, Macon.

— Ale poza tym... — Zamilkł.

Czekała.

— ...jestem na szczycie tego budynku i nie wiem, co się stało, ale coś mnie okropnie przestraszyło.

— Boże, ja też bym się przeraziła, bo oglądałam „Płonący wieżowiec".

— Nie, nie, to nie to, ani pożar, ani wysokość...

— Widziałeś „Płonący wieżowiec"? Rany, po tym filmie nie sposób mnie było zmusić, żebym w jakimkolwiek budynku weszła powyżej poziomu, z którego można zeskoczyć. Uważam, że ludzie, którzy wjeżdżają na szczyt drapaczy chmur, są po prostu bardzo dzielni. Pomyśl, Macon, trzeba być dzielnym, żeby stać tam, gdzie ty w tej chwili stoisz.

— No, nie jestem taki dzielny.

— Mówię poważnie.

— Przesadzasz. To naprawdę nic takiego.

— Mówisz tak, bo nie zdajesz sobie sprawy, co przeżyłeś, zanim wszedłeś do windy. Tam na dole powiedziałeś sobie: „W porządku, zaufam jej". Tak robią wszyscy; założę się, że tak samo zachowują się w samolotach. „To jest niebezpieczne jak diabli, ale co tam — mówią — unieśmy się w tym rzadkim powietrzu i zaufajmy mu". Powinieneś chodzić po tym budynku zdziwiony i dumny z siebie!

Macon parsknął krótkim, suchym śmiechem i ścisnął mocniej słuchawkę.

— A więc zrobię tak — powiedziała Muriel. — Wezmę Edwarda i zawiozę go do „Miau-Hau". Wygląda na to, że twój brat nie umie sobie z nim radzić. A kiedy wrócisz z podróży, musimy porozmawiać o tresurze. Tak dalej być nie może, Macon.

— Masz rację. Nie może.

— To przecież śmieszne.

— Masz absolutną rację.

— No, to do zobaczenia. Pa!

— Zaczekaj! — krzyknął.

Ale Muriel odłożyła już słuchawkę.

Kiedy odłożył swoją, odwrócił się i ujrzał, że od strony windy zmierzają nowi goście. Przodem szło trzech mężczyzn, a za nimi trzy kobiety w długich sukniach. Za tą grupą podążało dwoje młodych, którzy nie mogli mieć więcej niż po kilkanaście lat. Nadgarstki chłopaka wystawały z rękawów garnituru. Sukienka dziewczyny była niezgrabna i wzruszająca, a brodę zakrywała jej ogromna orchidea.

W połowie korytarza chłopak i dziewczyna stanęli, żeby się rozejrzeć. Spojrzeli na sufit, następnie na podłogę. Potem spojrzeli na siebie. Chłopak głośno powiedział: „Ho-ho!" i chwycił dziewczynę za ręce. Stali tak przez chwilę, śmiejąc się, po czym weszli do restauracji.

Macon ruszył za nimi. Czuł się uspokojony, zmęczony i okropnie głodny. Na szczęście w chwili gdy opadł na swoje krzesło, kelner właśnie stawiał zamówione danie na stole.

X

— Mówiąc szczerze — oznajmiła Muriel — moje dziecko nie było zaplanowane. Prawdę powiedziawszy, nawet nie byliśmy jeszcze małżeństwem. To dziecko było rzeczywistym powodem tego, że się pobraliśmy, ale mówiłam Normanowi, że nie musimy tego robić, jeśli nie chce. Do niczego go nie zmuszałam.

Przeniosła wzrok z Macona na Edwarda, który leżał plackiem na dywanie w holu. Trzeba go było co prawda do tego zmusić, ale przynajmniej teraz pozostawał w jednym miejscu.

— Zwróć uwagę, że pozwalam mu się trochę poruszać, o ile leży i nie wstaje — powiedziała Muriel. — Teraz się odwrócę plecami, a ty obserwuj, co robi.

Poszła do salonu. Wzięła ze stolika wazon i obejrzała jego dno.

— W każdym razie — ciągnęła — pobraliśmy się, a wszyscy zachowywali się tak, jak gdyby to była największa tragedia na świecie. Moi rodzice nigdy tego nie przeboleli. Matka gadała: „Zawsze wiedziałam, że to się stanie. Jeszcze wtedy, kiedy zadawałaś się z Danem Scullym i z tymi nieciekawymi chłopakami, którzy wiecznie wyczekiwali na ciebie przed domem. Czyż nie mówiłam ci, że tak się stanie?" Wzięliśmy cichy, byle jaki ślub w kościele, do którego należą moi rodzice, i nie wyjechaliśmy nigdzie w podróż poślubną, tylko wróciliśmy prosto do naszego mieszkania, a następnego dnia Norman zaczął pracę u swojego wuja. Dobrze się przystosował do małżeństwa — robił ze mną zakupy, wybierał zasłony i tak dalej. Czasami myślę sobie, jakimi dzieciakami wtedy byliśmy. To była niemal zabawa w dom! Wszystko udawane. Świece, które zapalałam do kolacji, kwiaty na stole, Norman zwracający się do mnie „kochanie" i przynoszący swój talerz do zlewu, żebym go umyła. A potem nagle wszystko stało się poważne. A teraz mam syna, wspaniałego siedmiolatka w tupiących skórzanych butach. Okazało się, że to jednak nie była zabawa w dom. Wszystko działo się naprawdę przez cały czas, tylko nie wiedzieliśmy o tym.

Usiadła na kanapie i uniosła stopę. Obracała nią z podziwem. Pończocha marszczyła się w kostce.

— Co robi Edward? — zapytała.

— Nadal leży — odparł Macon.

— Wkrótce będzie tak leżał przez trzy godziny bez przerwy.

— Trzy godziny?

— Nie martw się.

— Czy to nie jest okrutne?

— O ile pamiętam, obiecałeś, że nie będziesz mówił takich rzeczy.

— Racja. Przepraszam.

— Może wkrótce sam będzie się kładł.

— Tak uważasz?

— Jeśli będziesz z nim ćwiczyć. Jeśli się nie poddasz. I jeśli nie zmiękniesz.

Wstała i podeszła do Macona. Poklepała go po ramieniu.

— Ale nie przejmuj się — powiedziała. — Uważam, że mężczyźni o miękkim sercu są przemili.

Macon cofnął się i omal nie nadepnął Edwarda.

Zbliżało się Święto Dziękczynienia i rodzina Learych debatowała jak zwykle nad świątecznym obiadem. Prawdę mówiąc, żadne z nich nie lubiło indyka. Rose stwierdziła jednak, że byłoby nie w porządku podać co innego. Byłoby coś nie tak. Bracia zwrócili uwagę, że trzeba wstać o piątej rano, żeby włożyć indyka do piekarnika. Rose odparła, że to jej problem. Im nie przysporzy to żadnych kłopotów.

Potem zaczęło wychodzić na jaw, że miała ukryty powód, bo gdy tylko zgodzili się na indyka, oznajmiła, że być może zaprosi Juliana Edge'a. Powiedziała, że biedny Julian nie ma żadnej blisko mieszkającej rodziny i on oraz jego sąsiedzi spędzają smutne święta, kiedy każdy przynosi jakieś danie — swoją specjalność. W zeszłym roku obiad w Święto Dziękczynienia składał się z wegetariańskiej zapiekanki z makaronu z jarzynami, koziego sera na liściach winogron i ciasteczek z owocem kiwi. Może więc przynajmniej zaprosić go na normalny, rodzinny obiad.

— Co takiego? — zdziwił się Macon, udając wielkie zdumienie i dezaprobatę, chociaż w gruncie rzeczy nie zaskoczyło go to. Ach, to jasne, że Julianowi o coś chodzi, ale o co? Ilekroć Rose schodziła po schodach w swojej najlepszej sukience, z policzkami ubarwionymi różem, ilekroć prosiła Macona, żeby zamknąć Edwarda w spiżarni, bo przyjedzie Julian, aby zabrać ją tu czy tam, Macon miał wielką ochotę pozwolić Edwardowi „przypadkiem" wyrwać się spod kontroli. Konsekwentnie witał Juliana w drzwiach i przyglądał mu się przez chwilę w milczeniu, a dopiero potem wołał Rose. Ale Julian zachowywał się idealnie — nie zdradził się najlżejszą ironią. Był pełen szacunku dla Rose, niemal nieśmiały, i kręcił się nieporadnie, przepuszczając ją w drzwiach. A może w tym była ironia? Jego zagrywka pod hasłem „Rose Leary". Maconowi nie podobało się to wszystko.

Potem okazało się, że dzieci Portera również przyjadą na Święto Dziękczynienia. Zazwyczaj przyjeżdżały na Boże Narodzenie, ale w tym roku chciały tego uniknąć ze względu na jakieś komplikacje z dziadkami ze strony ojczyma. Tak więc Rose stwierdziła, że należy przygotować indyka — dzieci są tak przywiązane do tradycji. Zabrała się do pieczenia ciasteczek z dyni.

— Zbieramy się razem — śpiewała — by prosić Pana o błogosławieństwo...

Macon uniósł wzrok znad pliku skradzionych jadłospisów rozłożonych teraz na kuchennym stole. Radość w jej głosie wzbudziła jego zaniepokojenie. Zastanawiał się, czy nie żywi fałszywych oczekiwań wobec Juliana — może, na przykład, ma nadzieję, że wyniknie między nimi romans? Ale Rose wyglądała bardzo zwyczajnie i rozsądnie w długim białym fartuchu. Przypominała mu słynną Emily Dickinson — przecież Emily Dickinson również piekła dla swoich siostrzenic i siostrzeńców. Z pewnością nie było się czym przejmować.

— Mój syn nazywa się Aleksander — powiedziała Muriel. — Mówiłam ci o tym? Nazwałam go tym imieniem, bo uważałam, że to takie nobliwe. Nigdy nie był łatwym dzieckiem. Zaraz na początku, kiedy jeszcze byłam w ciąży, coś poszło nie tak i później musieli mi zrobić cesarskie cięcie, i wyjąć go przed terminem, a ja miałam potem komplikacje i nie mogę już mieć dzieci. Aleksander był taki malutki, że nie wyglądał na istotę ludzką, przypominał raczej świeżo urodzonego kociaka z dużą głową; okropnie długo musiał przebywać w inkubatorze i omal nie umarł. Norman pytał: „Kiedy to zacznie wyglądać tak jak inne dzieci?" Zawsze mówił o Aleksandrze „to". Ja się lepiej przystosowałam. To znaczy szybko zaczęłam uważać, że dziecko powinno właśnie tak wyglądać i ciągle siedziałam na oddziale szpitalnym, ale Norman w ogóle się do niego nie zbliżał, bo mówił, że go to zbyt denerwuje.

Edward zaskowyczał. Z trudem wytrzymywał już w pozycji leżącej — zad miał uniesiony, a pazury wbite w dywan. Ale Muriel udała, że tego nie zauważa.

— Może mógłbyś się kiedyś spotkać z Aleksandrem — zwróciła się do Macona.

— Ach, ja, hm... — zająknął się Macon.

— W jego życiu jest zbyt mało mężczyzn.

— Tak, ale...

— Powinien często widywać mężczyzn, bo miałby przykład, jak trzeba postępować. Może poszlibyśmy we trójkę do kina. Nie chodzisz do kina?

— Nie — odrzekł Macon zgodnie z prawdą. — Od wielu miesięcy nie byłem w kinie. Nie jestem miłośnikiem filmów. Zbytnio ingerują w cudze życie.

— A może po prostu wpadlibyśmy do McDonalda?

— Chyba też nie — odparł Macon.

Dzieci Portera przyjechały na dzień przed Świętem Dziękczynienia; jechały samochodem, bo Danny, najstarszy z rodzeństwa, właśnie dostał prawo jazdy. To bardzo zaniepokoiło Portera. Czekając na nich przemierzał nerwowo pokój.

— Nie wiem, gdzie June ma rozum — stwierdził. — Żeby pozwolić szesnastoletniemu smarkaczowi jechać samochodem z Waszyngtonu w pierwszym tygodniu po otrzymaniu przez niego prawa jazdy! A z nim młodsze siostry! Nie pojmuję jej sposobu myślenia.

Co gorsza, dzieci spóźniły się prawie o godzinę. Kiedy Porter wreszcie ujrzał światła ich samochodu, wybiegł z domu przeskakując po dwa schodki i wyprzedzając pozostałych.

— Czemu jesteście tak późno?! — krzyknął.

Danny wysiadł z samochodu z przesadną nonszalancją, przeciągając się i ziewając. Po chwili przywitał się z ojcem, odwracając się jednocześnie, aby obejrzeć opony. Był już tak wysoki jak Porter, ale bardzo chudy; miał ciemną karnację matki. Za nim wyszła Susan, czternastolatka — o kilka miesięcy starsza od Ethana. Dobrze, że była tak niepodobna do niego, z grzywą czarnych loczków i różowymi policzkami. Tego wieczoru miała na sobie dżinsy, wysokie buty i grubą, długą kurtkę, w której młodzi ludzie wyglądają ciężko i niezgrabnie. Ostatnia wyszła Liberty. Macon zawsze dziwił się temu imieniu. Był to pomysł jej matki, niestałej kobiety, która osiem i pół roku temu uciekła od Portera z hipisowatym sprzedawcą sprzętu muzycznego, po czym natychmiast odkryła, że jest w drugim miesiącu ciąży. Jak na ironię własnie Liberty okazała się najbardziej podobna do Portera. Miała jasne proste włosy, wyrazistą twarz i była ubrana w dopasowany płaszczyk.

— Danny zabłądził — powiedziała surowo. — Co za idiota.

Pocałowała Portera, ciotkę i wujów, podczas gdy Susan przeszła obok nich, dając do zrozumienia, że wyrosła już z takich rzeczy.

— Och, jak miło! — odezwała się Rose. — Będziemy mieli cudowne Święto Dziękczynienia.

Stała na chodniku wycierając ręce w fartuch, być może po to, aby nie wyciągnąć ich do Danny'ego, który ociężale zmierzał w stronę domu. Był już zmrok; gdy Macon się rozejrzał, spostrzegł, że dorośli wyglądają jak blade, szare widma — czworo żyjących samotnie krewnych w średnim wieku, tęskniących za młodzieżą.

Na kolację mieli przyniesioną z restauracji pizzę, bo chcieli sprawić przyjemność dzieciom, ale Macon poczuł zapach indyka. Początkowo myślał, że mu się tylko wydaje. Potem zobaczył, że Danny też wciąga nosem powietrze.

— Indyk? Już? — zapytał ciotkę.

— Próbuję nowej metody — odparła. — To podobno oszczędza energię. Nastawiasz piecyk na bardzo niską temperaturę i pieczesz indyka przez całą noc.

— Dziwne.

Po kolacji oglądali telewizję — dzieci nigdy nie nabrały przekonania do kart — a potem poszli spać. Ale w środku nocy Macon obudził się nagle i zaczął się poważnie zastanawiać nad indykiem. Ona go piecze aż do jutra? W bardzo niskiej temperaturze? Jaka to właściwie temperatura?

W końcu zrzucił kotkę z piersi i wstał. Teraz, kiedy noga już się zrosła, sypiał w swoim dawnym pokoju. Zszedł po ciemku na dół, przeszedł po lodowatym kuchennym linoleum i włączył małe światełko nad piecykiem. Termometr w piekarniku wskazywał dziewięćdziesiąt stopni.

— To pewna śmierć — powiedział do Edwarda, który przydreptał za nim. Po chwili wszedł Charles w rozciągniętej piżamie. Spojrzał na termometr i westchnął.

— Na domiar złego — rzekł — to jest nadziewany indyk.

— Cudownie.

— Dwa kilo nadzienia. Słyszałem, jak mówiła.

— Dwa kilo pełne rojących się bakterii.

— Chyba że w tej metodzie jest jeszcze coś, czego nie rozumiemy.

— Zapytamy ją jutro — zdecydował Macon i wrócili do łóżek.

Kiedy rano Macon zszedł na dół, zastał Rose podającą dzieciom naleśniki.

— Rose, co ty właściwie robisz z tym indykiem? — zapytał.

— Już ci mówiłam: niska temperatura i powolne piecze-
nie. Danny, chcesz dżem czy syrop?

— I to wszystko? — dopytywał się Macon.

— Kapie ci — powiedziała Rose do Liberty. — Słucham,
Macon? Widzisz, przeczytałam artykuł o wołowinie wolno
i długo duszonej i pomyślałam, że skoro to się sprawdza
z wołowiną, to pewnie z indykiem też, więc...

— Może z wołowiną się sprawdza, ale ten indyk nas
zamorduje.

— Na koniec podniosę temperaturę!

— Będziesz musiała ją podnieść do niezwykle wysokiego
poziomu. Będziesz musiała włożyć tego ptaka do autoklawu.

— Będziesz musiała wystawić go na wybuch nuklearny
— wtrącił radośnie Danny.

— Obaj się mylicie — odrzekła Rose. — Kto tu jest
w końcu kucharką? Ja twierdzę, że będzie pyszny.

Może i był, ale nie wyglądał na to. W porze obiadu pierś
mu się zapadła, a skóra była sucha i bez smaku. Rose
wkroczyła do jadalni niosąc indyka wysoko, jakby triumfalnie,
ale jedynymi osobami, na których wywarło to wrażenie, byli
ci, którzy nie znali całej historii, to znaczy Julian i pani
Barrett, jedna z dawnych znajomych Rose. Julian aż krzyknął,
a pani Barrett promieniała radością.

— Szkoda, że moi sąsiedzi tego nie widzą — powiedział
Julian. Był ubrany w marynarski blezer z mosiężnymi guzika-
mi i wyglądał, jakby wypolerował sobie twarz.

— Może być pewien problem — oznajmił Macon.

Rose postawiła indyka na stole i spiorunowała go wzrokiem.

— Oczywiście, reszta posiłku jest wspaniała — dodał.

— Możemy się najeść samymi jarzynami! Myślę, że tak
zrobię. Ale indyk...

— ...to czysta trucizna — dokończył za niego Danny.

— Co takiego? — zdziwił się Julian, a pani Barrett
uśmiechnęła się z pewnym trudem.

— Uważamy, że był pieczony w nieco nieodpowiedniej
temperaturze — wyjaśnił Macon.

— Nieprawda! — zdenerwowała się Rose. — Jest bardzo
dobry.

— Niech pani lepiej ograniczy się do dodatków — poradził Macon pani Barrett. Obawiał się, czy nie jest głucha.

Musiała jednak usłyszeć, co mówi, bo w dalszym ciągu uśmiechając się odrzekła:

— Może rzeczywiście tak zrobię. Zresztą nie jestem specjalnie głodna.

— A ja jestem wegetarianką — oznajmiła Susan.

— Ja też — stwierdził nieoczekiwanie Danny.

— Och, Macon, jak mogłeś mi to zrobić?! — krzyknęła Rose. — Mój wspaniały indyk! I tyle pracy!

— Uważam, że wygląda bardzo apetycznie — oświadczył Julian.

— Tak — włączył się Porter — ale nie wiesz, jak bywało przy innych okazjach.

— Przy innych okazjach?

— To były niefortunne przypadki — broniła się Rose.

— No jasne! — odparł Porter. — Albo oszczędność. Nie lubisz wyrzucać rzeczy; mogę to zrozumieć. Zbyt długo trzymana wieprzowina czy sałatka z kurczaka, która nie została włożona na noc do lodówki...

Rose usiadła. W jej oczach błyszczały łzy.

— Och, jesteście tacy podli — powiedziała. — Nie oszukacie mnie. Wiem, dlaczego to robicie: chcecie mnie ośmieszyć przed Julianem.

— Julianem?

Julian wydawał się zmartwiony. Wyjął z górnej kieszonki blezeru chusteczkę, ale tylko ją trzymał.

— Chcecie go odstraszyć! Wszyscy trzej zmarnowaliście swoje szanse, a teraz chcecie zniszczyć moją, ale nic z tego. Wiem, o co chodzi! Posłuchajcie pierwszej lepszej piosenki w radiu albo obejrzyjcie byle jaki serial. Zawsze chodzi o miłość! W serialach wszystko kręci się wokół miłości. Do miasta przybywa nowy mężczyzna i natychmiast powstaje pytanie, w kim się zakocha? A kto się zakocha w nim? Kto straci rozum z zazdrości? Kto sobie zrujnuje życie? A wy chcecie, żeby mnie to ominęło!

— O mój Boże — westchnął Macon, usiłując pojąć to wszystko.

— Doskonale wiecie, że ten indyk jest całkiem dobry. Po prostu nie chcecie, żebym przestała wam gotować i zajmować się domem, nie chcecie, żeby Julian się we mnie zakochał.

— Żeby co zrobił?

Ale ona odsunęła krzesło i wybiegła z pokoju. Julian siedział z otwartymi ustami.

— Nie waż się roześmiać — ostrzegł go Macon.

Julian nadal gapił się bezmyślnie.

— Niech ci to przypadkiem nie przyjdzie do głowy.

Julian przełknął ślinę i zapytał:

— Czy sądzicie, że powinienem pójść za nią?

— Nie — stwierdził Macon.

— Ale ona jest tak...

— Nic jej nie jest! Wszystko w porządku.

— Aha.

— Kto chce pieczony kartofel?

Przy stole rozległy się szepty; wszyscy mieli nieszczęśliwe miny.

— Droga, kochana dziewczyna — powiedziała pani Barrett. — Czuję się okropnie.

— Ja też — oświadczyła Susan.

— Julianie, czy chcesz kartofel? — zapytał Macon brzęknąwszy łyżką.

— Nałożę sobie porcję indyka — oznajmił Julian stanowczo.

W tym momencie Macon niemal go polubił.

— Urodziłam dziecko, które rozbiło nasze małżeństwo — powiedziała Muriel. — To śmieszne, jak się nad tym zastanowić. Najpierw pobraliśmy się z powodu dziecka, potem rozwiedliśmy się z powodu dziecka, a pomiędzy tymi dwoma wydarzeniami było ono przyczyną naszych kłótni. Norman nie mógł pojąć, dlaczego cały czas siedzę w szpitalu, przy Aleksandrze. „To coś nie wie, że jesteś obok, więc po co chodzić?" — mawiał. Szłam wcześnie rano i siedziałam tam; pielęgniarki były bardzo miłe, więc zostawałam aż do wieczora. Norman pytał: „Muriel, czy nigdy nie wrócimy do normalnego życia?" Myślę, że można go zrozumieć, bo ja miałam w głowie tylko

Aleksandra, a on leżał w szpitalu przez wiele miesięcy, bez przerwy chorował. Szkoda, że nie widziałeś naszych rachunków za leczenie. Mieliśmy tylko częściowe ubezpieczenie, a tu nadchodziły rachunki na tysiące dolarów. W końcu zaczęłam pracować w szpitalu. Zapytałam, czy mogłabym coś robić na oddziale niemowląt, ale się nie zgodzili, więc zostałam salową — sprzątanie pokoi pacjentów, opróżnianie pojemników na śmieci, mycie podłóg...

Muriel i Macon szli z Edwardem wzdłuż Dempsey Road i mieli nadzieję, że spotkają jakiegoś rowerzystę. Muriel trzymała smycz. Zapowiedziała, że jeśli pojawi się rowerzysta i Edward zacznie się wyrywać albo wyda z siebie najmniejsze piśnięcie, uderzy go bardzo mocno, i to tak, że nie będzie wiedział, co go uderzyło. Ostrzegła Macona, zanim wyruszyli. Mówiła, że lepiej niech nie oponuje, bo to dla dobra Edwarda. Macon miał nadzieję, że będzie o tym pamiętał, kiedy przyjdzie pora.

Był piątek po Święcie Dziękczynienia i wcześniej spadł niewielki śnieg, ale w powietrzu nie czuło się jeszcze prawdziwego zimna, a chodniki stały się po prostu wilgotne. Niebo wydawało się wisieć tuż nad ich głowami.

— Jedna pacjentka, Pani Brimm, polubiła mnie — ciągnęła Muriel. — Powiedziała mi, że jestem jedyną osobą, która z nią rozmawia. Przychodziłam do niej i opowiadałam jej o Aleksandrze. Mówiłam, że lekarze nie dają mu zbytnich szans, a niektórzy nawet zastanawiają się, czy my w ogóle go chcemy, biorąc pod uwagę stan jego zdrowia. Gadałam jej o sobie i o Normanie, o tym, jak on się zachowuje, a ona stwierdziła, że to brzmi zupełnie jak opowiadanie z jakiegoś pisma. Kiedy pozwolili jej iść do domu, chciała, żebym z nią poszła i opiekowała się nią, ale nie mogłam z powodu Aleksandra.

Przy końcu ulicy pojawiła się rowerzystka. Była to dziewczynka w mundurku znanej lodziarni „Baskin-Robbins" widocznym spod kurtki. Edward nastawił uszy.

— Zachowuj się tak, jakbyśmy nie oczekiwali kłopotów — powiedziała Muriel do Macona. — Idź dalej i nie patrz w stronę Edwarda.

Dziewczynka zbliżała się ku nim — mała osóbka z drobną, poważną buzią. Kiedy ich mijała, poczuli wyraźny zapach lodów czekoladowych. Edward węszył, ale szedł dalej.

— Och, Edwardzie, to było cudowne! — zwrócił się do psa Macon.

Muriel tylko cmoknęła. Uważała jego dobre zachowanie za coś oczywistego.

— No więc wreszcie pozwolili mi zabrać Aleksandra do domu. Ale nadal był malutki jak piąstka. I cały pomarszczony jak staruszek. Płakał jak kocię. Walczył o każdy oddech. A Norman mi nie pomagał. Myślę, że był zazdrosny. Kiedy szłam coś zrobić, podgrzać butelkę czy cokolwiek innego, miał ten uparty wyraz oczu i pytał: „Dokąd się wybierasz? Nie chcesz obejrzeć tego programu do końca?" Pochylałam się nad łóżeczkiem i patrzyłam, jak Aleksander usiłuje zaczerpnąć powietrza, a Norman wołał: „Muriel! Reklamy już się kończą!" Któregoś dnia zjawiła się jego matka i oznajmiła, że to i tak nie jego dziecko.

— Coś takiego! — wtrącił Macon.

— Jesteś w stanie uwierzyć? Stała na progu, bardzo z siebie zadowolona. „Nie jego dziecko! A czyje?!" — krzyknęłam. „Tego nie wiem — oświadczyła — i ty pewnie też nie wiesz. Ale powiem ci jedno: jeśli nie dasz mojemu synowi rozwodu i nie zrzekniesz się wszelkich roszczeń finansowych, osobiście doprowadzę do sądu Dana Scully'ego i jego przyjaciół, a oni przysięgną, że jesteś znaną dziwką i każdy z nich może być ojcem dziecka. To jasne, że to nie jest dziecko Normana — on był kochanym dzieciakiem". Dobrze. Odczekałam, aż Norman wróci z pracy, i zapytałam go: „Wiesz, co mi powiedziała twoja matka?" Z wyrazu jego twarzy zorientowałam się, że wie. Domyśliłam się, że musiała mnie obgadywać od Bóg wie jak dawna i wbijać mu do głowy te podejrzenia. Powiedziałam: „Norman?", a on się tylko jąkał. „Norman, ona kłamie, to nieprawda, nie spotykałam się z tymi chłopakami, kiedy ciebie poznałam! To było wcześniej!" A on na to: „Nie wiem, co myśleć". „Proszę cię!" — powiedziałam, a on odrzekł: „Nie wiem". Wyszedł do kuchni i zaczął reperować siatkę, o którą go nudziłam, siatkę okienną, która niemal wypadała z ramy. I wziął się do tego, mimo że kolacja stała już na stole. A przygotowałam mu specjalną kolację. Poszłam za nim i mówię: „Norman, Dan i inni to zamierzchła przeszłość. To nawet nie mogłoby być ich dziecko". Pchał siatkę z jednej strony, ale nawet nie drgnęła, więc pchnął z drugiej i skaleczył sobie rękę; zaczął płakać, zerwał całą siatkę z okna i rzucił najdalej jak mógł. A następnego dnia przyjechała jego matka, żeby pomóc mu się spakować. I zostawił mnie.

— Dobry Boże! — Macon był zszokowany, jak gdyby znał Normana osobiście.

— Zaczęłam się zastanawiać, co robić. Wiedziałam, że nie mogę wrócić do rodziców. W końcu zadzwoniłam do pani Brimm i zapytałam, czy nadal chce mnie zatrudnić jako swoją opiekunkę, a ona na to, że tak, bo jej obecna opiekunka jest do niczego. Powiedziałam jej, że zaopiekuję się nią za wikt i pokój, o ile będę mogła przyjść z dzieckiem, a ona się zgodziła — powiedziała „doskonale". Miała mały, szeregowy domek w śródmieściu i była tam wolna sypialnia, gdzie ja i Aleksander mogliśmy spać. I w ten sposób zapewniłam nam byt.

Znajdowali się teraz kilka kwartałów od domu, ale Muriel nie proponowała, żeby wrócić. Trzymała luźno smycz, a Edward dreptał obok niej, idąc równo koło nogi.

— Miałam szczęście, no nie? Gdyby nie pani Brimm, nie wiem, co bym zrobiła. I nie było tam zbyt dużo pracy. Musiałam utrzymać w domu porządek, zrobić coś do jedzenia i pomóc jej się poruszać. Pokręcił ją artretyzm, ale dzielnie się trzymała. Nie musiałam jej pielęgnować.

Zwolniła, po czym stanęła. Edward usiadł przy jej prawej nodze z westchnieniem męczennika.

— To właściwie śmieszne — stwierdziła. — Kiedy Aleksander leżał w szpitalu, wydawało się to okropne, sądziłam, że się nigdy nie skończy, ale gdy teraz o tym myślę, niemal mi tego brak. Pamiętam, że było w tym coś przyjemnego. Mam na myśli pielęgniarki plotkujące w swoim boksie i te rzędy śpiących niemowląt. Trwała zima i czasami stawałam w oknie, wyglądałam przez nie i czułam się szczęśliwa, że jest mi ciepło i że jestem bezpieczna. Spoglądałam w dół, na wejście do izby przyjęć, i widziałam podjeżdżające karetki. Zastanawiałeś się kiedyś, co pomyślałby sobie Marsjanin, gdyby wylądował koło izby przyjęć? Zobaczyłby zajeżdżającą na sygnale karetkę i ludzi biegnących jej na spotkanie, otwierających drzwi, chwytających nosze i biegnących z nimi. „No, no — powiedziałby — cóż za życzliwa planeta, jakie pomocne istoty". Nigdy by nie zgadł, że nie zawsze jesteśmy tacy, że musimy odsunąć na bok naszą naturę, żeby to robić. „Jaka uczynna rasa" — powtarzałby Marsjanin. Nie uważasz?

W tym momencie spojrzała na Macona, a on poczuł w piersi szarpnięcie. Czuł, że musi coś zrobić, musi jakoś nawiązać kontakt, więc kiedy uniosła ku niemu twarz, pochylił się i pocałował jej spierzchnięte, szorstkie usta, mimo że nie był to rodzaj kontaktu, o jaki mu chodziło. Jej dłoń ze smyczą została uwięziona między nimi jak kamień. W Muriel było coś naglącego i napierającego. Macon cofnął się.

— No... — zaczął.

Nadal na niego patrzyła.

— Przepraszam — powiedział.

Potem zawrócili i zaprowadzili Edwarda do domu.

Danny spędził świąteczny weekend ćwicząc parkowanie równoległe, niezmordowanie jeżdżąc samochodem matki tam i z powrotem. A Liberty piekła z Rose ciasteczka. Susan nie miała nic do roboty, więc Rose zaproponowała, że skoro Macon jedzie do Filadelfii, to może by ją zabrał.

— Będę tylko w hotelach i restauracjach — bronił się Macon. — I muszę to wszystko załatwić w jeden dzień: wyjeżdżam o świcie, a wracam późnym wieczorem.

— Będziesz miał towarzystwo — powiedziała Rose.

Ale Susan zasnęła, zanim pociąg wyjechał z Baltimore i spała przez całą drogę, okutana w kurtkę, jak mały, nastroszony ptaszek siedzący na gałęzi. Macon zajął się magazynem o muzyce rockowej, który znalazł zwinięty w jej kieszeni. Dowiedział się z niego, że grupa „Police" przeżywa konflikty osobowości, że David Bowie boi się choroby psychicznej, a czarna koszula Billy'ego Idola została rozdarta na nim na pół. Najwyraźniej ci ludzie mieli bardzo trudne życie. Nie miał pojęcia, kim są. Zwinął magazyn i włożył z powrotem do kieszeni bratanicy.

Czy gdyby żył Ethan, siedziałby na miejscu Susan? Z zasady nie podróżował z nim. Wojaże zagraniczne były zbyt drogie, a rozjazdy po kraju zbyt nudne. Kiedyś pojechali razem do Nowego Jorku i Ethan miał bóle brzucha, które przypominały atak wyrostka. Macon wciąż pamiętał rozpaczliwe szukanie doktora, skurcz własnego żołądka ze współczucia i ulgę, kiedy powiedziano mu, że to tylko efekt zbyt obfitego śniadania. Potem już nigdzie nie zabierał syna. Tylko do Bethany Beach każdego lata, ale to nie była wyprawa, tylko jakby przeniesienie domu; Sara się opalała, Ethan bawił się z chłopcami z Baltimore, którzy też zostali „przeniesieni", a Macon radośnie przykręcał wszystkie klamki w ich wynajętym domku lub naprawiał okna; któregoś cudownego roku rozwiązał trudny problem, jaki powstał w związku z awarią w systemie kanalizacji.

W Filadelfii Susan obudziła się w złym humorze i nieco zaspana chwiejnym krokiem wyszła z pociągu.

— Jest o wiele za duża — narzekała na stację kolejową. — Głośniki dają takie echo, że nie słychać, co mówią. Stacja w Baltimore jest lepsza.

— Całkowicie się z tobą zgadzam — powiedział Macon.

Na śniadanie poszli do kawiarni, którą dobrze znał, ale która, niestety, przeżywała kryzys. Małe drobinki tynku z sufitu wpadały Maconowi do kawy. Wykreślił kawiarnię ze swojego przewodnika. Potem poszli do lokalu, który polecił jeden z czytelników. Susan zjadła tam wafle orzechowe i stwierdziła, że są doskonałe.

— Zacytujesz moją opinię? — zapytała. — Umieścisz moje nazwisko w swojej książce i napiszesz, że polecam wafle?

— To nie jest ten typ książki — odparł.

— Nazwij mnie swoją towarzyszką. Tak robią dziennikarze piszący o restauracjach. „Moja towarzyszka, Susan Leary, stwierdziła, że wafle są doskonałe".

Macon roześmiał się i poprosił o rachunek.

Po czwartym śniadaniu ruszyli do hotelu. Susan uznała, że są mniej ciekawe, choć Macon starał się ją jakoś zainteresować.

— Moja towarzyszka jest ekspertem, jeśli chodzi o łazienki — powiedział do dyrektora.

Ale Susan otworzyła tylko szafkę z kosmetykami, ziewnęła i oznajmiła:

— Mają tylko mydło „Camay".

— A co w tym złego?

— Kiedy mama wróciła z podróży poślubnej, przywiozła nam perfumowane firmowe mydło ze swojego hotelu. Jedną kostkę dla mnie, a drugą dla Danny'ego. Było w małym plastykowym pudełku z kratką do odsączania.

— Ja uważam, że „Camay" jest doskonałe — oznajmił Macon zmartwionemu dyrektorowi.

Późnym popołudniem Susan znowu poczuła się głodna, więc zjedli kolejne dwa śniadania. Potem poszli do Muzeum Niepodległości. (Macon uważał, że powinien zadbać o jej edukację.)

— Możesz o tym opowiedzieć swojej nauczycielce od nauk obywatelskich.

Susan przewróciła oczami i poprawiła go:

— Od nauk społecznych.

— Nieważne.

Było zimno, w sali panował chłód i ponury nastrój. Macon zauważył, że Susan gapi się bezmyślnie na przewodnika, który nie mówił zbyt ciekawie, więc pochylił się ku niej i rzekł:

— Pomyśl tylko: George Washington siedział na tym krześle.

— Nie jestem specjalnie zainteresowana w George'u Washingtonie, wujku Maconie.

— Ludzie mogą być „w" domach, samochodach i trumnach, Susan.

— Co?

— Nieważne.

Poszli z grupą na górę, minęli inne sale, ale Susan najwyraźniej wyczerpała zasoby dobrego humoru.

— Gdyby nie to, co postanowiono w tym budynku — powiedział Macon — ty i ja moglibyśmy żyć pod dyktaturą.

— I tak żyjemy pod dyktaturą.

— Słucham?

— Naprawdę uważasz, że ty i ja mamy jakąś władzę?

— „Jakąkolwiek", kochanie.

— Mamy tylko wolność wypowiedzi. Możemy mówić, co chcemy, a rząd i tak robi swoje. Nazywasz to demokracją? To tak, jakbyśmy byli na statku, który zmierza w okropne miejsce, ale kto inny trzyma ster i pasażerowie nie mogą wyskoczyć.

— Może byśmy poszli na kolację — zaproponował Macon. Był trochę przygnębiony.

Zabrał ją do staroświeckiej gospody o kilka ulic dalej. Nie zapadł jeszcze zmrok i byli pierwszymi klientami. Kobieta ubrana w suknię w stylu kolonialnym powiedziała, że muszą chwilkę zaczekać. Zaprowadziła ich do małej, zacisznej salki z kominkiem, gdzie kelnerka zaproponowała im napój na rumie albo grzany jabłecznik z korzeniami.

— Poproszę o napój na rumie — powiedziała Susan, zrzucając kurtkę.

— Oj, Susan — odezwał się Macon.

Przeszyła go wzrokiem.

— Niech pani poda dwa — poprosił kelnerkę. Uznał, że odrobina ponczu jej nie zaszkodzi.

Albo był to jednak wyjątkowo mocny poncz, albo też Susan miała niezwykle słabą głowę do alkoholu. W każdym razie po dwóch małych łykach pochyliła się niepewnie ku niemu.

— To dopiero zabawa! — oznajmiła. — Wiesz, wujku, lubię cię o wiele bardziej, niż sądziłam.

— Dziękuję.

— Myślałam, że jesteś zbyt drobiazgowy. Ethan nas rozśmieszał wskazując twój talerz z karczochami.

— Mój talerz z karczochami?

Zakryła dłonią usta.

— Przepraszam — powiedziała.

— Za co?

— Nie chciałam o nim mówić.

— Możesz o nim mówić.

— Ale nie chcę.

Spojrzała w głąb sali. Idąc śladem jej wzroku Macon ujrzał tylko klawikord. Zerknął znowu na nią i ujrzał, że drży jej podbródek.

Nigdy nie przyszło mu do głowy, że kuzyni Ethana też za nim tęsknią.

Po chwili Susan podniosła swój kubek i wypiła kilka dużych łyków. Wytarła nos wierzchem dłoni.

— Mocno przyprawione — wyjaśniła. Wyglądało na to, że się uspokoiła.

— A co było zabawnego w moim talerzu z karczochami?

— Ach, nic.

— Nie obrażę się. Co było zabawnego?

— Wyglądał jak lekcja geometrii. Kiedy kończyłeś jeść, każdy listek leżał tak, że razem tworzyły idealne koło.

— Rozumiem.

— On się śmiał do ciebie, a nie z ciebie. — Susan wpatrywała się niespokojnie w jego twarz.

— Skoro ja się nie śmiałem, to takie stwierdzenie jest raczej nieprecyzyjne. Ale jeśli chodzi ci o to, że nie śmiał się nieżyczliwie, to wierzę.

Westchnęła i upiła kolejny łyk ponczu.

— Nikt o nim nie mówi — powiedział Macon. — Nikt z was nie wymienia nawet jego imienia.

— Mówimy o nim, kiedy ciebie nie ma.

— Naprawdę?

— Rozmawiamy o tym, co on by pomyślał. Na przykład kiedy Danny dostał prawo jazdy albo kiedy byłam umówiona na bal Halloween. Mieliśmy zawsze tyle zabawy z dorosłych. A Ethan był najzabawniejszy: zawsze nas rozśmieszał. Tymczasem sami doroślejemy. Zastanawiamy się, co by o nas pomyślał, gdyby wrócił i nas zobaczył. Jesteśmy ciekawi, czy śmiałby się z nas. Albo czy czułby się... opuszczony. To tak, jakbyśmy ruszyli do przodu i zostawili go za sobą.

Pojawiła się kobieta w kolonialnej sukni, żeby zaprowadzić ich do stolika. Macon wziął swojego drinka. Kubek Susan był już pusty. Trzymała się na nogach trochę niepewnie. Kiedy kelnerka zapytała, czy podać listę win, Susan spojrzała na Macona z nadzieją, ale on stanowczo odmówił.

— Myślę, że powinniśmy zacząć od zupy. — Uważał, że zupa działa otrzeźwiająco.

Susan gadała bez przerwy podczas zupy, drugiego dania i dwóch deserów, bo nie mogła się zdecydować na któryś z nich, oraz pijąc mocną czarną kawę, do której ją zmusił na koniec. Mówiła o chłopaku, który jej się podoba, a któremu ona chyba też się podoba, ale może on woli niejaką Sissy Pace. Opowiadała o balu z okazji Halloween, kiedy to pewien nieletni uczeń ostatniej klasy zwymiotował na aparaturę grającą. Zapowiedziała, że kiedy Danny skończy osiemnaście lat, wszyscy troje przeprowadzą się do własnego mieszkania, bo teraz, kiedy matka jest w ciąży (o czym Macon nie wiedział), nawet nie zauważy, że się wyprowadzili.

— To nieprawda — obruszył sie Macon. — Gdybyście się wyprowadzili, matce byłoby okropnie przykro.

Susan podparła policzek pięścią i stwierdziła, że nie urodziła się wczoraj. Potargane włosy nadawały jej elektryzujący wygląd. Z trudem wbił ją w kurtkę, a kiedy czekali na taksówkę, musiał ją przytrzymać za kołnierz.

Na stacji była niepewna i zezowała z ukosa, a kiedy wsiedli do pociągu, usnęła z głową opartą o szybę. Gdy obudził ją w Baltimore, zapytała:

— Nie sądzisz, że on jest na nas wściekły, wujku?

— Kto?

— Czy myślisz, że jest wściekły, bo zaczynamy go zapominać?

— Ależ nie, kochanie. Jestem pewien, że nie.

W drodze ze stacji spała w samochodzie, a on jechał bardzo ostrożnie, żeby jej nie obudzić. Kiedy dotarli do domu, Rose stwierdziła, że tak umęczył biedne dziecko, iż kona ono ze znużenia.

— Twój pies ma ciebie słuchać w każdej sytuacji — powiedziała Muriel. — Nawet w miejscach publicznych. Zostawiasz go przed budynkiem, a kiedy wychodzisz, on ma czekać. Właśnie nad tym będziemy dzisiaj pracować. Zaczniemy od tego, że ma czekać na ganku. Na następnej lekcji pójdziemy do sklepów i w inne miejsca.

Wzięła smycz i wyszli. Padał deszcz, ale daszek nad gankiem chronił ich przed zmoknięciem.

— Poczekaj chwilę, chcę ci coś pokazać — odezwał się Macon.

— Co takiego?

Dwukrotnie tupnął nogą. Edward wyglądał na nieszczęśliwego; spojrzał w stronę ulicy i wydał z siebie jakby kaszlnięcie. Potem powolutku zgiął jedną przednią łapę. Następnie drugą. Osuwał się powoli, aż wreszcie się położył.

— No, proszę! Dobry pies! — pochwaliła Muriel i cmoknęła.

Edward położył płasko uszy; czekał, żeby go pogłaskać.

— Ćwiczyłem z nim wczoraj prawie przez cały dzień — powiedział Macon. — Była niedziela i nie miałem nic do roboty. A kiedy dzieci mojego brata szykowały się do odjazdu i Edward warczał jak zwykle, tupnąłem nogą i się położył.

— Jestem z was dumna. — Wyciągnęła dłoń i poleciła Edwardowi: — Leżeć! — Weszła do domu. — Macon, ty też wejdź.

Zamknęli frontowe drzwi. Muriel odsunęła koronkową firankę i wyjrzała.

— Na razie leży — stwierdziła.

Odwróciła się plecami do drzwi. Z wyrazem dezaprobaty na twarzy obejrzała paznokcie. Drobne krople deszczu toczyły się po jej prochowcu, a włosy, reagując na wilgoć, sterczały skręcone jak korkociągi.

— Któregoś dnia zrobię sobie profesjonalny manikiur — oznajmiła.

Macon usiłował spojrzeć poza nią; nie był pewien, czy Edward nadal leży.

— Byłeś kiedyś u manikiurzystki? — zapytała.

— Ja? Ależ skąd.

— Niektórzy mężczyźni chodzą.

— Ale nie ja.

— Chciałabym, żeby chociaż raz ktoś mi zrobił fachowy manikiur. Skórki, paznokcie... Moja przyjaciółka chodzi do gabinetu, gdzie odkurzają skórę. Mówi, że oczyszczają wszystkie pory. Chciałabym tam kiedyś pójść. I chciałabym, żeby mi zrobili makijaż. Jakie kolory mi pasują? A jakie nie? Które podkreślają to, co we mnie najlepsze?

Spojrzała na niego. Macon poczuł nagle, że Muriel nie mówi o kolorach, tylko o czymś całkiem innym. Odsunął się o krok.

— Nie musiałeś mnie wtedy przepraszać — powiedziała.

— Przepraszać?

Wiedział jednak dokładnie, o czym ona mówi.

Chyba odgadła to, bo nie wyjaśniła, o co chodzi.

— Hm, nie pamiętam, czy kiedyś ci to wytłumaczyłem, ale nie jestem jeszcze nawet prawnie rozwiedziony.

— No i...?

— Jestem tylko... jak to się mówi... w separacji.

— No to co?

Chciał jej powiedzieć: „Muriel, wybacz mi, ale od śmierci syna seks dla mnie... skwaśniał. (Tak jak mleko kwaśnieje; tak o tym myślał. Tak jak mleko zmienia swoją zasadniczą naturę i kwaśnieje.) Naprawdę już mi to nie w głowie. Uwierz mi, że nie. Nie rozumiem już, o co tyle krzyku. Teraz wydaje mi się to żałosne".

Ale powiedział tylko:

— Boję się, że przyjdzie listonosz.

Spoglądała nań przez dłuższą chwilę, po czym otworzyła drzwi i wpuściła Edwarda.

Rose robiła na drutach sweter dla Juliana na Boże Narodzenie.

— Już? — zdziwił się Macon. — Dopiero co było Święto Dziękczynienia.

— Tak, ale to trudny wzór, a chcę, żeby dobrze wyszedł.

Macon patrzył na migające druty.

— À propos, czy zauważyłaś, że Julian nosi rozpinane swetry?

— Tak, chyba tak — odpowiedziała Rose.

I nadal robiła swój pulower.

Była to wrzosowoszara wełna. Macon i obaj jego bracia mieli swetry w tym kolorze. Ale Julian nosił kolory pastelowe albo granat. Ubierał się jak gracz w golfa.

— On woli swetry w serek — odezwał się znowu Macon.

— To nie znaczy, że nie włoży swetra pod szyję, jeśli będzie taki miał.

— Posłuchaj — nie dawał za wygraną — chodzi mi o to, że...

Druty Rose stukały pogodnie.

— ...on jest w gruncie rzeczy typem playboya. Nie wiem, czy zdajesz sobie z tego sprawę. A poza tym jest młodszy od ciebie.

— O dwa lata — odparła.

— Ale ma bardziej młodzieżowy styl bycia. Mieszkania dla samotnych i tak dalej.

— Mówi, że jest tym zmęczony.

— O Boże!

— Mówi, że lubi domową atmosferę. Smakuje mu moje jedzenie. Nie może wprost uwierzyć, że robię dla niego sweter.

— Pewnie tak jest — powiedział ponuro Macon.

— Nie próbuj tego zepsuć.

— Kochanie, chcę cię tylko ochronić. Nie miałaś racji wtedy, w Święto Dziękczynienia. Miłość to nie wszystko. Są jeszcze inne sprawy, wiele innych kwestii.

— Jadł mojego indyka i się nie rozchorował. Wziął dwie dokładki — stwierdziła Rose.

Macon jęknął i złapał się za głowę.

— Najpierw spróbujemy na cichej ulicy — powiedziała Muriel. — W jakimś publicznym miejscu, ale niezbyt ruchliwym. Przy położonym na uboczu sklepiku.

Prowadziła swój długi, szary samochód, przypominający kształtem łódź. Macon siedział obok niej, a Edward z tyłu, z radośnie sterczącymi na boki uszami. Lubił, gdy zabierano go na przejażdżkę samochodem, choć po pewnym czasie zaczynał kaprysić (można było niemal usłyszeć, jak skomli: „Jak długo jeszcze?"). Na szczęście nie jechali daleko.

— Kupiłam ten samochód, bo ma duży bagażnik — wyjaśniła Muriel, biorąc śmiało zakręt. — Potrzebny mi był przy załatwianiu sprawunków dla „George'a", tej mojej firmy. Zgadnij, ile kosztował?

— Hm...

— Tylko dwieście dolarów. Był taki tani, bo wymagał różnych napraw, ale zabrałam go do chłopaka, który mieszka przy tej samej ulicy co ja i powiedziałam: „Proponuję ci układ. Zreperujesz mój samochód, a ja pozwolę ci go używać trzy wieczory w tygodniu i przez całą niedzielę". Dobry pomysł, co?

— Pełen inwencji.

— Musiałam sobie radzić. Od chwili, gdy Norman mnie zostawił, ciągle borykałam się z brakiem forsy. — Wjechała na wolne miejsce przed małym sklepem, ale nie ruszyła się, żeby wysiąść z samochodu. — Wiele nocy przeleżałam nie śpiąc i rozmyślając, jak zarobić pieniądze. Było wystarczająco ciężko, kiedy miałam za darmo pokój i utrzymanie, ale po śmierci pani Brimm było jeszcze trudniej. Dom stał się własnością jej syna i musiałam mu płacić czynsz. On jest starym kutwą. Ciągle chciał podnosić cenę. Zaproponowałam mu więc: „A może zrobimy tak: pan nie podniesie czynszu, a ja nie będę się upominać o naprawy i konserwację. Sama się tym zajmę. Niech pan pomyśli, ile problemów spadnie panu z głowy". Zgodził się, a ja wpadłam w niezłe tarapaty — wszystko się psuło, a ja nie umiałam naprawić i musiałam się z tym godzić. Przeciekający dach, zatkany zlew, z kranu kapała gorąca woda, więc dostawałam astronomiczne rachunki. No ale przynajmniej utrzymałam czynsz na poprzednim poziomie. Pracowałam chyba w pięćdziesięciu miejscach, gdyby je wszystkie policzyć. Można powiedzieć, że mam szczęście — umiem wyszukiwać okazje. Tak jak te lekcje w „Piesku, zrób to" albo kiedy indziej kurs masażu w YMCA. Ten masaż okazał się niewypałem, bo trzeba było mieć licencję, ale „Piesku, zrób to" wypaliło. Próbowałam też załatwić sobie pracę jako „zbieracz materiałów"; to dlatego, że nauczyłam się różnych rzeczy pomagając bibliotekarce w szkole. Wypisałam małe, różowe karteczki z moją ofertą i rozdawałam je na uniwersytecie Towson State. Zrobiłam kserokopie ulotek i wysłałam je do wszystkich ludzi w Marylandzie, których nazwiska znalazłam w „Spisie pisarzy". Na razie nikt nie odpisał, ale nadal mam nadzieję. Już dwa razy zwróciłam sobie koszty wakacji w Ocean City, chodząc po plaży i sprzedając ludziom pudełka zawierające lunch, który co rano przygotowywaliśmy z Aleksandrem w naszym pokoju w motelu. Ładowaliśmy je na czerwony samochód Aleksandra; szliśmy i ja wołałam: „Zimne napoje! Kanapki! Zapraszam!" A oprócz tego miałam stałe prace, na przykład „Miau-Hau", a przedtem „Szybkie i łatwe kopiowanie". Nudna robota. Pozwolili mi przyprowadzać Aleksandra, ale cały dzień robiłam kopie dokumentów i inne nudne rzeczy, wypisywałam czeki i rachunki, takie tam drobiazgi. Nigdy nie byłam tak zobojętniała.

Macon poruszył się i powiedział:

— Chyba chciałaś powiedzieć „znudzona".

— Właśnie. A ty nie byłbyś? Kopie listów, kopie egzaminów, artykułów opisujących, jak załatwić hipotekę. Instrukcje robótek na drutach albo szydełkiem. Wszystko to wychodziło z kopiarki powoli i dostojnie, jak gdyby było naprawdę ważne. Wreszcie zrezygnowałam. Kiedy znalazłam to ogłoszenie o „Piesku, zrób to", powiedziałam: „Odchodzę. Mam dość!" Może spróbujemy ze sklepem spożywczym?

Macon przez moment nie wiedział, o co jej chodzi; gdy zrozumiał, odparł:

— Aha. Dobrze.

— Ty wejdziesz do sklepu zostawiając Edwarda leżącego na zewnątrz. Ja zaczekam w samochodzie i zobaczę, czy posłucha.

— Dobrze.

Wyszedł z samochodu i otworzył Edwardowi tylne drzwi. Podprowadził go pod sklep spożywczy. Tupnął nogą dwa razy. Pies sprawiał wrażenie nieszczęśliwego, ale się położył. Czy to po ludzku? Przecież chodnik jest nadal mokry. Macon z ociąganiem wszedł do sklepu, w którym unosił się staroświecki zapach brązowych papierowych toreb. Kiedy wyjrzał, Edward wyglądał żałośnie. Pełen zdumienia i niepokoju uparcie wpatrywał się w drzwi.

Macon przeszedł wzdłuż stoiska pełnego owoców i jarzyn. Wziął jabłko, obejrzał i odłożył z powrotem. Potem wyszedł na dwór. Edward nadal leżał. Muriel wynurzyła się z samochodu i opierała o zderzak strojąc miny do brązowej plastykowej puderniczki.

— Pochwal go! — zawołała zatrzaskując puderniczkę.

Macon cmoknął i pogłaskał Edwarda po głowie.

Podeszli do znajdującej się obok drogerii.

— Tym razem oboje wejdziemy do środka — postanowiła Muriel.

— Czy to bezpieczne?

— Prędzej czy później musimy to przećwiczyć.

Przeszli wzdłuż rzędu półek z artykułami do pielęgnacji włosów, a potem z powrotem, do kosmetyków, gdzie Muriel zatrzymała się, żeby wypróbować szminkę. Macon wyobraził sobie, że Edward ziewa, wstaje i odchodzi.

— Zbyt różowa — stwierdziła Muriel.

Wyjęła z torebki chusteczkę higieniczną i starła szminkę. Jej własna szminka pozostała na ustach, jak gdyby nie był to tylko kolor z lat czterdziestych, ale i jakość — ta pozbawiona blasku, lepiąca się substancja, która brudziła poszewki, serwetki i brzegi filiżanek do kawy.

— Jakie masz plany na jutrzejszą kolację? — zapytała.

— Na...?

— Przyjedź do mnie na kolację.

Zamrugał oczami.

— No, przyjedź. Będzie miło.

— Hm...

— Tylko na kolację: ty, ja i Aleksander. Powiedzmy o szóstej. Singleton Street szesnaście. Wiesz, gdzie to jest?

— Nie sądzę, żebym mógł o tej porze.

— Zastanów się.

Wyszli z drogerii. Edward nadal był przed sklepem, ale stał i jeżył się w kierunku psa myśliwskiego, który znajdował się niemal o kwartał dalej.

— Psiakrew — zaklęła Muriel. — I to w momencie kiedy sądziłam, że zaczynamy robić postępy.

Zmusiła Edwarda, żeby się położył. Potem pozwoliła mu wstać i ruszyli we trójkę. Macon zastanawiał się, po jakim czasie będzie wypadało powiedzieć jej, że już przemyślał sprawę i przypomniał sobie, że jest zaproszony gdzie indziej. Skręcili za róg.

— Och, spójrz, sklep z tanimi rzeczami! — krzyknęła Muriel. — Moja największa słabość.

Tupnęła na Edwarda.

— Tym razem ja wejdę — oznajmiła. — Chcę zobaczyć, co tu mają. Ty się odsuń i pilnuj, żeby nie wstał za wcześnie.

Zniknęła w sklepie, a Macon czekał, czając się obok liczników dla parkujących samochodów. Edward wiedział jednak, że tam jest. Ciągle odwracał głowę i rzucał Maconowi błagalne spojrzenia.

Najpierw Macon widział Muriel przy oknie sklepu, podnoszącą i odstawiającą małe złocone filiżanki bez spodeczków, wyszczerbione wazony z zielonego szkła i blaszane broszki, wielkie jak popielniczki. Potem zamajaczyła mu w głębi sklepu, gdzie były ubrania. Pojawiała się i znikała, jak ryba w ciemnej wodzie. Nagle stanęła w drzwiach trzymając kapelusz.

— Macon! Co o tym sądzisz? — zawołała.

Był to turban w nieciekawym beżowym kolorze, z przypiętym pośrodku kamieniem, wielkim sztucznym topazem podobnym do oka.

— Bardzo interesujący — powiedział Macon. Zaczynało mu być zimno.

Muriel znowu zniknęła, a Edward westchnął i położył pysk na przednich łapach.

Przeszła nastolatka ubrana jak Cyganka: w kilku sutych spódnicach, z czerwonym atłasowym plecakiem oklejonym nalepkami zespołu Grateful Dead. Edward zesztywniał. Obserwował każdy jej krok; przesunął się tak, żeby widzieć, jak odchodzi. Ale nie dał głosu, a Macon, sam spięty, odczuł ulgę, ale i pewien zawód. Był przygotowany na to, że będzie musiał ruszyć do akcji. Nagle cisza wydała się bardzo głęboka

— nie było żadnych przechodniów. Doświadczył halucynacji dźwiękowej, jaka czasem zdarzała mu się w samolocie lub pociągu. Słyszał chropawy, cienki głos Muriel trzeszczący obok. „Godzina...” — powiedziała, a potem zaśpiewała: „Znajdziesz swoją miłość w...”, wreszcie zawołała: „Zimne napoje! Kanapki! Zapraszam!” Chyba oplotła mu umysł swoimi opowieściami, owinęła go cienkimi stalowymi nićmi swego życia: dzieciństwem w charakterze Shirley Temple, nieprzyjemnym okresem dojrzewania, Normanem, który wyłamuje siatkę z okna, Aleksandrem miauczącym jak nowo narodzony kociak, sobą samą tresującą dobermany, rozrzucającą łososioworóżowe wizytówki, biegającą po plaży — kościste kończyny i fruwające włosy — i ciągnącą mały czerwony wagonik pełen pudełek z kanapkami.

W tym momencie wyszła ze sklepu.

— Był o wiele za drogi — orzekła. — Dobry piesek — pochwaliła Edwarda i strzeliła palcami na znak, że może wstać. — Jeszcze jeden test. — Szła w stronę samochodu. — Znowu oboje wejdziemy do środka. Tym razem u lekarza.

— Jakiego lekarza?

— U doktora Snella. Muszę odebrać Aleksandra. Chcę go odwieźć do szkoły, kiedy będę cię zawozić do domu.

— Czy to zajmie dużo czasu?

— Ależ skąd.

Jechali na południe; silnik dziwnie stukał, czego Macon przedtem nie zauważył. Przed budynkiem przy Cold Spring Lane Muriel zaparkowała i wysiadła. Macon i Edward poszli za nią.

— Nie wiem, czy Aleksander jest już gotów do wyjścia — powiedziała. — Ale jeśli nie, to nawet lepiej. Edward będzie miał ćwiczenie.

— Mówiłaś przecież, że to nie potrwa długo.

Wydawało się, że go nie słyszy.

Zostawili Edwarda na schodku i weszli do poczekalni. Recepcjonistka była siwowłosa i miała zdobione cekinami okulary dyndające na łańcuszku ze sztucznych skarabeuszy.

— Czy Aleksander już skończył? — zapytała Muriel.

— Lada chwila, kochanie.

Muriel znalazła jakieś czasopismo i usiadła, ale Macon stał. Uniósł listwę żaluzji, aby sprawdzić, co się dzieje z Edwardem. Mężczyzna siedzący na krześle obok przyjrzał mu się podejrzliwie. Macon poczuł się jak bohater filmu gangsterskiego — ciemny typ, który odsłania kotarę, żeby sprawdzić, czy teren jest czysty. Opuścił żaluzję. Muriel czytała artykuł zatytułowany „Spróbuj nowego uwodzicielskiego ciemnego cienia do powiek". Były w nim zdjęcia różnych groźnie wyglądających modelek.

— Ile lat ma Aleksander? — zapytał Macon.

Spojrzała na niego. Jej własne oczy, nie tknięte kosmetykami, były niepokojąco nagie w porównaniu z oczami modelek z czasopisma.

— Siedem — odparła.

Siedem.

Mając siedem lat Ethan nauczył się jeździć na rowerze. Macona dopadło jedno z tych wspomnień, które wciskają się w skórę i sprawiają, że napinają się mięśnie. Czuł na dłoni ucisk siodełka roweru Ethana — zawiniętą pod spód krawędź z tyłu, za którą należy chwycić, kiedy usiłuje się utrzymać rower w pozycji pionowej. Czuł, jak biegnąc uderza stopami w chodnik. Czuł, jak puszcza rower, zwalnia, idzie, po czym staje z rękami na biodrach i woła: „Już jedziesz! Udało się!" I Ethan odjechał od niego, silny i dumny, o prostych plecach, ze światłem migoczącym we włosach do chwili, gdy przejeżdżał pod dębem.

Usiadł obok Muriel. Zerknęła i zapytała:

— Przemyślałeś?

— Hmm?

— Czy zastanowiłeś się nad przyjściem na kolację?

— Ach, o to chodzi — powiedział, po czym dodał: — No, mógłbym przyjść, jeśli to jest tylko zaproszenie na kolację.

— A na cóż innego? — Uśmiechnęła się do niego i odgarnęła włosy.

— Oto on — odezwała się recepcjonistka.

Mówiła o małym bladym, chorowicie wyglądającym chłopcu z ogoloną głową. Wydawało się, że ma zbyt mało skóry na twarzy; była napięta, przez co usta wyglądały na

rozciągnięte i zbyt szerokie. Widać było każdą kostkę
i chrząstkę. Miał jasnoniebieskie oczy bez rzęs, nieco wy-
łupiaste, z różową obwódką, powiększone przez duże okulary,
których przezroczyste oprawki same miały niefortunny,
różowawy odcień. Był ubrany w koszulę i spodnie, dobrane
tak starannie, jak może to zrobić tylko matka.

— Jak poszło? — zapytała Muriel.

— Dobrze.

— Kochanie, to jest Macon. Możesz się przywitać? Tresuję jego psa.

Macon wstał i wyciągnął dłoń. Po chwili Aleksander podał
mu swoją. Dotyk jego palców przypominał zwiędłą fasolkę
szparagową.

— Musisz się umówić na następną wizytę — zwrócił się
do matki.

— Jasne.

Podeszła do recepcji, zostawiając Macona i Aleksandra.
Macon czuł, że absolutnie nie ma o czym rozmawiać z dzieckiem. Strzepnął z rękawa listek i poprawił mankiety.

— Jesteś za mały, żeby chodzić do lekarza bez mamy
— stwierdził.

Aleksander nie zareagował, ale Muriel, która czekała, aż
recepcjonistka przejrzy kalendarz, odwróciła się i odpowiedziała za niego:

— Jest do tego przyzwyczajony, bo bardzo często musi tu
przychodzić. Jest alergikiem.

— Rozumiem — mruknął Macon.

Tak, ten chłopiec był typowym alergikiem.

— Ma uczulenie na skorupiaki, mleko, wszelkie owoce,
zboże, jaja i większość jarzyn — oznajmiła Muriel. Wzięła od
recepcjonistki kartkę i wrzuciła do torby. Kiedy wychodzili,
dodała: — Ma też uczulenie na kurz, pyłki i farbę, a podejrzewają, że również na powietrze. Jeśli przebywa zbyt długo
na dworze, dostaje wysypki na odkrytych częściach ciała.

Cmoknęła na Edwarda i strzeliła palcami. Ten zerwał się
i zaczął szczekać.

— Nie głaszcz go! Nie wiadomo, jak zareagujesz na psią
sierść — ostrzegła syna.

Wsiedli do samochodu. Macon usiadł z tyłu, żeby Aleksander mógł zająć miejsce obok kierowcy, jak najdalej od Edwarda. Musieli jechać z otwartymi oknami, żeby chłopiec nie zaczął się dusić.

— Ma astmę, egzemę i krwotoki z nosa — zawołała Muriel przekrzykując szum wiatru. — Cały czas musi brać zastrzyki. Jeśli użądli go pszczoła, a nie dostanie zastrzyku, może umrzeć w ciągu pół godziny.

Aleksander odwrócił powoli głowę i spojrzał na Macona. Jego wzrok był twardy i oceniający.

Kiedy podjechali przed dom, Muriel powiedziała:

— Niech się zastanowię. Jutro jestem cały dzień w „Miau-
-Hau"... — Przeciągnęła dłonią po włosach, które były sztywne, szorstkie i potargane. — No to chyba zobaczymy się dopiero na kolacji — dokończyła.

Macon nie wiedział, jak jej to powiedzieć, ale czuł, że naprawdę nie będzie w stanie przyjść na tę kolację. Tęsknił za żoną. Tęsknił za synem. Byli jedynymi ludźmi, którzy wydawali mu się prawdziwi. Nie było sensu szukać namiastek.

XI

W książce telefonicznej widniało: Muriel Pritchett. Odważnie, bezpretensjonalnie i z pewnością siebie; żadnych nieśmiałych inicjałów zamiast imienia. Macon zakreślił numer. Uznał, że to odpowiednia pora, żeby zatelefonować. Była dziewiąta wieczorem. Aleksander jest już pewnie w łóżku. Podniósł słuchawkę.

Ale co ma powiedzieć?

Najlepiej, oczywiście, prosto z mostu, bo to najmniej bolesne. Czyż babcia Leary nie uczyła ich tego? „Muriel, w zeszłym roku umarł mój syn i nie potrafię... Muriel, to nie ma nic wspólnego z tobą osobiście, ale naprawdę nie mam... Muriel, nie mogę. Po prostu nie mogę".

Głos mu jakby zardzewiał. Trzymał słuchawkę przy uchu, ale w gardle czuł wielkie ostre grudki rdzy.

Nigdy nie powiedział głośno, że Ethan nie żyje. Nie musiał. Informacja o tym była w gazetach (strona trzecia i piąta), a potem przyjaciele mówili sobie nawzajem, a Sara rozmawiała przez telefon... Tak więc nigdy nie wypowiedział tych słów. Jak ma to zrobić teraz? A może skłoni do tego Muriel? „Proszę, dokończ zdanie: Miałem syna, ale on..." Muriel zapytałby: „Co on? Mieszka z twoją żoną? Uciekł? Umarł?" Macon przytaknąłby. „Ale jak umarł? Czy to był rak? Wypadek samochodowy? Czy dziewiętnastolatek z rewolwerem w restauracji »Burger-Bonanza«?"

Odłożył słuchawkę.

Poszedł poprosić Rose o papier. Dała mu kilka kartek ze swojego biurka. Zaniósł je na stół w jadalni, usiadł i otworzył wieczne pióro. Napisał: „Droga Muriel". Przez chwilę patrzył na kartkę.

Jakie śmieszne imię.

Kto mógł wpaść na pomysł, żeby nazwać nowo narodzone dziecko Muriel?

Obejrzał pióro. Był to szylkretowy parker; miał skomplikowaną złotą stalówkę, która mu się podobała. Obejrzał papeterię Rose. Kremowa. Przycinane gilotynką brzegi. Gilotynka — co za dziwne słowo.

No cóż.

„Droga Muriel!

Bardzo mi przykro, ale nie będę mógł jednak przyjść na kolację. Coś się wydarzyło."

Podpisał: „Z żalem — Macon".

Babcia Leary nie pochwaliłaby go.

Zakleił kopertę i włożył do kieszeni koszuli. Potem poszedł do kuchni, gdzie Rose miała przypiętą do ściany ogromną mapę miasta.

Jadąc przez labirynt zaśmieconych, zaniedbanych ciemnych ulic w południowej części miasta, Macon zastanawiał się, jak Muriel może się czuć bezpieczna mieszkając w takiej dzielnicy. Było tam zbyt wiele ponurych zaułków, brudnych klatek schodowych i drzwi oblepionych podartymi strzępami plakatów. Sklepy z kratami i niezdarnie wymalowanymi szyldami oferowały marnie brzmiące usługi: CZEKI REALIZOWANE BEZ ŻADNYCH PYTAŃ, PODATEK DOCHODOWY — TINY BUBBA, PRZEMALOWYWANIE SAMOCHODÓW W CIĄGU JEDNEGO DNIA. Nawet o tak późnej porze w zimny listopadowy wieczór z cienia wyłaniały się grupki ludzi — młodzieńcy pijący coś z kartonowych pojemników, kobiety w średnim wieku kłócące się pod markizą kina, na którym był napis: ZAMKNIĘTE.

Skręcił w Singleton Street i ujrzał rząd domków, które robiły wrażenie, jakby na nich zaoszczędzono. Dachy płaskie, okna w jednej płaszczyźnie ze ścianami. Nie było tam nic zbędnego, ani kawałka dodatkowego materiału na gzymsy czy rzeźbione ozdoby — żadnej szczodrości. Większość z nich pokryto tynkiem, ale cegły domu pod numerem 16 zostały pomalowane na kasztanowy kolor. Nad schodkiem przed drzwiami wisiała pomarańczowa żarówka przeciw insektom, która rzucała mętne światło.

Wysiadł z samochodu i wszedł po schodach. Otworzył siatkowe drzwi o ramach z chropawego aluminium. Zabrzęczały tandetnie, a zawiasy zaskrzypiały. Skrzywił się. Wyjął list z kieszeni i się pochylił.

— Mam dubeltówkę — powiedziała Muriel z głębi domu — i mierzę dokładnie w twoją głowę.

Wyprostował się gwałtownie. Serce zaczęło mu walić. Jej głos brzmiał beznamiętnie i precyzyjnie — i taka zapewne była jej strzelba.

— To ja, Macon — przedstawił się.

— Macon?

Brzęknął łańcuch i wewnętrzne drzwi się uchyliły. Ujrzał zarys sylwetki Muriel w ciemnej sukni.

— Macon! — powtórzyła. — Co tu robisz?

Podał jej list.

Wzięła go i otworzyła, używając obu rąk. (Nie było śladu żadnej strzelby.) Przeczytała i spojrzała na niego.

Zrozumiał, że popsuł wszystko.

— W zeszłym roku... — wyjąkał — straciłem... przeżyłem... stratę, tak, straciłem mojego...

Nadal wpatrywała się w jego twarz.

— Straciłem syna... Miał tylko... poszedł do baru z hamburgerami, a wtedy... pojawił się ktoś, bandyta, i zastrzelił go. Nie mogę chodzić do ludzi na kolację! Nie mogę rozmawiać z ich synkami! Musisz przestać mnie namawiać. Nie chcę ranić twoich uczuć, ale nie nadaję się do tego, słyszysz?

Ujęła go delikatnie za nadgarstek i wciągnęła do domu, w dalszym ciągu nie otwierając drzwi na oścież, tak że Macon miał wrażenie, iż prześlizguje się przez coś albo omija coś o włos. Zamknęła za nim drzwi. Potem objęła go i przytuliła.

— Codziennie mówię sobie, że trzeba się z tym uporać — mówił w przestrzeń nad jej głową. — Wiem, że inni ludzie oczekują tego ode mnie. Kiedyś wyrażali swoje współczucie, teraz już nie. Nawet nie wypowiadają jego imienia. Uważają, że już czas, żeby w moim życiu coś się ruszyło. Ale ze mną jest coraz gorzej. Ten pierwszy rok był jak zły sen: rano stawałem pod drzwiami jego sypialni, a dopiero po chwili docierało do mnie, że go tam nie ma i nie mogę go obudzić. Ale ten drugi rok jest już czymś realnym. Przestałem chodzić pod jego drzwi. Czasami mija cały dzień, a ja nawet o nim nie pomyślę. Ta nieobecność jest jeszcze gorsza niż to, co było przedtem. Można by sądzić, że zbliżę się do Sary, ale nie, potrafimy się tylko ranić. Myślę, że Sara uważa, że mogłem jakoś zapobiec temu, co się stało — jest tak przyzwyczajona, że urządzam jej życie. Mam wrażenie, że to wszystko ujawniło tylko prawdę o nas, o tym, jak dalecy sobie jesteśmy. Obawiam się, że pobraliśmy się dlatego, że byliśmy tak dalecy sobie. A teraz jestem oddalony od wszystkich; nie mam już żadnych przyjaciół, wszyscy wydają mi się trywialni, głupi i obcy.

Poprowadziła go przez salon, w którym majaczyły cienie nad lampą osłoniętą abażurem z koralików, a na wybrzuszonej kanapie leżało czasopismo odwrócone okładką do góry. Zaprowadziła go po schodach, przez hol, do sypialni z żelaznym łóżkiem i lakierowanym pomarańczowym biurkiem.

— Nie — powiedział. — Nie tego mi trzeba.

— Śpij. Połóż się i śpij.

To brzmiało sensownie.

Zdjęła mu płaszcz z wełnianej bai i powiesiła na haku w szafie zasłoniętej kwiecistą zasłonką. Uklękła i rozsznurowała mu buty. Zdjął je posłusznie. Podniosła się, żeby mu rozpiąć koszulę, a on stał biernie z opuszczonymi po bokach rękami. Powiesiła jego spodnie na oparciu krzesła. Upadł na łóżko w bieliźnie, a ona przykryła go cienką, wytartą kołdrą pachnącą tłuszczem z bekonu.

Potem słyszał, jak się porusza po domu, wyłącza światła, puszcza wodę i mruczy coś w drugim pokoju. Wróciła do sypialni i stanęła przed biurkiem. Kolczyki upadły z brzękiem na miseczkę. Koszula nocna Muriel była ze starego, zniszczonego jedwabiu w kolorze sherry. W talii była przewiązana skręconym paskiem, a na łokciach niezdarnie zacerowana. Zgasiła lampę. Podeszła do łóżka, uniosła kołdrę i wślizgnęła się pod nią. Nie zdziwiło go, kiedy się do niego przytuliła.

— Chcę spać — powiedział. Ale czuł te fałdy jedwabiu, chłodne i gładkie. Położył dłoń na jej biodrze i poczuł dwie warstwy — chłodną, a pod spodem ciepłą.

— Zdejmiesz to? — zapytał.

Potrząsnęła głową.

— Wstydzę się — szepnęła, ale zaraz potem, jak gdyby przecząc temu, co powiedziała, dotknęła ustami jego warg i oplotła go swym ciałem.

W nocy usłyszał kaszel dziecka i niechętnie zaczął się wynurzać z głębi snu, żeby zareagować. Ale to był pokój z jednym dużym oknem o ramach pomalowanych na niebiesko, a tym dzieckiem nie był Ethan. Obrócił się i ujrzał Muriel. Westchnęła przez sen, wzięła jego dłoń i położyła na swoim brzuchu. Koszula rozsunęła się; poczuł gładką skórę, a potem pofałdowaną bruzdę biegnącą przez środek. „Cesarskie cięcie" — pomyślał. A kiedy ponownie zapadał w sen, wydało mu się, że powiedziała: „Połóż tu rękę. Ja też jestem okaleczona. Wszyscy jesteśmy okaleczeni. Nie jesteś jedyny".

XII

— Nie rozumiem cię — powiedziała Rose do Macona.
— Najpierw mówisz, że będziesz tutaj całe popołudnie,
a potem stwierdzasz, że nie. Jak mogę cokolwiek planować,
skoro jesteś taki niezorganizowany? Układała na stole lniane serwetki, przygotowując swoją
doroczną herbatkę dla starszych ludzi.
— Przepraszam, Rose. Nie wiedziałem, że to ma takie
znaczenie.
— Wczoraj wieczorem mówiłeś, że chcesz kolację, a potem nie było cię tu i nie zjadłeś jej. W ciągu minionych dwóch
tygodni trzy razy przychodziłam rano do twojego pokoju, żeby
cię zawołać na śniadanie, i stwierdziłam, że nie spałeś w swoim łóżku. Nie rozumiesz, że się martwię? Wszystko może się
zdarzyć.
— Przecież cię przeprosiłem.
Rose wygładziła stosik serwetek.
— Czas mi jakoś umyka — zaczął się tłumaczyć Macon.
— Wiesz, jak to jest. Najpierw w ogóle nie zamierzam
wychodzić, potem myślę: „Ach, może na chwilkę", i zanim się
zorientuję, jest bardzo późno, o wiele za późno na to, żeby
wracać, więc myślę sobie: „No cóż..."
Rose odwróciła się szybko i podeszła do kredensu. Zaczęła
liczyć łyżeczki.
— Nie wypytuję o twoje życie prywatne — zastrzegła się.
— Uważam, że w pewnym sensie to właśnie robisz.

— Muszę po prostu wiedzieć, ile jedzenia mam przygotować, to wszystko.

— Nie dziwiłbym się, gdybyś była ciekawa.

— Chcę tylko wiedzieć, dla ilu osób mam przygotować śniadanie.

— Myślisz, że was nie widzę? Kiedy ona tu jest i ma lekcje z Edwardem, wszyscy zaczynają wyłazić jak korniki z drewna; przemykają przez salon: „Szukam obcęgów, nie przejmujcie się mną!" W chwili gdy wychodzimy z Edwardem na spacer, zaczynasz zamiatać ganek.

— A co ja na to poradzę, że ganek był brudny?

— Coś ci powiem. Jutro wieczorem na pewno będę w domu na kolacji. Obiecuję. Możesz na to liczyć.

— Nie proszę cię, żebyś został, jeśli nie chcesz.

— Ależ chcę! To tylko dziś wieczorem wychodzę — oświadczył Macon. — Ale nie wrócę późno, jestem tego pewien. Założę się, że będę w domu przed dziesiątą!

Mówiąc to słyszał jednak, jak fałszywie i płytko brzmią jego słowa, i widział, że Rose spuszcza wzrok.

Kupił wielką pizzę typu „rozmaitości" i pojechał z nią do miasta. Jej zapach wywołał w nim taki głód, że stając na światłach skubał z wierzchu — plasterki kiełbasy, paprykę i półokrągłe kawałeczki grzybów. Palce miał lepkie, a nie mógł znaleźć chusteczki do nosa. Po chwili kierownica też się lepiła. Nucąc pod nosem mijał sklepy z oponami, alkoholem, tanimi butami. Skręcił obok firmy produkującej śmieszno--straszne gadżety. Pojechał krótszą drogą przez małą uliczkę i telepał się pomiędzy podwójnym rzędem podwórek — niewielkich prostokątów pełnych huśtawek, zardzewiałych części samochodowych i karłowatych zmarzniętych krzewów. Skręcił w Singleton Street i zaparkował za półciężarówką ze starymi zrolowanymi dywanami.

Bliźniaczki, córki sąsiadów, siedziały na schodku przed domem: efektowne szesnastolatki w dżinsach obcisłych do granic możliwości. Było za zimno, żeby siedzieć na dworze, ale im to nie przeszkadzało.

— Cześć, Macon! — zawołały dźwięcznymi głosami.

— Jak się macie, dziewczęta.

— Idziesz do Muriel?

— Chyba tak.

Wszedł na schodki domu Muriel trzymając poziomo pizzę i zapukał do drzwi. Debbie i Dorrie nadal mu się przyglądały. Rzucił im szeroki uśmiech. Czasami zostawały z Aleksandrem; musiał być dla nich miły. Wyglądało na to, że połowa sąsiadów opiekowała się Aleksandrem. Macon nadal nie mógł się połapać w skomplikowanych układach Muriel.

Drzwi otworzył Aleksander.

— Facet z pizzerii — oznajmił Macon.

— Mama rozmawia przez telefon — powiedział Aleksander beznamiętnie i wrócił na kanapę, poprawiając okulary na nosie. Oglądał telewizję.

— Bardzo duża, rozmaitości, bez rybek — rzekł Macon.

— Mam uczulenie na pizzę.

— Na którą część?

— Co?

— Na którą część masz uczulenie? Na paprykę? Na kiełbasę? Na grzyby? Możemy je zdjąć.

— Na wszystko.

— Nie możesz mieć uczulenia na całą pizzę.

— Ale mam.

Macon wszedł do kuchni. Muriel stała tyłem i rozmawiała przez telefon z matką. Domyślił się, że z matką, bo mówiła piskliwym, smutnym i gderliwym tonem.

— Nie zapytasz, jak się czuje Aleksander? Nie chcesz się dowiedzieć, co z jego wysypką? Ja ciebie pytam o zdrowie, dlaczego ty nie pytasz o nasze?

Podszedł do niej bezszelestnie.

— Nawet nie zapytałaś, co było u jego okulisty — mówiła — a ja tak się o to martwiłam. Czasami naprawdę można by pomyśleć, że nie jest twoim wnukiem! Kiedy zwichnęłam nogę w kostce i zadzwoniłam prosząc, żebyś z nim została, co mi odpowiedziałaś? Oświadczyłaś: „Postawmy sprawę jasno: chcesz, żebym przyjechała taki kawał, do twojego domu". Można pomyśleć, że Aleksander w ogóle cię nie obchodzi!

Macon stanął przed nią, wyciągając przed siebie pizzę.

— Hej! — szepnął.

Spojrzała na niego i uśmiechnęła się swoim zawadiackim uśmiechem.

— Mamo — powiedziała — muszę kończyć! Przyszedł Macon!

Od bardzo dawna nikt nie potraktował jego przybycia tak poważnie.

W poniedziałek po południu Macon pojechał do biura Juliana i oddał mu wszystko, co do tej pory napisał do przewodnika po Stanach.

— Obejmuje to część północno-wschodnią — powiedział.

— Myślę, że teraz zajmę się Południem.

— Dobrze. — Julian był pochylony za biurkiem i grzebał w szufladzie. — Doskonale. Chcę ci coś pokazać, Macon. No, gdzie to u licha... aha, jest.

Wyprostował się z promienną twarzą. Podał Maconowi małe niebieskie aksamitne pudełeczko.

— Prezent na Boże Narodzenie dla twojej siostry — oznajmił.

Macon podniósł wieczko. Wewnątrz, na podściółce z jedwabiu, leżał pierścionek z brylantem. Macon spojrzał na Juliana.

— Co to jest? — zapytał.

— Jak to „co to jest"?

— Chodzi mi o to, czy to jest... jak się to nazywa... pierścionek na uroczyste okazje... Czy też ma to być...

— To pierścionek zaręczynowy, Macon.

— Zaręczynowy?

— Chcę się z nią ożenić.

— Chcesz się ożenić z Rose?

— A co w tym takiego dziwnego?

— No, ja... — zaczął Macon.

— Oczywiście, jeśli się zgodzi.

— To jeszcze jej nie pytałeś?

— Zapytam ją w święta, kiedy jej dam pierścionek. Chcę, żeby wszystko odbyło się jak należy. W staroświecki sposób. Czy myślisz, że ona mnie zechce?

— Nie mam pojęcia — odparł Macon. Był pewien, iż Rose się zgodzi, ale pomyślał, że prędzej go szlag trafi, niż powie o tym Julianowi.

— Musi. Mam trzydzieści sześć lat, Macon, ale mówię ci, że czuję się wobec tej kobiety jak uczniak. Ona ma w sobie to wszystko, czego brakuje dziewczętom z mojego bloku. Jest taka... naturalna. Powiedzieć ci coś? Nigdy z nią nie spałem.

— Nic mnie to nie obchodzi — odburknął Macon.

— Chcę, żebyśmy mieli prawdziwą noc poślubną — oświadczył Julian. — Chcę, żeby wszystko było jak trzeba. Chcę wejść do prawdziwej rodziny. Boże, Macon, czy to nie zdumiewające, jak dwa oddzielne życia mogą się połączyć? Chodzi mi o dwie całkiem różne osobowości. Jak ci się podoba pierścionek?

— Jest w porządku. — Macon spojrzał jeszcze raz na pierścionek, po czym dodał: — Bardzo ładny.

Zamknął delikatnie pudełeczko i oddał je Julianowi.

— To nie jest zwykły samolot — powiedział Macon do Muriel. — Nie chciałbym, żebyś miała błędne przekonanie. Nazywają go samolotem dla dojeżdżających. Takim, do jakiego wsiada biznesmen, żeby, powiedzmy, skoczyć na jeden dzień do najbliższego miasta, zawrzeć kilka transakcji i wrócić.

Samolot, o którym mówił — mały, z piętnastoma siedzeniami, przypominający komara albo moskita — stał naprzeciw drzwi poczekalni dla pasażerów lecących niedaleko. Dziewczyna w wełnianej koszuli z kapturem ładowała do niego bagaż. Chłopak sprawdzał coś przy skrzydłach. Wyglądało, że ta linia lotnicza jest obsługiwana tylko przez nastolatków. Nawet pilot był bardzo młody, a przynajmniej tak się wydawało Maconowi. Wszedł do poczekalni trzymając tabliczkę i zaczął odczytywać z niej listę nazwisk:

— Marshall? Noble? Albright?...

Pasażerowie kolejno występowali naprzód — było ich zaledwie ośmiu czy dziesięciu. Pilot mówił do każdego z nich: „Cześć, jak się masz?" Jego wzrok spoczął na dłuższą chwilę na Muriel. Albo uznał ją za najbardziej atrakcyjną osobę, albo też zaskoczył go jej strój. Miała buty na nieludzko wysokich obcasach, czarne siatkowe pończochy w różyczki i pełną falbanek sukienkę w fuksje pod krótkim grubym futrem, które nazywała swoimi norkami. Włosy zaczesała na jedną stronę, gdzie tworzyły wielki, pełen loczków kwiat, a powieki pomalowała srebrnym cieniem. Macon wiedział, że przesadziła, ale podobało mu się, że uznała tę wyprawę za tak ważne wydarzenie.

Wyszli na zewnątrz za pilotem. Przeszedłszy parę kroków po betonie, weszli po dwóch chwiejnych schodkach do samolotu. W drzwiach Macon musiał się zgiąć niemal wpół. Sunęli pomiędzy dwoma rzędami pojedynczych foteli, cienkich jak składane krzesła. Znaleźli swoje miejsca i usiedli. Pozostali pasażerowie przepychali się sapiąc i wpadając na siebie. Ostatni wszedł drugi pilot; miał okrągłe delikatne, dziecinne policzki i niósł puszkę dietetycznej pepsi. Zatrzasnął za sobą drzwi do kabiny pilotów, której nie oddzielała nawet zasłona. Macon mógł się wychylić w stronę przejścia i widział różne dźwignie i pokrętła, pilota, który wkładał słuchawki, drugiego pilota, który wypił ostatni łyk i odstawił pustą puszkę na podłogę.

— W większym samolocie — krzyknął do Muriel, gdy silniki zaczęły pracować — prawie się nie czuje momentu startu! Ale tutaj lepiej weź się w garść.

Kiwnęła głową. Miała szeroko otwarte oczy i trzymała się fotela przed sobą.

— Co to za światełko migające przed pilotem? — zapytała.

— Nie wiem.

— A ta mała wskazówka, która się cały czas obraca?

— Nie wiem.

Czuł, że ją rozczarował.

— Jestem przyzwyczajony do dużych odrzutowców, a nie takich zabawek — dodał.

Znowu kiwnęła głową, przyjmując ten fakt do wiadomości. Macon uświadomił sobie, że jest bardzo światowym człowiekiem.

Samolot ruszył. Podskakiwał na każdym kamyczku na pasie startowym, a każde drgnięcie powodowało kilka trzasków w obudowie. Nabierali prędkości. Załoga, nagle poważna i profesjonalna, wykonywała różne skomplikowane czynności przy pulpicie kontrolnym. Koła oderwały się od ziemi.

— Och! — zawołała Muriel i zwróciła ku Maconowi rozjaśnioną twarz.

— Jesteśmy w górze — powiedział.

— Latam!

Wznosili się — zdaniem Macona z pewnym wysiłkiem — nad otaczającymi lotnisko polami, nad kępami drzew i siatką domów. Gdzieniegdzie na podwórkach widać było kropki plastykowych basenów, które wyglądały jak bladoniebieskie pinezki. Muriel przysunęła się tak blisko do okna, że na szybie zrobiła się mgiełka.

— Och, spójrz! — krzyknęła do Macona, a potem dodała coś, czego nie dosłyszał. Silniki samolotu pracowały bowiem głośno i chrapliwie, puszka po pepsi brzęcząc turlała się w koło, a pilot wrzeszczał coś do drugiego pilota na temat swojej lodówki.

— Budzę się w środku nocy — darł się — a w tej cholernej maszynie coś huczy i wali...

— Aleksander miałby wielką frajdę! — stwierdziła Muriel.

Macon nie widział jeszcze, żeby Aleksandrowi cokolwiek sprawiało przyjemność, ale rzucił pojednawczo:

— Kiedyś musimy go zabrać.

— Musimy wiele podróżować! Do Francji, Hiszpanii, Szwajcarii...

— Jest jeszcze kwestia pieniędzy — przerwał Macon.

— No to tylko po Ameryce. Kalifornia, Floryda...

Powinien był powiedzieć, że wyprawy do Kalifornii i na Florydę też kosztują (a Floryda nie była nawet wspomniana w jego przewodniku), ale w owej chwili dał się ponieść jej wizjom.

— Spójrz! — zawołała wskazując na coś.

Wychylił się ku przejściu, żeby zobaczyć, o co jej chodzi. Samolot leciał tak nisko, że mógłby się kierować znakami drogowymi; widać było z bliska farmy, lasy i dachy domów.

Macon nagle uzmysłowił sobie, że każdy z tych małych dachów skrywa czyjeś życie. Oczywiście zawsze o tym wiedział, ale nagle zaparło mu dech ze zdumienia. Zrozumiał, jak realne jest to życie dla tych, którzy je przeżywają, jak intensywne, osobiste i absorbujące. Patrzył w dół, spoza Muriel, z otwartymi ustami. To, co mu chciała pokazać, było już pewnie daleko za nimi, ale nadal wyglądał przez okno.

Porter i pozostali mówili o pieniądzach. A właściwie to Porter mówił, a pozostali na poły słuchali. Snuł plany związane z podatkiem dochodowym. Był zainteresowany czymś, co nazywało sie kurzą transakcją.

— To funkcjonuje tak — objaśniał — teraz, przed końcem roku, inwestujesz w kurczęta, odejmujesz koszty karmy i tak dalej. Potem sprzedajesz dorosłe kury w styczniu i masz zysk.

Rose zmarszczyła czoło.

— Ale kurczęta są tak podatne na przeziębienia — powiedziała. — Właściwie na różne choroby. A grudzień i styczeń nie są tu zbyt ciepłe.

— One nie byłyby tu, w Baltimore, Rose. Bóg wie, gdzie by się znajdowały. Ty ich nie oglądasz na oczy, to tylko sposób załatwiania spraw podatkowych.

— No, nie wiem — odezwał się Charles. — Nie znoszę angażować się w sprawy, którymi ma się zajmować ktoś inny. Mam komuś wierzyć na słowo, że te kurczaki w ogóle istnieją?

— Nie macie wyobraźni, moi drodzy — skwitował Porter.

Wszyscy stali na werandzie wokół stolika do kart i pomagali Rose, która robiła prezent świąteczny dla Liberty. Zbudowała dostawkę do domu dla lalek — garaż z mieszczącym się nad nim mieszkaniem gościnnym. Garaż był przekonująco nieporządny. Miniaturowe szczapy drewna walały się na podłodze wokół stosiku polan do kominka wielkości gałązek, a kłębuszek zielonego drutu był znakomitym wężem ogredniczym. Teraz pracowali nad górną częścią. Rose upychała poduszkę na fotel wielkości pastylki aspiryny. Charles wycinał kawałek tapety z katalogu z próbkami. Porter wiercił dziurki na karnisz. Było tak ciasno, że Macon, który właśnie wszedł z Edwardem, stanął z tyłu i się przyglądał.

— Poza tym — powiedział Charles — kurczaki nie są, jakby to powiedzieć, zwierzętami z klasą. Nie chciałbym mówić ludziom, że jestem kurzym magnatem.

— Nie musisz o tym wspominać — zapewnił Porter.

— Magnat wołowy, proszę bardzo. Wołowina brzmi znacznie lepiej.

— Nie oferują takiej transakcji z wołowiną, Charles.

Macon wziął do ręki kilka kolorowych zdjęć, które leżały obok katalogu z wzorami tapet. Na pierwszym z nich zobaczył okno w pokoju, którego nie poznał, okno w białej ramie z żaluzją zasłaniającą dolną połowę. Na następnym — portret grupowy. Czworo ludzi, nieostrych i zamazanych, stało rzędem przed kanapą. Kobieta miała na sobie fartuch, a mężczyźni czarne garnitury. W ich pozach było coś sztucznego. Ustawili się zbyt precyzyjnie i nie dotykali się nawzajem.

— Kim są ci ludzie? — zapytał.

— To rodzina z domku dla lalek należącego do Liberty — odparła Rose.

— Aha.

— Jej matka przysłała mi te zdjęcia.

— W tej rodzinie są tylko dorośli?

— Jeden z nich to chłopiec, tylko tego nie widzisz. A drugi to dziadek albo lokaj; June mówi, że Liberty ciągle to zmienia.

Macon odłożył zdjęcia nie oglądając pozostałych. Ukląkł, żeby pogłaskać Edwarda.

— Kurza transakcja... — mówił Charles w zamyśleniu.

Macon nagle pożałował, że nie jest u Muriel. Objął Edwarda i uświadomił sobie, że w futrze psa czuje jej ostre perfumy.

Był przede wszystkim człowiekiem uporządkowanym. Najlepiej się czuł, kiedy wszystko toczyło się ustalonym trybem. Jadał wciąż te same posiłki i nosił te same ubrania, robił porządki w ustalone dni, a rachunki płacił w inne. Zawsze ustawiał się w kolejce do kasjerki, która pomogła mu podczas pierwszej wizyty w banku, nawet jeśli nie była ona zbyt sprawna albo kolejka do innego okienka była krótsza. W jego życiu nie było miejsca dla kogoś tak nieprzewidywalnego jak Muriel. A raczej tak ekscentrycznego. Lub wręcz, czasami, niemiłego. Jej młodzieńczość nie wzruszała go, tylko denerwowała. Ledwie pamiętała Wietnam i nie miała pojęcia, gdzie była, kiedy zastrzelono Kennedy'ego. Przez nią zaczął się martwić własnym wiekiem, co mu się przedtem nie zdarzało. Nagle zauważył, jak sztywno się porusza po dłuższym okresie siedzenia w jednej pozie; jak uważa na kregosłup, bo ciągle się boi, żeby mu znów nie nawalił; jak kochając się z nią jest zdania, że jeden raz to aż nadto.

A poza tym ona tak dużo mówiła — niemal bez przerwy, podczas gdy on był człowiekiem, dla którego cisza była milsza niż muzyka. („Posłuchaj, grają moją piosenkę" — mawiał dawniej, kiedy Sara wyłączała radio.) Gadała o różu, błyszczyku, wałkach do prostowania włosów, cellulitis, długości sukien i ochronie cery zimą. Interesowała się wyłącznie wyglądem rzeczy: odcieniami pomadki do ust, lakieru do paznokci, maseczkami na twarz i rozszczepiającymi się końcami włosów. Kiedyś, gdy miała lepszy dzień, powiedział jej, że ładnie wygląda, co ją tak podekscytowało, że potknęła się o krawężnik. Zapytała, czy to dlatego, że związała włosy z tyłu i czy chodzi o włosy, czy o wstążkę, a raczej jej kolor, który, obawiała się, może być trochę zbyt jaskrawy i nadawać niedobry odcień jej cerze. A czy nie uważa, że jej włosy są beznadziejne, bo tak się skręcają przy lada wilgoci? Gadała tak długo, aż pożałował, że się w ogóle odezwał. A raczej nie żałował, ale poczuł się zmęczony. Wyczerpany.

Czasami potrafiła jednak przeszyć jego umysł jak ostrze. Miał wciąż przed oczami obrazy jej postaci w pewnych przypadkowych, nieistotnych sytuacjach. Muriel przy stole kuchennym, z nogami założonymi na poprzeczki krzesła, rozwiązująca konkurs, w którym nagrodą jest całkowicie opłacona wycieczka po Hollywood. Muriel mówiąca do lustra: „Wyglądam jak gniew Boga" — niemal rytualne stwierdzenie przy wychodzeniu z domu. Muriel zmywająca naczynia w wielkich różowych gumowych rękawicach z purpurowymi paznokciami, unosząca pokryty pianą talerz i przenosząca go lekko do komory zlewu z wodą do płukania, wyśpiewująca jedną ze swoich ulubionych piosenek: „W domu wojna też jest piekłem" albo „Ciekawa jestem, czy Bóg lubi muzykę country" (ona z pewnością lubiła — długie, żałosne ballady o trudnej drodze życia, zimnych, szarych murach więzienia i fałszywym, obłudnym sercu dwulicowego mężczyzny). Muriel przy oknie szpitalnym — nigdy jej tam nie widział — trzymająca szczotkę do mycia podłogi i patrząca na rannych ludzi przywożonych karetką.

Potem zrozumiał, że w tym wszystkim tkwi istota jej życia; że mimo iż jej nie kochał, uwielbiał niespodziankę, jaką w sobie niosła, i to, co w nim samym okazywało się nie-spodzianką, kiedy był z nią. W tym obcym świecie, jakim były okolice Singleton Street, on sam stawał się całkiem innym człowiekiem. Ten człowiek nigdy nie był podejrzewany o to, że jest ograniczony, nie był oskarżony o chłód emocjonalny — wręcz przeciwnie, żartowano z jego miękkiego serca. I z pewnością nie był to człowiek uporządkowany.

— Może pojechałbyś do moich rodziców na obiad w Boże Narodzenie? — zapytała.

Macon był w jej kuchni. Leżał pod zlewem i wyłączał zawór. Nie odpowiedział od razu. Wynurzył się dopiero po chwili.

— Do twoich rodziców?

— Na obiad w Boże Narodzenie.

— Sam nie wiem.

— Macon, zgódź się! Chcę, żebyś ich poznał. Mama uważa, że ja cię wymyśliłam. „Wymyśliłaś go" — mówi. Wiesz, jaka ona jest.

Tak, wiedział, przynajmniej z drugiej ręki, i był w stanie wyobrazić sobie, jak wyglądałby ten obiad. Pełen pułapek, ukrytych aluzji i zranionych uczuć. Prawdę mówiąc, nie miał ochoty się w to angażować.

Zamiast więc odpowiedzieć, zajął się Aleksandrem. Usiłował go nauczyć naprawiać kran.

— Widzisz, zamknąłem zawór. Po co to zrobiłem?

Jedyną reakcją był szklany, beznamiętny wzrok. To był pomysł Macona, nie Aleksandra. Chłopiec został odciągnięty od telewizora jak worek kamieni i usadzony na kuchennym krześle; kazano mu przyglądać się uważnie.

— Nie jestem pewna, czy to ma sens — wtrąciła się Muriel. — On nie jest zbyt silny.

— Nie trzeba być Tarzanem, żeby naprawić kran, Muriel.

— Niby nie, ale sama nie wiem...

Czasami Macon zastanawiał się, czy wszystkie choroby chłopca nie są jej wymysłem.

— Dlaczego zakręciłem zawór, Aleksandrze? — ponowił pytanie.

— Dlaczego? — odezwał się Aleksander.

— Ty mi powiedz.

— To ty powiedz mnie.

— Nie, ty — powiedział stanowczo Macon.

Upłynęło kilka trudnych chwil, kiedy wydawało się, że Aleksander będzie w nieskończoność patrzył tym szklanym wzrokiem. Siedział skulony na krześle, z podbródkiem opartym na dłoni i spojrzeniem pozbawionym wszelkiego wyrazu. Wystające ze spodni golenie były cienkie jak patyki, a brązowe szkolne buty wydawały się bardzo duże i ciężkie. Wreszcie rzekł:

— Żeby woda nie tryskała naokoło.

— Tak jest.

Macon pilnował się, żeby nie podkreślać swojego zwycięstwa.

— Ten przeciek nie jest w otworze wypływowym, tylko we wlewce. Musisz więc zdjąć ją i wymienić uszczelkę. Najpierw odkręcasz górną śrubę. Zrób to.

— Ja?

Macon przytaknął i podał mu śrubokręt.

— Nie chcę — sprzeciwił się Aleksander.

— Niech tylko popatrzy — zaproponowała Muriel.

— Jeśli będzie tylko patrzył, to nie zdoła naprawić kranu w wannie, a chcę go poprosić, żeby sam to zrobił.

Aleksander wziął śrubokręt nieznacznym, ledwie widocznym ruchem. Odsunął krzesło i podszedł do zlewu. Macon przysunął drugie krzesło i Aleksander wdrapał się na nie. Potem był problem z włożeniem śrubokręta do rowka śruby. Zajęło mu to mnóstwo czasu. Miał małe paluszki, z różowymi opuszkami nad okropnie poobgryzanymi paznokciami. Skupił się, a okulary zsunęły mu się na nos. Zawsze oddychał przez usta, a teraz zagryzał język i lekko posapywał.

— Cudownie! — ucieszył się Macon, kiedy śrubokręt wreszcie wszedł w rowek.

Jednakże przy każdym najmniejszym ruchu wypadał i chłopiec musiał go znowu ustawiać. Macon czuł, jak mu się zaciskają mięśnie brzucha. Muriel stała się wyjątkowo milcząca, ale jej milczenie było pełne napięcia i niepokoju.

— No! — wykrzyknął Macon, gdy śruba została wreszcie na tyle poluzowana, że Aleksander mógł ją wykręcić ręką. Z tym poradził sobie całkiem nieźle. Zdjął nawet z własnej inicjatywy wlewkę.

— Bardzo dobrze — pochwalił Macon. — Myślę, że masz wrodzone zdolności.

Muriel uspokoiła się. Oparłszy się o blat powiedziała:

— Moi rodzice jedzą obiad świąteczny w dzień. To znaczy nie w południe, ale też nie wieczorem, raczej wczesnym popołudniem, a w tym roku będzie to późne popołudnie, bo ja rano pracuję w „Miau-Hau" i...

— Spójrz na to — zwrócił się Macon do Aleksandra. — Widzisz tę brudną, lepiącą się masę? To stare, przegniłe pakuły. Wyjmij je. Dobrze. Masz tu świeże pakuły. Owiń je wokół wlewki. Weź trochę więcej, niż potrzebujesz. Uważaj, żeby je okręcić dookoła.

Aleksander okręcił włókna. Palce zbielały mu z wysiłku.

— Przeważnie mamy gęś — ciągnęła Muriel. — Mój tata przynosi gęś z Eastern Shore. A może nie lubisz gęsi? Może wolałbyś indyka? Albo kaczkę? Co zwykle jadasz w święta, Macon?

— Ach... — zaczął Macon, ale w tym momencie uratował go Aleksander, który odwrócił się, umocowawszy kran bez niczyjej pomocy, i zapytał:

— Co teraz?

— Teraz sprawdź, czy śruba jest dobrze przykręcona.

Aleksander ponownie zaczął się mocować ze śrubokrętem.

— Może wolałbyś dobry kawałek wołowiny — nie dawała za wygraną Muriel. — Wiem, że niektórzy mężczyźni to lubią. Uważają, że drób jest dobry dla kobiet. Ty też tak sądzisz? Możesz mi powiedzieć! Nie będę ci miała za złe! Moi rodzice też nie!

— Słuchaj, Muriel...

— Co teraz? — zapytał Aleksander rozkazująco.

— Teraz włączymy wodę i zobaczymy, czy dobrze to zrobiłeś.

Macon kucnął pod zlewem i pokazał Aleksandrowi, gdzie jest zawór. Aleksander sięgnął tam i postękując przekręcił go. Macon pomyślał, że to dziwne, ale wszyscy mali chłopcy pachną jakoś świeżo, jak szafa z cedrowego drewna. Wstał i przekręcił kurek. Nie było przecieku.

— No, popatrz — powiedział. — Rozwiązałeś problem.

Aleksander z trudem powstrzymywał uśmiech.

— Będziesz wiedział, jak to zrobić następnym razem?

Chłopiec kiwnął głową.

— Kiedy dorośniesz, będziesz umiał naprawiać żonie krany.

Twarz Aleksandra wykrzywiła się z zadowolenia na tę myśl.

— Powiesz: „Odsuń się, kochanie. Ja się tym zajmę".

Aleksander cmoknął z zadowoleniem, a jego twarz wyglądała jak mała, ściągnięta sznurkiem torebeczka.

— Będziesz jej mógł powiedzieć: „Pozwól, że zajmie się tym prawdziwy mężczyzna".

Znowu cmoknięcie.

— Macon? Przyjdziesz do moich rodziców czy nie? — zapytała Muriel.

Odmawianie wydawało się bez sensu. I tak się już zaangażował.

XIII

Rodzice Muriel mieszkali w Timonium, w osiedlu zwanym Foxhunt Acres. Muriel musiała pokazywać Maconowi drogę. Był to najzimniejszy dzień Bożego Narodzenia, jaki pamiętali, ale jechali z lekko uchylonymi oknami, żeby Aleksander, który siedział z tyłu, nie dostał uczulenia na psią sierść. Radio było nastawione na ulubioną stację Muriel. Connie Francis śpiewała „Pierwsze Boże Narodzenie dziecka".

— Ciepło ci? — zapytała Muriel Aleksandra. — Wszystko w porządku?

Chłopiec zapewne kiwnął głową.

— Nie dusisz się?

— Nie.

— Nie, mamo — poprawiła go.

Macon przypomniał sobie, że Sara też to robiła — udzielała synowi szybkiego kursu dobrych manier, gdy wybierali się z wizytą do jej matki.

— Kiedyś wiozłam Aleksandra do miasta i załatwiałam pewne sprawy dla „George'a", tej mojej firmy. A dzień przedtem miałam w samochodzie dwa koty. W ogóle o tym nie pomyślałam i kompletnie zapomniałam odkurzyć wnętrze samochodu, jak to zwykle robię. Nagle na jakimś skrzyżowaniu Aleksander padł na siedzenie, całkiem nieprzytomny.

— Nie byłem nieprzytomny — odezwał się Aleksander.

— Prawie nieprzytomny.

— Położyłem się tylko, żeby nie musieć wdychać tyle powietrza.

— Widzisz? — powiedziała Muriel do Macona.

Jechali teraz York Road, mijając sklepy z kosmetykami ekologicznymi i barami szybkiej obsługi, które były zamknięte i ponure. Macon nigdy nie widział tej ulicy tak pustej. Wyprzedził półciężarówkę, a potem taksówkę, i nic więcej. Nad komisem samochodowym wisiały sztywno pęki świątecznej zieleni.

— Ale może dostawać zastrzyki — oznajmiła Muriel.

— Zastrzyki?

— Zastrzyki, które zapobiegają duszeniu się.

— To dlaczego ich nie bierze?

— No, gdyby Edward miał się do nas wprowadzić, to chyba trzeba by to zrobić.

— Edward?

— Mówię teoretycznie. Gdybyś ty wprowadził się na stałe, a Edward z tobą.

— Aha — mruknął Macon.

Brenda Lee śpiewała „Złapię świętego Mikołaja na lasso". Muriel wtórowała, kiwając głową na boki, żeby utrzymać się w rytmie.

— Czy bierzesz to w ogóle pod uwagę? — zapytała wreszcie.

— Co? — Udawał, że nie wie, o co chodzi.

— Czy bierzesz pod uwagę możliwość zamieszkania z nami?

— No, hmm...

— Albo my moglibyśmy wprowadzić się do ciebie — stwierdziła. — Jak wolisz.

— Do mnie? Ale moja siostra i moi...

— Mówię o twoim domu.

— Ach, o moim domu.

Nagle dom pojawił mu się przed oczami — mały, ciemny i opuszczony, przycupnięty pod dębami niby domek kornika w bajce. Muriel spojrzała mu w twarz, a potem szybko powiedziała:

— Potrafię zrozumieć, że nie chcesz tam wracać.

— Nie o to chodzi. — Odchrząknął. — Po prostu nie myślałem o tym.

— Ach tak!

— Przynajmniej na razie.

— Nie musisz się tłumaczyć!

Pokazała mu, którędy teraz ma jechać, i ruszyli krętą drogą. Barów było coraz mniej i były coraz nędzniejsze. Widział marne drzewka, zamarznięte pola i całą gromadę skrzynek pocztowych różnych rozmiarów.

Za każdym razem, gdy samochód podskakiwał, na tylnym siedzeniu coś grzechotało. Leżał tam prezent Macona dla Aleksandra — zestaw narzędzi, małych, ale prawdziwych, z solidnymi, drewnianymi rękojeściami. Macon kupował je pojedynczo, jedno po drugim. Co najmniej dwanaście razy przekładał je w przegródkach, jak skąpiec liczący swoje pieniądze.

Minęli fragment rozwalonego płotu, który zapadał się w ziemię.

— Co robi dzisiaj twoja rodzina? — zapytała Muriel.

— Nic specjalnego.

— Urządzają wielki obiad świąteczny?

— Nie, Rose pojechała do Juliana. Charles i Porter... nawet nie wiem... coś mówili o uszczelnieniu wanny na piętrze.

— Ach, biedacy! Powinni byli pojechać z nami do moich rodziców.

Macon wyobraził to sobie i uśmiechnął się.

Skręcił tam, gdzie mu wskazała, na łąkę zabudowaną domami. Wszystkie powstały według tego samego planu — cegła, a nad tym pół piętra aluminium. Ulice zostały nazwane od drzew, których tam nie było: Zaułek Brzozowy, Wiązowy Dwór i Droga Kwitnących Jabłoni. Muriel kazała mu skręcić w prawo, w Drogę Kwitnących Jabłoni. Zaparkował za samochodem dostawczym. Z domu wybiegła dziewczyna — pulchna ładna nastolatka w niebieskich dżinsach, z długim końskim ogonem słomianej barwy.

— Claire! — krzyknął Aleksander, podskakując na siedzeniu.

— To moja siostra — powiedziała Muriel.

— Aha.

— Czy uważasz, że jest ładna?

— Tak, bardzo ładna.

Claire otworzyła drzwi samochodu i chwyciła Aleksandra w objęcia.

— Jak się miewa mój chłopak? — zapytała. — Co ci przyniósł święty Mikołaj?

Była tak niepodobna do Muriel, że trudno było zgadnąć, iż są siostrami. Miała niemal kwadratową twarz, złocistą skórę i według obecnych norm z pięć kilogramów nadwagi. Postawiła Aleksandra na ziemi i niezgrabnie wsunęła dłonie w tylne kieszenie dżinsów.

— No tak — zwróciła się do Macona i Muriel. — Wesołych świąt i tak dalej.

— Spójrz. — Muriel błysnęła zegarkiem. — Zobacz, co mi dał Macon.

— A co ty mu dałaś?

— Kółko do kluczy ze sklepu z tanimi rzeczami. Antyczne.

— Aha.

Muriel nie dodała, że był na nim zawieszony klucz do jej domu.

Macon wyjął rzeczy z bagażnika — prezenty Muriel dla rodziny oraz jego prezent dla pani domu — a Aleksander wziął z tylnego siedzenia swoje pudło z narzędziami. Szli za Claire przez podwórko. Idąc Muriel niespokojnie poprawiała włosy.

— Powinnaś zobaczyć, co tata dał mamie — mówiła Claire. — Dał jej kuchenkę mikrofalową. Mama gada, że śmiertelnie się jej boi. „Wiem, że zostanę napromieniowana" — powiada. Obawiamy się, że nie zechce jej używać.

Drzwi otworzyła im mała, chuda szara kobietka w niebieskim żakiecie i spodniach.

— Mamo, to jest Macon — przedstawiła go Muriel. — Macon, to moja matka.

Pani Dugan milcząc przyglądała mu się dłuższą chwilę. W kącikach ust miała zmarszczki podobne do kocich wąsów.

— Miło mi pana poznać — odezwała się wreszcie.

— Wesołych świąt, pani Dugan — odpowiedział Macon. Wręczył jej prezent — butelkę likieru żurawinowego obwiązaną wstążką. Jej też się uważnie przyjrzała.

— Połóż resztę rzeczy pod drzewkiem — poleciła Muriel Maconowi. — Mamo, nie przywitasz się z wnukiem?

Pani Dugan spojrzała mimochodem na Aleksandra. Zapewne nie liczył na nic więcej, bo ruszył w kierunku choinki, pod którą znajdowały się różne nie związane ze sobą przedmioty — wykrywacz dymu, elektryczny świder, lusterko do robienia makijażu otoczone żaróweczkami. Macon położył obok paczki Muriel, a potem zdjął płaszcz i rzucił go na oparcie kanapy pokrytej białym atłasem. Jedna trzecia kanapy była zajęta przez kuchenkę mikrofalową, która nadal była wesoło przystrojona dużą czerwoną kokardą.

— Spójrz na moją nową kuchenkę mikrofalową — powiedziała pani Dugan. — To najdziwniejsza rzecz, jaką kiedykolwiek widziałam.

Zdjęła z fotela kłąb papieru do pakowania prezentów i gestem zachęciła Macona, żeby usiadł.

— Coś bardzo przyjemnie pachnie — zauważył Macon.

— Gęś — oznajmiła. — Boyd poszedł i ustrzelił mi gęś.

Przycupnęła obok kuchenki. Claire siedziała na podłodze z Aleksandrem i pomagała mu otworzyć paczkę. Muriel, wciąż jeszcze w płaszczu, przeglądała rząd książek stojących na półce.

— Mamo... — odezwała się. — O, już nic, znalazłam.

Podeszła do Macona z albumem z fotografiami — nowoczesnym, z przezroczystymi plastykowymi stronami.

— Spójrz tutaj. — Przysiadła na oparciu fotela. — Moje zdjęcia, kiedy byłam mała.

— Może byś zdjęła płaszcz i rozgościła się na chwilę — powiedziała pani Dugan.

— Ja w wieku sześciu miesięcy. Ja w kojcu. Ja i mój pierwszy tort urodzinowy.

Zdjęcia były kolorowe, błyszczące, a czerwień miała odcień nieco niebieskawy. (Fotografie Macona z dzieciństwa były czarno-białe, bo w owym czasie istniały tylko takie.) Na tych zdjęciach Muriel była pulchną, roześmianą blondyneczką, z włosami uczesanymi w kokieteryjny sposób — albo związanymi na czubku głowy w pęk, albo upiętymi w dwa końskie ogony tak wysoko, że wyglądały jak uszy szczeniaka. Początkowo kolejne etapy jej życia mijały powoli — trzy pełne strony zajęła nauka chodzenia — ale potem nastąpiło przyspieszenie.

— Ja w wieku dwóch lat. Pięciu lat. Ja kiedy miałam siedem i pół.

Pulchna blondynka zmieniła się w chudą ciemnowłosą i poważną dziewczynkę, a potem całkiem znikła, ustępując miejsca małej Claire.

— No tak — rzuciła Muriel i zamknęła album w połowie.

— Zaczekaj — poprosił Macon.

Chciał ją zobaczyć w najgorszym, najbardziej dziwacznym wydaniu, włóczącą się z bandami chłopaków na motorach. Ale kiedy wziął od niej album i przerzucił go na końcowe strony, okazało się, że są puste.

Wszedł pan Dugan — jasnowłosy piegowaty mężczyzna we flanelowej koszuli w szkocką kratę. Podał Maconowi na powitanie dłoń o zgrubiałej skórze i znowu wyszedł, mrucząc coś na temat piwnicy.

— Denerwuje się rurami — wyjaśniła pani Dugan. — Czy wiecie, że minionej nocy temperatura spadła poniżej minus dwudziestu stopni? Boi się, że rury zamarzną.

— Może mógłbym pomóc? — zaproponował Macon podnosząc się z fotela.

— Niech pan siedzi spokojnie, panie Leary.

— Proszę mi mówić po imieniu.

— Dobrze, Macon. A ty możesz mnie nazywać mamą Dugan.

— Hmm...

— Muriel mi mówiła, że jesteś w separacji z żoną.

— Tak.

— Czy sądzisz, że coś z tego wyjdzie?

— Słucham?

— Mam nadzieję, że nie wpuszczasz tego dziecka w maliny, co?

— Mamo, uspokój się — wtrąciła się Muriel.

— Nie musiałabym o to pytać, Muriel, gdybyś wykazała kiedykolwiek odrobinę zdrowego rozsądku. Spójrzmy prawdzie w oczy: nie masz zbyt wspaniałej przeszłości.

— Ona się po prostu martwi o mnie — wyjaśniła Muriel Maconowi.

— To oczywiste — odparł.

— Miała zaledwie trzynaście lat — ciągnęła pani Dugan — kiedy zewsząd zaczęły się nagle pojawiać jakieś szemrane chłopaki. Od tej pory nie przespałam spokojnie ani jednej nocy.

— Nie rozumiem dlaczego — stwierdziła Muriel. — To było wiele lat temu.

— Wystarczyło się odwrócić, a ona już była w jakimś „Surf'n'Turf", „Torch Club" albo „Hi-Times Lounge" przy Czterdziestej Autostradzie.

— Mamo, może byś rozpakowała wasz prezent?

— Och, przywiozłaś nam prezent?

Muriel wstała, żeby go wziąć spod choinki, gdzie siedzieli Claire i Aleksander. Pomagała mu ustawić jakieś małe figurki z kartonu.

— Ta na zielone, a ta na niebieskie.

Aleksander wiercił się i z niecierpliwością wyczekiwał chwili, żeby przejąć inicjatywę.

— To Claire wybrała dla niego tę grę — powiedziała pani Dugan, biorąc paczkę, którą wręczyła jej Muriel. — Ja uważałam, że jest zbyt skomplikowana.

— Nie jest — oświadczyła Muriel, chociaż nawet nie spojrzała na grę. Wróciła na fotel Macona. — Aleksander to bardzo bystry chłopiec. Błyskawicznie zrozumie, o co chodzi.

— Nikt nie twierdzi, że nie jest bystry, Muriel. Nie musisz się obrażać o każde słowo.

— Może byś otworzyła swój prezent?

Ale pani Dugan się nie spieszyła. Zdjęła wstążkę i włożyła ją do pudełka stojącego na stoliku do kawy.

— Twój tata ma dla was trochę pieniędzy na święta. Przypomnij mu przed odjazdem. — Obejrzała opakowanie. — Spójrzcie no! Maleńkie czerwononose renifery Rudolfy! Mają nosy zrobione z prawdziwej folii aluminiowej. Nie rozumiem, dlaczego nie użyłaś bibułki, tak jak ja.

— Chciałam, żeby ładnie wyglądało.

Pani Dugan zdjęła papier i starannie go złożyła. Jej prezentem było coś w złoconej ramie.

— Jakie to miłe — odezwała się po chwili. Pokazała Maconowi. Ujrzała zdjęcie przedstawiające Muriel i Aleksandra — portret w marzycielsko pastelowych kolorach; światło było rozłożone tak równo, że wydawało się, iż nie pochodzi z żadnego określonego miejsca. Muriel siedziała, a Aleksander stał obok niej z dłonią na jej ramieniu. Żadne z nich się nie uśmiechało. Wyglądali czujnie, niepewnie i bardzo samotnie.

— Piękny — powiedział Macon.

Pani Dugan chrząknęła i pochyliła się, żeby położyć zdjęcie obok pudełka ze wstążkami.

Obiad okazał się czynnością pracochłonną; wszyscy borykali się z jedzeniem — z gęsią, żurawinowym sosem, dwoma rodzajami kartofli i trzema rodzajami jarzyn. Pan Dugan był zadziwiająco milczący, mimo iż Macon próbował go zagadywać na temat rur w piwnicy. Muriel zajmowała się synem.

— W tym nadzieniu jest chleb, Aleksandrze. Odłóż je natychmiast. Chcesz znowu dostać uczulenia? Nie jestem również pewna tego sosu.

— Och, na miłość boską, pozwól mu robić, co chce — zirytowała się pani Dugan.

— Nie mówiłabyś tak, gdyby to tobie nie dawał spać w nocy z powodu swędzącej wysypki.

— Przynajmniej w połowie przypadków ty sama wywołujesz tę wysypkę swoim gadaniem.

— To tylko dowodzi, co o tym wiesz.

Macon nagle poczuł się dziwnie nie na miejscu. Co by powiedziała Sara, gdyby go tu zobaczyła? Wyobraził sobie jej rozbawiony i ironiczny wyraz twarzy. Rose i jego bracia byliby po prostu zdumieni. Julian powiedziałby: „Ha! Przypadkowy turysta w Timonium".

Pani Dugan wniosła trzy różne ciasta, a Claire biegała wkoło z dzbankiem kawy. Na dżinsy włożyła szeroką haftowaną spódnicę — prezent od Muriel, która kupiła ją tydzień wcześniej w Value Village. Warstwy jej ubrania przywiodły Maconowi na myśl jakiś strój narodowy.

— A co z likierem? — zapytała matkę. — Mam podać likier od Macona?

— Może on chce, żebyś mówiła o nim „pan Leary", kochanie.

— Nie, mów mi po imieniu — poprosił Macon.

Podejrzewał, że omawiano już sprawę jego wieku. Na pewno. Był za stary, za wysoki i zbyt elegancki w garniturze i krawacie.

Pani Dugan stwierdziła, że nie piła nic lepszego w życiu. Macon zaś uważał, że likier smakuje jak pasta z fluorem, którą dentysta pokrywał mu zęby; wyobrażał sobie, że będzie to coś innego.

— Te słodkie drinki w ładnych kolorach to dobre dla pań — powiedział pan Dugan — ale ja osobiście wolę mały łyk whisky? A ty, Macon?

Wstał i przyniósł opróżnioną w czterech piątych butelkę Jacka Daniel'sa i dwie szklaneczki. Sam ciężar butelki w dłoni jakby rozwiązał mu język.

— No dobrze! — Usiadł. — Czym teraz jeździsz, Macon?

— Czym jeżdżę? Aha, toyotą.

Pan Dugan zmarszczył brwi. Claire zachichotała.

— Tata nie znosi zagranicznych samochodów i pogardza nimi — wyjaśniła Maconowi.

— O co chodzi, nie jesteś za kupowaniem amerykańskich produktów? — zapytał pan Dugan.

— Prawdę mówiąc...

Chciał powiedzieć, że jego żona jeździ fordem, ale się rozmyślił. Wziął szklaneczkę, którą podał mu pan Dugan.

— Kiedyś miałem ramblera — rzekł.

— Powinieneś spróbować chevroleta, Macon. Przyjdź kiedyś do salonu, to ci pokażę chevy. Co wolisz? Model rodzinny czy mniejszy?

— Chyba mniejszy, ale...

— Coś ci powiem: nie ma siły, żebyś mnie namówił, abym ci sprzedał małolitrażowy samochód. Nie, drogi panie, możesz błagać i jęczeć, możesz nawet uklęknąć, a ja ci i tak nie sprzedam jednej z tych śmiertelnych pułapek, które ludzie tak chętnie teraz kupują. Mówię moim klientom tak: „Uważacie, że nie mam zasad? Macie przed sobą człowieka z zasadami". I powiadam tak: „Jak chcecie małolitrażowy, to lepiej idźcie do Eda Mackenziego. On wam sprzeda bez chwili namysłu. Co go to obchodzi? Ale ja mam zasady". Nasza Muriel omal nie straciła życia w czymś takim.

— Ależ tato, nic się nie stało — zaprotestowała Muriel.

— Nie chciałbym otrzeć się o śmierć, tak jak ty wtedy.

— Nie byłam nawet draśnięta.

— Samochód wyglądał jak mała zgnieciona puszka po sardynkach.

— Poszło mi tylko oczko w pończosze.

— Doktor Kane z „Miau-Hau" podwoził któregoś dnia Muriel — zaczął opowiadać pan Dugan Maconowi — kiedy jej samochód nawalił, i jakaś durna kobieta za kierownicą zajechała im drogę. Usiłowała skręcić w lewo i wtedy...

— Ja to opowiem — przerwała mu pani Dugan. Pochyliła się ku Maconowi, trzymając w ręce kieliszek z likierem. — Właśnie wracałam ze sklepu spożywczego i niosłam różne drobiazgi, które były mi potrzebne, żeby przygotować Claire śniadanie do szkoły. Ta dziewczyna je więcej niż niektórzy dorośli mężczyźni. Dzwoni telefon. Rzucam wszystko i idę odebrać. Jakiś facet mówi: „Pani Dugan?" „Tak", odpowiadam. „Pani Dugan, dzwonię z policji miejskiej w Baltimore. Chodzi o pani córkę Muriel". „Boże!", myślę sobie. Serce mi zamiera i muszę usiąść. Jestem w płaszczu, a na głowie mam chustkę od deszczu, więc nawet dobrze nie słyszę, ale nie przyszło mi na myśl, żeby ją zdjąć. Kompletnie zgłupiałam. To był taki deszczowy dzień, jakby ktoś celowo wylewał na człowieka kubły wody. Myślę sobie: „Och, mój Boże, co ta Muriel zrobiła i..."

— Lilian, zbaczasz z tematu — wtrącił się pan Dugan.

— Jak możesz tak mówić? Opowiadam mu o wypadku Muriel.

— On nie ma ochoty wysłuchiwać wszystkich „Och, mój Boże". Chce wiedzieć, dlaczego nie może kupić małolitrażowego samochodu. Ta dama nagle skręca w lewo przed samochodzikiem doktora Kane'a i on nie ma wyboru — musi na nią wjechać. On miał pierwszeństwo. Chcesz wiedzieć, Macon, co się dalej stało? Jego samochodzik jest kompletnie skasowany. Małe cholerne pinto. A wielki, stary chrysler tej damulki ma tylko trochę wgięty błotnik, No i powiedz mi, że nadal chcesz kupić małolitrażowy samochód.

— Ale ja nie...

— A poza tym doktor Kane już nigdy nie zaproponował, że ją odwiezie do domu, nawet jak sobie kupił nowy samochód — dodała pani Dugan.

— Nie mieszkamy po sąsiedzku, mamo.

— On jest kawalerem — poinformowała pani Dugan Macona. — Poznałeś go? Muriel mówi, że jest bardzo przystojny. Już pierwszego dnia swojej pracy to powiedziała. „Wyobraź sobie, mamo — dzwoni do mnie — wyobraź sobie, mój szef jest kawalerem, jest bardzo przystojny, prawdziwy fachowiec, a dziewczęta mi mówią, że nie jest nawet zaręczony." A potem proponuje jej, że ją odwiezie do domu, po drodze mają ten wypadek i on już nigdy nie proponuje, że ją podwiezie. Nawet kiedy Muriel mu mówi, że nie ma samochodu, on i tak nie proponuje, że ją podwiezie.

— On mieszka aż w Towson — zezłościła się Muriel.

— Pewnie myśli, że jesteś pechowa.

— On mieszka w Towson, a ja przy Singleton Street! Czego się spodziewasz?!

— Potem kupił sportowego mercedesa — wtrąciła Claire.

— Właśnie, sportowe samochody — ożywił się pan Dugan. — W ogóle o nich nie rozmawiamy.

— Czy mogę wstać od stołu? — zapytał Aleksander.

— Naprawdę wiązałam z doktorem Kane'em wielkie nadzieje — powiedziała pani Dugan ze smutkiem.

— Och, mamo, przestań już!

— Ty też! Sama to mówiłaś!

— Lepiej byś przestała gadać i wypiła swojego drinka.

Pani Dugan potrząsnęła głową, ale upiła łyk likieru.

*

Wyjechali wczesnym wieczorem, kiedy zapadał zmrok, zrobiło się jeszcze zimniej, a powietrze było krystaliczne. Claire stała w drzwiach i wołała śpiewnie:

— Przyjedźcie niedługo! Dzięki za spódnicę! Wesołych świąt!

Pani Dugan dygotała obok niej w narzuconym na ramiona swetrze. Pan Dugan uniósł tylko ramię w geście pożegnania i zniknął — pewnie znowu poszedł sprawdzić rury w piwnicy.

Ruch był teraz większy. Na szosie jarzyły się światła samochodów. Radio dało sobie już spokój z Bożym Narodzeniem aż do następnego roku i grało „Pokaleczyłam sobie palce o kawałki twojego złamanego serca", a z tylnego siedzenia wtórował mu grzechot narzędzi.

— Macon, jesteś wściekły? — zapytała Muriel.

— Wściekły?

— Czy jesteś wściekły na mnie?

— Ależ nie.

Obejrzała się na Aleksandra i nie powiedziała nic więcej.

Kiedy dotarli na Singleton Street, było już zupełnie ciemno. Bliźniaczki Butlerów, okutane w identyczne kurtki w kolorze lawendy, stały na krawężniku i rozmawiały z dwoma chłopcami. Macon zaparkował i otworzył tylne drzwi dla Aleksandra, który zasnął z głową na piersi. Wziął go na ręce i zaniósł do domu. W salonie Muriel odłożyła pakunki — pudło z narzędziami, nową grę Aleksandra i ciasto wmuszone im przez panią Dugan — po czym udała się na górę za Maconem, który szedł bokiem, żeby Aleksander nie zawadzał nogami o ścianę. Weszli do mniejszej sypialni i Macon położył chłopca na łóżku.

— Wiem, co myślisz — powiedziała Muriel, zdejmując synowi buty. — Myślisz sobie: „No, teraz rozumiem, ta Muriel po prostu chciała złapać pierwszego z brzegu faceta". Prawda?

Macon milczał. Obawiał się, że obudzą Aleksandra.

— Wiem, co myślisz!

Otuliła Aleksandra i zgasiła światło. Ruszyli na dół.

— Ale to nieprawda, przysięgam. Oczywiście, ponieważ był kawalerem, to taka możliwość przyszła mi do głowy. Czy mam oszukiwać, że nie? Jestem całkiem sama i wychowuję dziecko. Z trudem sobie radzę finansowo. Oczywiście przyszło mi to do głowy!

— To zrozumiałe — powiedział Macon łagodnie.

— Ale to nie było tak, jak wyglądało w jej wersji.

Tuptała za nim przez salon. Kiedy usiadł na kanapie, przysiadła obok, nie zdjąwszy płaszcza.

— Zostaniesz? — zapytała.

— Jeśli nie jesteś zbyt śpiąca.

Zamiast odpowiedzi oparła głowę o kanapę.

— Chodzi mi o to, czy dajesz sobie ze mną spokój. Czy zamierzasz przestać się ze mną widywać.

— Dlaczego miałbym przestać się z tobą widywać?

— Bo tak niekorzystnie wyglądam w jej opowieści.

— Nie wyglądasz niekorzystnie.

— Nie?

Kiedy była zmęczona, skóra twarzy jakby opinała się jej na kościach. Przycisnęła powieki opuszkami palców.

— Zeszłe święta — zmienił temat Macon — były pierwszymi bez Ethana. To było bardzo trudne.

Często rozmawiał z nią o Ethanie. Dobrze mu robiło wymawianie na głos jego imienia.

— Nie umieliśmy już spędzać świąt bez dziecka — ciągnął: — Myślałem: „Przecież zanim się urodził, jakoś sobie radziliśmy, no nie?" Ale już nie pamiętałem jak. Wydawało mi się, że mieliśmy go zawsze; kiedy ma się dzieci, myśl, że kiedyś nie istniały, wydaje się nieprawdopodobna. Zauważyłem, że kiedy wspominam swoje dzieciństwo, wydaje mi się, że Ethan był obecny nawet wtedy, tylko jeszcze go nie było widać albo coś w tym rodzaju. No, tak. Postanowiłem, że powinienem dać Sarze mnóstwo prezentów, więc na dzień przed świętami pojechałem do Hutzlera i nakupiłem wszelkich bzdur, różnej tandety itd. A Sara wybrała drugą krańcowość: nie kupiła niczego. No i siedzimy, oboje z poczuciem, że wszystko popsuliśmy, że postąpiliśmy niewłaściwie, ale że i druga strona zrobiła wszystko nie tak. Nie wiem. To były okropne święta.

Odgarnął jej włosy z czoła.

— Te były lepsze — zakończył.

Otworzyła oczy i przyglądała mu się przez chwilę. Potem wsunęła rękę do kieszeni, wyjęła coś i podała mu, tuląc w dłoni jak tajemnicę.

— To dla ciebie — powiedziała.

— Dla mnie?

— Chcę, żebyś to miał.

Była to fotka z jej rodzinnego albumu: Muriel gramoląca się z kojca.

Uznał, że chciała mu dać coś najlepszego z siebie. I tak zrobiła. Ale tym, co w niej najlepsze, nie była wcale fryzura à la Shirley Temple, lecz jej zawziętość — jej zacięta, wojownicza pasja, z jaką torowała sobie drogę do obiektywu, z przekrzywioną brodą i jasnymi, pełnymi zdecydowania oczami jak szparki. Podziękował i powiedział, że zachowa to zdjęcie na zawsze.

XIV

Można powiedzieć, że teraz już z nią mieszkał. Zaczął spędzać w jej domu cały czas, dawał pieniądze na czynsz i zakupy. Trzymał w jej łazience swoje przybory do golenia i wcisnął do szafy swoje ubrania pomiędzy jej sukienki. Ale ta zmiana nie dokonała się w jakimś określonym momencie. Była to raczej sytuacja, która zmieniała się z dnia na dzień. Najpierw te długie ferie na Boże Narodzenie, kiedy Aleksander był sam w domu. No to może Macon mógłby z nim zostać, skoro spędził tam noc? A może by tak przenieść jego maszynę do pisania, żeby mógł pracować przy kuchennym stole? A może by tak został na kolację, a potem na noc?

Jeśli jednak upierać się przy konkretnej dacie, można uznać, że naprawdę wprowadził się tego popołudnia, kiedy przywiózł tam Edwarda. Właśnie wrócił z kolejnej służbowej podróży — wyczerpującej gonitwy po pięciu południowych miastach, z których żadne nie było cieplejsze niż Baltimore — i zatrzymał się przed domem Rose, żeby sprawdzić, jak się mają zwierzęta. Kotka, jak powiedziała Rose, czuła się znakomicie. (Musiała mówić przekrzykując skowyt Edwarda, który oszalał z radości i poczucia ulgi.) Kotka zapewne w ogóle nie zauważyła, że Macona nie ma. Ale Edward... no, cóż...

— Większość czasu spędza siedząc w holu — oznajmiła Rose — i wpatruje się w drzwi. Przekrzywia łepek i czeka, aż wrócisz.

To zadecydowało. Jadąc na Singleton Street, Macon zabrał ze sobą Edwarda.

— Jak myślisz? — zapytał Muriel. — Czy moglibyśmy go zatrzymać na dzień lub dwa? Zobaczymy, czy Aleksander to zniesie bez brania zastrzyków.

— Jasne, że zniosę! — stwierdził Aleksander. — Jestem uczulony na koty, nie na psy.

Muriel miała minę wyrażającą pewne wątpliwości, ale powiedziała, że mogą spróbować.

Edward tymczasem biegał jak wariat po domu, węsząc pod meblami i po kątach. Potem usiadł przed Muriel i dosłownie uśmiechnął się do niej. Przypomniał Maconowi ucznia, który jest zadurzony w nauczycielce — spełniły się jego marzenia i oto nareszcie jest tutaj!

Przez kilka pierwszych godzin usiłowali trzymać go w oddzielnej części domu, co było, rzecz jasna, z góry przegraną sprawą. Pies chodził wszędzie za Maconem, a poza tym natychmiast zainteresował sie Aleksandrem. Nie mając piłki, przynosił chłopcu pod nogi różne drobne przedmioty, po czym cofał się i patrzył mu w oczy z nadzieją.

— On chce, żebyś się z nim bawił w „przynieś" — wyjaśnił Macon.

Aleksander wziął pudełko zapałek i rzucił je, wyginając sztywno i nienaturalnie ramię. Kiedy Edward popędził i natychmiast je rozerwał, Macon zanotował sobie w pamięci, że musi jak najszybciej kupić piłkę i nauczyć chłopca, jak się nią rzuca.

Aleksander oglądał telewizję, a Edward drzemał obok niego na kanapie, zwinięty jak mała jasna kulka, z przymrużonymi ślepiami i pełnym rozkoszy wyrazem pyska. Aleksander tulił go i chował twarz w jego sierści.

— Uważaj — ostrzegł go Macon, bo nie miał pojęcia, co robić, gdyby Aleksander zaczął się dusić. Ale Aleksander nie dostał duszności. Wieczorem, przed pójściem do łóżka, miał tylko zatkany nos, co było u niego normalne.

Macon pragnął wierzyć, że Aleksander nie wie, iż on i Muriel sypiają ze sobą.

— To naprawdę śmieszne — powiedziała Muriel. — Myślisz, że on uważa, iż spędzasz noce na kanapie w salonie?
— Być może — odparł. — Jestem pewien, że ma na to jakieś wyjaśnienie. A może nie ma. Twierdzę tylko, że nie powinniśmy go o tym informować wprost. Niech sobie myśli, co chce.

Tak więc co rano Macon wstawał i ubierał się, kiedy Aleksander jeszcze spał. Zaczynał przygotowywać śniadanie i wówczas go budził.

— Siódma! Pora wstawać! Idź, zawołaj matkę, dobrze?

Dowiedział się, że dawniej Muriel często zostawała w łóżku, podczas gdy Aleksander sam wstawał i wybierał się do szkoły. Czasami wychodził z domu, kiedy ona jeszcze spała. Macon uważał, że to szokujące. Teraz on robił pełne śniadanie i nalegał, aby siadła z nimi przy stole. Muriel twierdziła, że śniadanie szkodzi jej na żołądek. Aleksander też tak mówił, ale Macon oznajmił, że trudno.

— Dziewięćdziesiąt osiem procent uczniów, którzy zdają egzaminy „A", jada rano jajka — argumentował (wymyślając dalsze rewelacje w trakcie opowieści). — Dziewięćdziesiąt dziewięć pija mleko. — Rozwiązał fartuch i usiadł. — Słuchasz mnie, Aleksandrze?

— Jeśli wypiję mleko, zwymiotuję.

— To twoje urojenia.

— Powiedz mu, mamo!

— Faktycznie, zwymiotuje — potwierdziła Muriel ponuro. Siedziała skulona przy stole w swojej długiej jedwabnej szacie i podpierała brodę dłonią. — To ma coś wspólnego z enzymami — dodała i ziewnęła. Włosy, które odrosły i nie było na nich wreszcie trwałej, spływały jej po plecach w równych falach niby zagięcia na wsuwce do włosów.

Aleksander chodził do szkoły z Buddym i Sissy Ebbettsami, dwojgiem dzieci z przeciwka, które wyglądały na łobuziaków. Muriel, zależnie od dnia, albo wracała do łóżka, albo ubierała się i wychodziła do którejś ze swoich prac. Potem Macon mył naczynia i wyprowadzał Edwarda na spacer. Nie chodzili daleko, bo było za zimno. Nieliczni przechodnie szli szybko, podrygując niby bohaterowie niemego filmu. Znali już Macona z widzenia i mijając go rzucali mu spojrzenie, któremu towarzyszyło kiwnięcie głową, ale się nie odzywali. Edward ich ignorował. Inne psy mogły podejść i obwąchać go, a on nawet nie zmieniał kroku. Pan Marcusi, który rozładowywał skrzynki przed swoim sklepem, mawiał: „Cześć, serdelku! Witaj, kicho tłuszczu!" Edward, zadowolony z siebie, maszerował udając, że nie słyszy. „Najdziwniejsze zwierzę, jakie widziałem w życiu!" — wołał pan Marcusi w ślad za Maconem. — „Wyglądała jak coś, co zostało źle narysowane." Macon zawsze się z tego śmiał.

Zaczynał się tu czuć swobodniej. Singleton Street nadal denerwowała go swoją nędzą i brzydotą, ale nie wydawała mu się już tak niebezpieczna. Dostrzegł, że chuligani stojący przed bramą „Cheery Moments", gdzie można było brać dania na wynos, są żałośnie młodzi i obdarci, mają popękane wargi, niewprawnie ogolone rzadkie wąsy, a z oczu wyziera im niepewność i brak dojrzałości. Zauważył, że kiedy mężczyźni wyjdą do pracy, kobiety wyłaniają się z domów pełne dobrych zamiarów i zamiatają chodniki przed wejściami, zbierają puszki po piwie i torebki po frytkach, a nawet zawijają rękawy płaszczy i szorują schodki w najzimniejsze dni roku. Dzieciaki biegały jak niesione wiatrem kawałki papieru, w rękawiczkach nie do pary, z cieknącymi nosami, a któraś z kobiet opierała się na szczotce i wołała: „Hej, ty! Widzę cię! Dobrze wiem, że urwałeś się ze szkoły!" Macon spostrzegł, że ta ulica wiecznie osuwa się i jakby zapada, ale zawsze ratują ją w porę te kobiety o ostrych głosach, wtrącające się we wszystko.

Wróciwszy do domu Muriel, rozgrzewał się filiżanką kawy. Stawiał maszynę na kuchennym stole i zasiadał obłożony broszurami i notatkami. Okno, przy którym stał stół, miało duże zamglone szyby, które brzęczały przy każdym powiewie wiatru. Dźwięk ten przypominał mu podróż pociągiem. Pewnego razu, gdy akurat wystukał na maszynie zdanie „Lotnisko w Atlancie ma chyba z dziesięć mil korytarzy", podmuch wiatru zabrzęczał szybami i Macon przez chwilę miał niesamowite wrażenie ruchu, jak gdyby popękana, pokryta linoleum podłoga usuwała mu się spod nóg.

Telefonował do hoteli, moteli, wydziału handlu i do swojego biura podróży; organizował przyszłe wyjazdy. Notował wszystkie ustalenia w notatniku, który Julian dawał mu w każde święta Bożego Narodzenia — był to produkt „Prasy Biznesmena", ze spiralnym drucikiem łączącym kartki. Z tyłu zamieszczono różne przydatne informacje, które lubił przeglądać. Kamieniem urodzonych w styczniu był granat, a w lutym — ametyst. Jedna mila kwadratowa równała się 2,59 kilometra kwadratowego. Właściwym prezentem na pierwszą rocznicę ślubu jest przedmiot zrobiony z papieru. Z rozmarzeniem dumał nad tymi faktami. Wydawało mu się, że świat jest pełen znaków równania, że na wszystko musi być odpowiedź, o ile się wie, jak zadać pytanie.

Nadchodziła pora lunchu, więc odkładał robotę i przygotowywał sobie kanapkę albo podgrzewał zupę z puszki i wypuszczał Edwarda na krótki wypad po małym podwórku. Potem lubił krzątać się trochę po domu. Tyle rzeczy wymagało naprawy! A wszystko to było czyjeś, nie dotyczyło jego, więc mógł do tego podchodzić niefrasobliwie. Pogwizdywał badając głębokość pęknięcia i nucił wędrując po piwnicy i kręcąc głową na widok panującego tam bałaganu. Na górze znalazł biurko o trzech nogach, podparte puszką pomidorów. „Skandaliczne!" — powiedział wtedy do Edwarda tonem pełnym satysfakcji.

Oliwiąc zawiasy lub mocując klamkę uzmysławiał sobie, że ten dom nie daje prawie żadnego pojęcia o Muriel. Mieszkała tu już ze sześć czy siedem lat, ale nadal panowała w nim atmosfera tymczasowości. Jej rzeczy były umieszczone pospiesznie, zwalone jedne na drugie, i miały z nią niewiele wspólnego. Macon doznawał pewnego zawodu: bardzo interesowała go jej osobowość, a tu nie mógł zaspokoić swej ciekawości. Polerując szufladę rzucał pełne poczucia winy spojrzenie na jej zawartość, ale znajdował jedynie szale z frędzlami i pożółkłe niciane rękawiczki z lat czterdziestych, które były kluczem do życia innych ludzi, nie jej.

Ale co chciał wiedzieć? Muriel była jak otwarta książka i potrafiła mu powiedzieć wszystko — nawet to, o czym wolałby nie wiedzieć. Nie usiłowała też ukrywać swojej prawdziwej natury, która była daleka od ideału. Okazało się, że potrafi być wredna, że ma ostry język i że łatwo wpada w nastrój obrzydzenia do siebie, z którego nie sposób jej wyciągnąć przez wiele godzin. Jej brak konsekwencji w stosunku do Aleksandra graniczył z szaleństwem — stawała się albo nadopiekuńcza, albo nieczuła i obojętna. Była oczywiście inteligentna, ale zarazem nieludzko przesądna — Macon nigdy nie widział czegoś podobnego. Nie było dnia, żeby mu nie opowiedziała wyczerpująco i szczegółowo jakiegoś snu, a potem doszukiwała się w nim różnych znaków. (Mówiła, że sen o białych statkach na czerwonym morzu sprawdził się już następnego dnia, kiedy pojawił się sprzedawca domokrążca w czerwonym swetrze w małe białe łódki. „Taki sam odcień czerwieni! Taki sam kształt statków!" Macon zastanawiał się tylko, jaki komiwojażer włożyłby na siebie takie ubranie.) Wierzyła w horoskopy, karciane wróżby tarota i plakietki Ouija.* Jej magiczną liczbą było siedemnaście. W poprzednim wcieleniu występowała jako projektantka mody i przysięgała, że potrafi sobie przypomnieć przynajmniej jedną ze swych śmierci. („Sądzimy, że odeszła" — powiedziano doktorowi, kiedy się pojawił; zdejmował wtedy szalik.) Była religijna na bezwyznaniowy sposób i nie miała żadnych wątpliwości, że Bóg osobiście się nią opiekuje, co brzmiało dla Macona jak ironia, jeśli się wzięło pod uwagę, że musiała wręcz walczyć o każdą rzecz, której zapragnęła.

Wiedział to wszystko, a mimo to, kiedy znajdował na stole złożoną kartkę papieru, rozkładał ją i pożerał wzrokiem jej pochyłe pismo, jak gdyby była kimś całkiem obcym. „Precle. Rajstopy. Dentysta. Odebrać pranie pani Arnold."

Nie, to nie o to mu chodziło. Nie o to.

O trzeciej Aleksander wrócił ze szkoły i otwierał właśnie drzwi kluczem, który nosił na sznurowadle na szyi.

— Macon? — zawołał tytułem próby. — To ty?

Bał się włamywaczy.

---

* Ouija — znak firmowy karty z alfabetem i innymi symbolami oraz deseczką dla medium, która podobno przy dotknięciu palcami porusza się, ukazując na tabliczce przekazy spirytualistyczne i telepatyczne (przyp. tłum.).

— To ja — odpowiedział Macon, a Edward zerwał się i pobiegł po swoją piłkę.

— Jak minął dzień? — zapytał jak zwykle Macon.

— W porządku.

Ale Macon miał wrażenie, że w szkole nigdy nie szło chłopcu zbyt dobrze. Wychodził z niej z twarzą bardziej zaciętą niż zwykle, a jego okulary nosiły mnóstwo śladów palców. Przywodził na myśl wypracowanie domowe, które wymazano, a potem przepisywano zbyt wiele razy. Z drugiej strony, ubranie miał tak samo porządne jak rano, kiedy wychodził do szkoły. Ach, te ubrania! Nieskalane koszulki polo w drobne brązowe prążki, dopasowane do brązowych spodni ściągniętych szerokim skórzanym paskiem. Błyszczące brązowe buty. Olśniewająco białe skarpetki. Czy on się nigdy nie bawi? Czy dzieci nie mają już przerw?

Macon dał mu mleko i ciasteczka. (Aleksander po południu pijał mleko bez żadnych protestów.) Potem pomógł mu z pracą domową. Była bardzo prosta — dodawanie i odpowiadanie na pytania. „Dlaczego Joe potrzebował dziesięciu centów? Gdzie jest tata Joe'ego?"

— Mhmm... — mruczał chłopiec, a na skroniach pulsowały mu błękitne żyłki.

Macon uważał, że Aleksander nie jest głupim dzieckiem, tylko nie potrafi przekroczyć pewnych granic. Nawet jego sposób chodzenia był pełen zahamowań, a uśmiech nigdy nie odważył się wyjść poza dwie niewidoczne linie pośrodku twarzy. To nie znaczy, że teraz się uśmiechał. Marszczył czoło i z lękiem spoglądał na Macona.

— Zastanów się — poprosił Macon. — Nie ma pośpiechu.

— Ale nie potrafię! Nie wiem! Nie wiem!

— Pamiętasz Joe'ego — powiedział Macon cierpliwie.

— Chyba nie!

Czasami Macon upierał się, a kiedy indziej po prostu dawał spokój. Przecież do tej pory Aleksander radził sobie bez niego, prawda? Miał dosyć wygodną sytuację — Aleksander nie był jego dzieckiem. Macon czuł się z nim związany na wiele skomplikowanych sposobów, ale nie w tak nierozłączny i nieunikniony sposób, jak z Ethanem. Mógł jeszcze odsunąć się od Aleksandra i dać sobie z nim spokój. Mógł powiedzieć: „No cóż, omów to jutro ze swoim nauczycielem". I mógł zacząć myśleć o czymś innym.

Uprzytomnił sobie, że różnica polega na tym, iż tutaj nie obarczano go odpowiedzialnością. Ta świadomość stanowiła dużą ulgę.

Kiedy Muriel wróciła do domu, wniosła świeże powietrze, ruch i podniecenie.

— Ależ zimno! I wietrznie! W radiu mówią, że w nocy będzie minus dwadzieścia. Edward, leżeć! Kto chce ciasto cytrynowe na deser? Opowiem wam, co się zdarzyło. Musiałam zrobić zakupy dla pani Quick. Najpierw kupiłam pościel dla jej córki, która wychodzi za mąż, potem musiałam ją zwrócić, bo była w nieodpowiednim kolorze — córka nie chciała pastelowych kolorów, tylko biały, i twierdziła, że wyraźnie mówiła to matce... A potem musiałam odebrać ciasteczka na przyjęcie dla koleżanek panny młodej i kiedy pani Quick zobaczyła ciasto cytrynowe, powiedziała: „Ach, tylko nie cytrynowe! Nie to lepkie cytrynowe ciasto, które smakuje jak sztuczna oranżada w proszku". Ja na to: „Pani Quick, nie musi mi pani mówić, co jest lepkie. To świeże cytrynowe, bezowe ciasto, bez odrobiny sztucznych..." Krótko mówiąc, powiedziała, żebym zabrała to do domu dla synka. „Jestem pewna, że on tego nie będzie mógł zjeść — mówię — bo ma uczulenie." Ale wzięłam.

Kręciła się po kuchni przygotowując kolację — jak zwykle kanapki z bekonem, sałatą i pomidorem oraz warzywa z puszki. Nie mogła znaleźć niektórych rzeczy na właściwym miejscu (była to robota Macona, który nie potrafił się powstrzymać, żeby nie dokonywać zmian), ale przyjmowała to pogodnie. Podczas gdy na patelni skwierczał bekon, jak zwykle zatelefonowała do matki i opowiadała to samo, co przed chwilą mówiła Maconowi i Aleksandrowi. „Ale córka chciała białą i..." „Ach, tylko nie to lepkie cytrynowe ciasto — mówi..."

Jeśli pani Dugan nie mogła podejść do telefonu (co się często zdarzało), Muriel rozmawiała z Claire. Dziewczyna miała najwyraźniej kłopoty w domu. „Powiedz im! — radziła jej Muriel. — Po prostu im powiedz! Powiedz, że nie pozwolisz na to." Przyciskając słuchawkę ramieniem do ucha, otwierała szufladę i wyjmowała noże i widelce. „A czemu mieliby wiedzieć o wszystkim, co robisz? To, że nie robisz nic złego, nie ma znaczenia, Claire. Powiedz im: Mam siedemnaście lat i to nie wasza sprawa, co robię. Jestem prawie dorosłą kobietą."

Ale potem, kiedy pani Dugan podchodziła wreszcie do telefonu, Muriel sama mówiła jak małe dziecko. „Mamuś? Czemu nie mogłaś podejść od razu? Nie możesz zamienić paru słów z córką, bo w radiu idzie twoja ulubiona melodia? To «Piosenka Lary» jest ważniejsza niż rodzina?"

Nawet po odłożeniu słuchawki Muriel rzadko koncentrowała się na kolacji. Czasami wpadała (i zostawała, przyglądając się, jak jedzą) jej przyjaciółka — gruba młoda kobieta o imieniu Bernice, która pracowała dla firmy energetycznej. Albo sąsiedzi pukali do drzwi kuchennych i natychmiast wchodzili. „Muriel, może masz kupon na rajstopy ze wzmocnionym pasem? Ty jesteś taka młoda i szczupła, że na pewno nie potrzebujesz go dla siebie." „Muriel, w sobotę rano idę do dentysty, mogłabyś mnie podwieźć?" Muriel była na tej ulicy swoistym dziwolągiem: kobieta jeżdżąca własnym samochodem. Wszyscy znali skomplikowane układy z chłopcem, który naprawiał jej wóz. W niedzielę, kiedy Dominik dostawał auto na cały dzień, nikt jej nie zawracał głowy, ale już od poniedziałku tłoczyli się z różnymi prośbami. „Lekarz chce, żebym przyszła i pokazała mu moje..." „Obiecałam, że zabiorę dzieci do..."

Jeśli Muriel nie mogła tego zrobić, nigdy nie prosili Macona. Był nadal kimś obcym; rzucali mu szybkie spojrzenia, ale udawali, iż nie zauważają, że słucha rozmowy. Nawet Bernice była wobec niego skrępowana i unikała zwracania się doń po imieniu.

Kiedy w telewizji miały być ogłaszane numery loterii, wszyscy wychodzili. Macon odkrył, że najważniejszy jest tutaj program telewizyjny. Wiadomości można było opuścić, ale nie losowanie loterii; trzeba też było obejrzeć „Magazyn wieczorny" i różne seriale sensacyjne, które pokazywano po nim.

Aleksander oglądał te programy, ale Muriel nie, mimo że twierdziła, iż ogląda. Siadała na kanapie przed telewizorem i rozmawiała, malowała paznokcie albo czytała jakiś artykuł.

— Popatrz no! „Jak powiększyć obwód biustu."

— Przecież nie chcesz powiększać obwodu biustu — powiedział Macon.

— „Gęstsze, wspanialsze rzęsy już po sześćdziesięciu dniach."

— Nie potrzebujesz mieć gęstszych rzęs.

Zadowalało go wszystko w takiej formie, w jakiej istniało. Był jak gdyby zawieszony, a jego życie wydawało się wyczekiwaniem na coś.

Później zabierał Edwarda na ostatni spacer. Lubił tę dzielnicę o wieczornej porze. Nie widać było gwiazd, tylko blade, perłowe i nieprzejrzyste niebo. Budynki miały ciemne, niewyraźne kształty. Sączyły się z nich ciche odgłosy — muzyka, strzały strzelby, rżenie koni. Macon spojrzał w okno Aleksandra i ujrzał Muriel rozkładającą koc. Była delikatna i odległa, jak figurka z czarnego papieru.

Pewnej środy rozpętała się gwałtowna zadymka śnieżna; zaczęła się rano i trwała przez cały dzień. Śnieg padał grubymi płatami przypominającymi białe wełniane rękawiczki. Zakrył brudne płachty śniegu z wcześniejszych śnieżyc, wygładził ostre kąty ulic i ukrył pojemniki na śmiecie pod puszystymi kopułami. Nawet kobiety zamiatające co godzinę schodki przed domem nie nadążały z robotą, więc pod wieczór dały sobie spokój. Panowała kompletna cisza.

Następnego ranka Macon obudził się późno. Strona łóżka, po której sypiała Muriel, była pusta, ale włączone przez nią radio nadal grało. Spiker o zmęczonym głosie odczytywał komunikaty: zamknięto szkoły, fabryki, nie prowadzono „posiłków na kółkach". Macon był pod wrażeniem mnóstwa działań, jakie ludzie zaplanowali na ten jeden dzień — obiady, wykłady i zebrania protestacyjne. Co za energia i siła ducha! Czuł się niemal dumny, mimo że nie zamierzał brać udziału w żadnym z tych przedsięwzięć.

Po chwili zdał sobie sprawę, że słyszy na dole głosy. Aleksander pewnie już wstał, a on tkwi tu, uwięziony w sypialni Muriel.

Ubrał się błyskawicznie, sprawdzając, czy teren jest „czysty", po czym poszedł do łazienki. Starał się tak iść, żeby schody nie skrzypiały. W salonie było nienaturalnie jasno, bo odbijał się w nim leżący na dworze śnieg. Kanapa nadal stała rozłożona i zarzucona pościelą i kocami. Przez kilka ostatnich nocy sypiała tu Claire. Macon podążył śladem głosów do kuchni. Zastał Aleksandra jedzącego naleśniki, Claire przy piecu smażącą dalsze, a Muriel skuloną w zwykłym porannym ponurym nastroju nad filiżanką kawy. Przy tylnych drzwiach stała Bernice, z której spadały wielkie płaty śniegu.

— W każdym razie — mówiła Claire do Bernice — mama pyta: „Claire, kim jest ten chłopak, z którym przyjechałaś?" A ja na to: „To nie był chłopak, tylko Josie Tapp, która ostrzygła sobie włosy na punka". A mama: „Myślisz, że uwierzę w takie banialuki!" Na to ja: „Mam tego dość! Wymuszanie zeznań, godzina policyjna, podejrzenia!" No więc wyszłam z domu i wsiadłam w autobus, który mnie przywiózł tutaj.

— Oni się martwią, że staniesz się taka jak Muriel — powiedziała Bernice.

— Ale Josie Tapp! Na Boga!

Wszyscy zwrócili się nagle w stronę Macona.

— Cześć, Macon — rzuciła Claire. — Chcesz naleśnika?

— Nie, dzięki, tylko szklankę mleka.

— Są dobre i gorące.

— Macon uważa, że cukier na pusty brzuch powoduje wrzody — odezwała się Muriel. Objęła filiżankę obiema dłońmi.

— Ja za to nie odmówię — stwierdziła Bernice i przeszła przez kuchnię, żeby wyciągnąć krzesło. Jej buty zostawiały przy każdym kroku placki śniegu; Edward dreptał za nią i zlizywał je. — Powinniśmy zrobić bałwana — powiedziała do Aleksandra. — Jest chyba ponad metr śniegu.

— Czy oczyszczono ulice? — zapytał Macon.

— Żartujesz?

— Nie mogli nawet dotrzeć z gazetą — oznajmił Aleksander. — Edward oszaleje, bo nie będzie wiedział, co się z nią stało.

— W całym mieście stoją porzucone samochody. Radio podało, że nikt się nigdzie nie wybiera.

Ledwie Bernice zdążyła to powiedzieć, Edward pobiegł do tylnych drzwi i zaczął szczekać. Na zewnątrz majaczyła jakaś postać.

— Kto to? — zapytała Bernice.

Muriel tupnęła nogą na Edwarda. Położył się, ale nadal szczekał. Macon otworzył drzwi i stanął twarzą w twarz ze swoim bratem Charlesem, wyglądającym niezwykle dziarsko w czapce z daszkiem i nausznikami.

— Charles? — zdziwił się Macon. — Co ty tu robisz?

Charles wszedł do kuchni, wnosząc ze sobą świeży zapach śniegu. Szczekanie Edwarda przeszło w powitalne skomlenie.

— Przyjechałem, żeby cię zabrać — powiedział Charles. — Nie mogłem się do ciebie dodzwonić.

— Zabrać mnie? Po co?

— Dzwonił twój sąsiad Garner Bolt i mówił, że w domu pękły rury czy coś, w każdym razie wszędzie jest pełno wody. Od wczesnego rana usiłowałem się z tobą skontaktować, ale telefon był cały czas zajęty.

— To ja — wtrąciła Claire, stawiając talerz z naleśnikami. — Odłożyłam słuchawkę, żeby rodzice nie dzwonili i nie sztorcowali mnie.

— Siostra Muriel, Claire — przedstawił ją Macon — a to Aleksander i Bernice Tilghman. Mój brat Charles.

Charles wydawał się zdezorientowany.

W gruncie rzeczy nie łatwo było się połapać. Claire, jak zwykle, w różowym szlafroku narzuconym na spłowiałe dżinsy i w sięgających kolan mokasynach z frędzlami. Bernice wyglądała na drwala. Aleksander był czysty i porządnie ubrany, a Muriel w oblepiającej ciało, a zarazem luźnej jedwabnej szacie wyglądała niemal nieprzyzwoicie. Poza tym kuchnia była taka mała, że wydawało się, iż jest w niej więcej osób, niż faktycznie się znajdowało. Do tego Claire wymachiwała łopatką i rozsiewała w powietrzu drobinki tłuszczu.

— Może naleśnika? — zapytała Charlesa. — Albo sok pomarańczowy? Kawa?

— Nie, dziękuję — odparł Charles. — Naprawdę muszę...

— Założę się, że chcesz mleka — powiedziała Muriel. Wstała, pamiętając na szczęście o tym, żeby zgarnąć poły szlafroka. — Założę się, że nie chcesz cukru na pusty żołądek.

— Nie, naprawdę, ja...

— To żaden kłopot! — Wyjęła z lodówki karton mleka.

— Jak się tu dostałeś?

— Przyjechałem samochodem.

— Myślałam, że ulice są nieprzejezdne.

— Nie było tak źle. — Charles wziął szklankę mleka do ręki. — Najtrudniej było znaleźć to miejsce. Sprawdziłem na mapie, ale pewnie się kropnąłem.

— Kropnąłem? — zapytała Muriel.

— Pojechał złą drogą — wyjaśnił Macon. — Co dokładnie mówił Garner?

— Powiedział, że widział, jak po wewnętrznej stronie okna w salonie spływa woda. Zajrzał i zobaczył, że kapie z sufitu. Powiedział, że to może trwać od kilku tygodni. Pamiętasz te mrozy w Boże Narodzenie.

— Nie brzmi to dobrze — stwierdził Macon.

Poszedł po płaszcz. Kiedy wrócił, Muriel mówiła:

— Teraz, kiedy już nie jesteś na czczo, Charles, może spróbujesz naleśnika usmażonego przez Claire.

— Ja zjadłam sześć — oświadczyła Bernice. — Nie na darmo nazywają mnie Bernice Wielka Dupa.

— Hmm... — chrząknął Charles i rzucił Maconowi bezradne spojrzenie.

— Musimy jechać — stwierdził Macon. — Charles, czy zaparkowałeś z tyłu domu?

— Nie, od frontu. Potem obszedłem dom, bo dzwonek nie działał.

W jego tonie brzmiał odcień rezerwy i dezaprobaty, ale Macon rzucił beztrosko:

— Ach, tak! Cały ten dom to ruina.

Poprowadził brata do frontowych drzwi. Czuł się jak człowiek, który demonstruje, że doskonale sobie radzi z tubylcami.

Z pewnym trudem otworzyli drzwi i ugrzęźli w śniegu na schodkach, po czym praktycznie zjechali z nich, mając nadzieję, że uda im się miękko wylądować. Śnieg błyszczał i skrzył się w promieniach słońca. Niezgrabnie brnęli ku ulicy; buty Macona były pełne śniegu — odświeżająca ostrość natychmiast zmieniała się w nieprzyjemną wilgoć.

— Chyba powinniśmy wziąć oba samochody — zaproponował Macon.

— Jak to?

— Nie chcesz chyba być zmuszony wracać tutaj.

— Ale jeśli weźmiemy jeden, to któryś z nas może prowadzić, a drugi pchać, gdybyśmy ugrzęźli.

— To weźmy mój.

— Ale mój jest już oczyszczony i odkopany.

— Ale moim mogę cię podrzucić do domu i oszczędzić ci drogi tutaj.

— Ale wtedy mój samochód zostanie na łasce losu na Singleton Street.

— Mógłbym ci go odprowadzić, jak odśnieżą.

— Ale mój ma już rozgrzany silnik!

Czy tak wyglądały ich rozmowy przez wszystkie minione lata? Macon zaśmiał się krótko, ale Charles w napięciu czekał na jego odpowiedź.

— Dobrze, weźmy twój — zgodził się Macon. Wsiedli do volkswagena Charlesa.

Rzeczywiście wszędzie było pełno porzuconych samochodów; stały w wielu miejscach — bezkształtne białe kopce zwrócone w różne strony. Ulica przypominała rzekę pełną dryfujących łodzi. Charles sprawnie poruszał się między nimi. Jechał powoli, w równym tempie, i mówił o ślubie Rose.

— Powiedzieliśmy jej, że kwiecień jest zbyt niepewny. Radziliśmy zaczekać, skoro tak bardzo chce mieć ślub na świeżym powietrzu. Ale Rose stwierdziła, że zaryzykuje. Jest pewna, że pogoda będzie znakomita.

Jadący przed nimi, pokryty śniegiem dżip — jedyny poruszający się pojazd, jaki spotkali — nagle ześliznął się na bok. Charles wyminął go sprawnie długim, łagodnym łukiem.

— A gdzie będą mieszkać? — zapytał Macon.

— Myślę, że u Juliana.

— W domu dla samotnych.

— Nie, on ma teraz inne mieszkanie w pobliżu Belvedere.

— Rozumiem — powiedział Macon, ale trudno mu było wyobrazić sobie Rose gdziekolwiek poza domem dziadków, z jego charakterystycznymi gzymsami oraz oknami z ciężkimi zasłonami.

W całym mieście ludzie odkopywali śnieg i drążyli tunele do swoich samochodów, czyścili przednie szyby i odśnieżali chodniki. Panował prawie świąteczny nastrój — wszyscy machali do siebie i nawoływali się wzajemnie. Jakiś mężczyzna, który oczyścił nie tylko swój podjazd, ale i część ulicy, wykonywał taniec na mokrym betonie, a kiedy Charles i Macon przejeżdżali obok, zatrzymał się i zawołał:

— Zwariowaliście? Podróżować w takich warunkach?

— Muszę przyznać, że biorąc pod uwagę sytuację jesteś niezwykle spokojny — stwierdził Charles.

— Jaką sytuację?

— Myślę o twoim domu. Woda leje się z sufitu nie wiadomo od jak dawna.

— Ach, o to chodzi... — Macon pomyślał, że faktycznie, dawniej bardzo by się tym zdenerwował.

Jechali teraz North Charles Street, która była już oczyszczona przez pługi. Macona uderzyła przestrzeń — budynki stojące daleko od siebie, a pomiędzy nimi łagodnie opadające duże trawniki. Nigdy przedtem tego nie zauważył. Pochylił się do przodu, żeby spojrzeć na boczne uliczki. Były nadal pokryte śniegiem. A kilka kwartałów dalej, kiedy Charles skręcił w ulicę w pobliżu domu Macona, ujrzeli dziewczynkę na nartach.

Dom wyglądał tak jak zawsze, choć w porównaniu ze śniegiem był jakby trochę przybrudzony. Przez chwilę siedzieli w samochodzie i przyglądali mu się.

— No, ruszajmy — powiedział wreszcie Macon i wysiedli.

Widać było, którędy Garner Bolt dreptał przez podwórko; tam, gdzie stanął, żeby zajrzeć przez okno, ujrzeli gęstwinę śladów. Ale na chodniku śnieg nie był udeptany i Macon poruszał się z trudem, bo miał buty na gładkich podeszwach.

Gdy tylko otworzył drzwi, usłyszeli szum wody. Z salonu dochodził odgłos spokojnego, równomiernego kapania — jak w oranżerii po podlaniu roślin. Charles, który wszedł pierwszy, wykrzyknął:

— O mój Boże!

Macon zatrzymał się za nim w holu.

Pewnie rura na górze (Macon był przekonany, że to ta w zimnej małej łazience obok dawnego pokoju Ethana) zamarzła i pękła, Bóg wie jak dawno temu, a woda lała się tak długo, aż przesiąkła przez sufit i zaczęła się przedostawać przez tynk. W całym pokoju padał deszcz. Kawały tynku spadały na meble, które stały się białe i zabryzgane. Deski podłogi były upstrzone plamami. Kiedy Macon stanął na dywanie, poczuł chlupotanie pod stopami. Zdumiewała go dokładność zniszczenia — żaden szczegół nie został przeoczony. Wszystkie popielniczki wypełniały mokre płaty tynku, wszystkie pisma rozmokły. Z tapicerki unosił się paskudny zapach.

— Co zamierzasz teraz zrobić? — zapytał nerwowo Charles.

Macon się opanował.

— Oczywiście wyłączę zawór wody.

— Ale twój salon!

Macon milczał. Chciał powiedzieć, że jego salon wygląda... tak jak należy. Byłoby jeszcze lepiej, gdyby został całkiem zmyty z powierzchni ziemi. (Wyobraził sobie dom sześć metrów pod wodą, niesłychanie czysty, jak zamek na dnie akwarium.)

Zszedł do piwnicy i zakręcił główny zawór, a następnie sprawdził zlew w pralni. Był suchy. Normalnie pozwalał, żeby z kranu sączyła się przez całą zimę woda, drobna strużka, która miała zapobiec pękaniu rur, ale w tym roku nie pomyślał

o tym, podobnie jak jego bracia, kiedy przyjechali włączy
piec.

Kiedy wrócił na górę, Charles powtarzał:

— To okropne! Okropne!

Ale przebywał w kuchni, gdzie wszystko było w porządku
Otwierał i zamykał drzwiczki szafek.

— Okropne, straszne!

Macon nie miał pojęcia, o co mu chodzi.

— Znajdę tylko jakieś suche buty i możemy jecha
— powiedział.

— Jechać? — zdziwił się Charles.

Macon przypuszczał, że buty mogą być w szafie. Poszed
do sypialni. Wszystko wyglądało tam ponuro — nagi matera
z workiem ze zszytych prześcieradeł, zakurzone lustro, stara
pożółkła gazeta złożona na nocnym stoliku. Schylił się, żeby
pogrzebać w rzeczach na dnie szafy. Buty faktycznie tam były
razem z kilkoma drucianymi wieszakami i jakąś książeczką
„Kalendarz ogrodnika, 1976." Przekartkował. „Pierwsze wio
senne strzyżenie trawnika — napisała Sara swoim drobnym
pismem. — Forsycje nadal kwitną." Macon zamknął kalen
darz, wygładził okładkę i odłożył.

Trzymając buty w ręce zszedł na dół. Charles wrócił d
salonu; wyżymał poduszki.

— Nie przejmuj się nimi — powiedział Macon. — Znow
zamokną.

— Czy twoje ubezpieczenie to pokrywa?

— Chyba tak.

— Jak oni to określą? Zalanie? Szkody spowodowan
pogodą?

— Nie wiem. Chodźmy.

— Powinieneś zadzwonić do naszego budowlańca, Macon. Pamiętasz tego człowieka, który zajmował się werandą?

— I tak nikt tu nie mieszka.

Charles wyprostował się, nadal trzymając poduszkę.

— Co to ma znaczyć? — zapytał.

— Znaczyć?

— Czy masz zamiar to tak zostawić?

— Pewnie tak.

— Wszystko przemoczone i zniszczone? Nic nie będziesz robił?

— Och — Macon machnął ręką — chodź, Charles.

Ale Charles się nie ruszył i w dalszym ciągu rozglądał się po salonie.

— To okropne. Nawet z zasłon kapie woda. Sara będzie się czuła okropnie.

— Wątpię, czy się tym przejmie — stwierdził Macon.

Stanął na progu i włożył buty. Były stare i sztywne i miały metalowe klamerki. Wcisnął do środka mokre nogawki spodni i ruszył w stronę ulicy.

Kiedy usadowili się w samochodzie, Charles nie włączył silnika, tylko siedział z kluczykami w ręce i patrzył twardo na Macona.

— Chyba pora, żebyśmy porozmawiali — powiedział.

— O czym?

— Chciałbym się dowiedzieć, jakie masz zamiary w stosunku do tej Muriel.

— Tak ją nazywasz? Ta Muriel?

— Nikt inny ci tego nie powie. Mówią, że to nie ich sprawa. Ale ja nie potrafię na to patrzeć spokojnie, Macon. Muszę powiedzieć, co myślę. Ile masz lat, czterdzieści dwa? Czy już czterdzieści trzy? A ona... ale nie chodzi tylko o to. Ona nie jest twoim typem kobiety.

— Nawet jej nie znasz!

— Znam ten typ.

— Muszę jechać do domu, Charles.

Charles spojrzał na kluczyki. Potem włączył silnik i wyjechał na ulicę, ale nie porzucił tematu.

— Ona jest symptonem, Macon! Nie jesteś ostatnio sobą, a ta Muriel jest symptonem właśnie tego. Wszyscy to mówią.

— Jestem bardziej sobą niż przez całe życie.

— A cóż to ma znaczyć? To nie ma sensu!

— A właściwie kim są ci „wszyscy"?

— No, Porter, Rose, ja...

— Sami eksperci.

— Po prostu martwimy się o ciebie, Macon.

— Czy moglibyśmy zmienić temat?

— Musiałem ci powiedzieć, co o tym sądzę — stwierdził Charles.

— No i dobrze, powiedziałeś.

Ale Charles nie wydawał się usatysfakcjonowany.

Samochód nurzał się w śniegowej brei, a z dachu spływały po szybie strużki wody. Na głównej ulicy przyspieszyli.

— Wolę nie myśleć, jak ta sól niszczy twoje podwozie — rzucił Macon.

— Nigdy ci tego nie mówiłem, ale uważam, że seks jest przeceniany — odezwał się Charles.

Macon spojrzał na niego.

— Kiedy byłem nastolatkiem, interesowało mnie to tak samo jak innych — ciągnął Charles. — Cały czas o tym myślałem. Ale chodziło o ideę seksu, rozumiesz? A rzeczywistość była mniej... Nie twierdzę, że jestem temu przeciwny, ale to nie to, czego się spodziewałem. Po pierwsze, wszystko jest takie nieporządne. Osobny problem stanowi pogoda.

— Pogoda?

— Kiedy jest zimno, nie ma się ochoty zdejmować ubrania, a kiedy jest gorąco, oboje są spoceni. A w Baltimore zawsze jest albo za zimno, albo za gorąco.

— Może powinieneś zastanowić się nad zmianą klimatu.

— Macona zaczynało to bawić. — Czy myślisz, że ktoś zrobił badania na ten temat? Tak miasto po mieście? Może „Prasa Biznesmena" powinna wydać jakąś broszurkę.

— A poza tym to często kończy się dziećmi — oznajmił Charles. — Nigdy nie byłem miłośnikiem dzieci. Uważam, że wprowadzają zamieszanie.

— Jeśli dlatego poruszyłeś ten temat, to daj sobie spokój. Muriel nie może mieć więcej dzieci.

Charles odkaszlnął.

— Cieszę się, że to słyszę — powiedział — ale nie dlatego o tym mówię. Usiłowałem ci wytłumaczyć, że nie uważam, aby seks był na tyle ważny, żeby sobie przez niego rujnować życie.

— A kto sobie rujnuje życie?

— Macon, spójrz prawdzie w oczy. Ona nie jest tego warta.

— A ty skąd możesz to wiedzieć?

— Czy jesteś w stanie powiedzieć mi choć jedną pozytywną rzecz o niej? — zapytał Charles. — Wymienić jakąś wyjątkową cechę, nie coś w stylu „ona mnie docenia" albo „ona słucha..."

„Wygląda przez szpitalne okno i zastanawia się, jak by nas ocenili Marsjanie" — miał na końcu języka Macon, ale Charles by nie zrozumiał, więc zamiast tego stwierdził:

— Może tego nie zauważyłeś, ale ze mnie żaden cymes. Można wręcz powiedzieć, że jestem produktem wybrakowanym. Jeśli się dobrze zastanowić, to ktoś powinien ostrzec ją przede mną.

— To nieprawda. Kompletna nieprawda. Jestem pewien, że jej rodzina gratuluje jej dobrych łowów.

— Łowów?

— Na kogoś, kto ją utrzymuje. Miała szczęście, że znalazła kogokolwiek. Nawet nie mówi poprawnie po angielsku! Mieszka w tej ruderze, ubiera się jak żebraczka, ma synka, który wygląda, jakby miał robaki albo coś w tym rodzaju...

— Charles, zamknij się — przerwał mu Macon.

Charles zamilkł.

Dojechali do dzielnicy Muriel. Przejeżdżali obok fabryki papeterii ogrodzonej siatką wyglądającą jak sprężyny z łóżka. Charles skręcił w niewłaściwą ulicę.

— Zaraz — zaniepokoił się — gdzie...

Macon nie pospieszył mu z pomocą.

— Czy ja jadę w dobrym kierunku? Może nie. Nie wiem, czy...

Znajdowali się zaledwie o dwa kwartały od Singleton Street, ale Macon miał nadzieję, że Charles będzie bez końca jeździć w kółko.

— Życzę ci powodzenia — powiedział, otworzył drzwi i wyskoczył.

— Macon?

Macon pomachał mu ręką i ruszył alejką.

Wolność! Słońce odbijające się w oślepiająco białych zaspach, dzieci jeżdżące na sankach i deskach. Oczyszczone miejsca parkingowe chronione ogrodowymi krzesłami. Tłumy pełnych zapału chłopców z szuflami w dłoniach. A dalej dom Muriel z chodnikiem nadal zasypanym śniegiem, małymi pokoikami pachnącymi naleśnikami, miłą gromadką kobiet siedzących w kuchni. Piły kakao. Bernice zaplatała Claire warkocze. Aleksander malował obrazek. Muriel pocałowała Macona na powitanie i pisnęła dotykając jego zimnych policzków.

— Wejdź i się ogrzej! Napij się kakao! Spójrz na obrazek Aleksandra, czyż nie piękny? Czyż on nie jest zdolny? Jest prawdziwym da Vinci.

— Leonardem — poprawił Macon.

— Co?

— Nie da Vinci, na Boga świętego. Mówi się: Leonardem — powiedział i ruszył na górę, żeby zdjąć wilgotne i zimne spodnie.

XV

— Przepraszam, że jestem taki gruby — powiedział sąsiad Macona.

— Ach, hm... — mruknął Macon.

— Wiem, że zajmuję więcej miejsca, niż powinienem — ciągnął mężczyzna. — Myśli pan, że nie zdaję sobie z tego sprawy? Przy każdej podróży muszę prosić stewardesę o przedłużacz do pasa bezpieczeństwa. Muszę trzymać talerz z obiadem na kolanach, bo nie mogę rozłożyć przed sobą stolika. Powinienem kupować dwa miejsca, ale nie jestem zamożny. Powinienem kupować dwa bilety i nie pchać się na siedzących koło mnie pasażerów.

— Ależ pan się na mnie nie pcha — zaprzeczył Macon.

W rzeczywistości siedział niemal w przejściu, z wystającymi kolanami, tak że każda przechodząca stewardesa zahaczała o stronice „Panny MacIntosh". Ale czuł się poruszony wielką, świecącą i zrozpaczoną twarzą tego człowieka, okrągłą jak u dziecka.

— Nazywam się Lucas Loomis — oznajmił jego towarzysz, wyciągając dłoń. Ściskając ją Macon pomyślał o rosnącym cieście.

— Macon Leary — przedstawił się.

— Najgorsze jest to, że podróżuję służbowo.

— Ach tak.

— Demonstruję sklepom oprogramowanie do komputerów. Czasami spędzam sześć dni w tygodniu w samolotach.

— Wszyscy uważamy, że nie ma tu zbyt wiele miejsca — stwierdził Macon.

— A co pan robi, panie Leary?

— Piszę przewodniki.

— Naprawdę? Jakie?

— Przewodniki dla biznesmenów. Takich ludzi jak pan.

— „Przypadkowy turysta"! — powiedział natychmiast pan Loomis.

— No, tak.

— Naprawdę? Zgadłem? Niech pan spojrzy. — Pan Loomis chwycił się za klapy marynarki, tak odległe od siebie, że wydawało się, iż jego ramiona są zbyt krótkie, aby ich dosięgnąć. — Szary garnitur! To, co pan zaleca. Właściwy na wszelkie okazje. — Wskazał na stojącą u nóg torbę. — Widzi pan mój bagaż? Podręczny! Zmiana bielizny, czysta koszula i paczka proszku do prania.

— To dobrze — rzekł Macon. Nigdy przedtem nie zdarzyło mu się coś takiego.

— Jest pan moim idolem! — oznajmił pan Loomis. — Poprawił pan moje podróże o sto procent. To pan mi powiedział o tych sprężynujących przedmiotach, które zmieniają się w sznurek do bielizny.

— Ach, mógł pan na nie trafić w każdej drogerii.

— Przestałem korzystać z pralni hotelowych; prawie nie muszę już wychodzić na ulicę. Mówię mojej żonie, może pan ją zapytać, często jej mówię: „Podróżowanie z »Przypadkowym turystą« to jakby podróż w kabinie, w kokonie. Nie zapomnij mi zapakować egzemplarza »Przypadkowego turysty«".

— Miło mi to słyszeć.

— Tyle razy latałem do Oregonu i prawie nie zauważałem, że wyjechałem z Baltimore.

— Doskonale.

Zapadła cisza.

— Ostatnio zastanawiałem się... — zaczął Macon.

Pan Loomis musiał zwrócić ku niemu całe ciało, żeby móc na niego spojrzeć. Poruszał się jak człowiek zakutany w eskimoskie futro z kapturem.

— Przejechałem całe Zachodnie Wybrzeże — ciągnął Macon — żeby uaktualnić wersję książki o Stanach. Oczywiście byłem tam już przedtem, w Los Angeles i wszędzie. Bywałem tam jako dziecko. Ale tym razem po raz pierwszy trafiłem do San Francisco. Mój wydawca chciał, żebym dodał to miasto. Był pan w San Francisco?

— Właśnie tam wsiedliśmy przed chwilą do samolotu — przypomniał mu pan Loomis.

— San Francisco jest z pewnością... hm... piękne...

Pan Loomis wyglądał na zdziwionego.

— Baltomire też, rzecz jasna — dodał Macon pospiesznie. — Nie ma takiego drugiego miejsca na świecie jak Baltimore! Ale San Francisco uderzyło mnie jako... nie wiem...

— Urodziłem się i wychowałem w Baltimore — oświadczył pan Loomis. — Za nic nie przeniósłbym się gdzie indziej.

— Oczywiście, że nie — potwierdził Macon. — Chodziło mi tylko o to, że...

— Nie wyjechałbym, nawet gdyby mi dopłacali.

— Ja też nie.

— Pan jest z Baltimore?

— Oczywiście.

— Nie ma drugiego takiego miejsca.

— Jasne, że nie — zgodził się Macon.

Ale przed oczami stanęło mu San Francisco, pławiące się we mgle jak Szmaragdowe Miasto, widziane z którejś z wysoko położonych i stromych ulic, gdzie można było zadrzeć głowę i słyszało się, jak wieje wiatr.

Wyjechał z Baltimore w dniu, kiedy padał deszcz ze śniegiem, a lód pokrywał pasy startowe na lotnisku. Nie była to długa podróż, ale kiedy wrócił, zaczęła się już wiosna. Świeciło słońce, a drzewa się zazieleniły. Nadal panował chłód, ale Macon jechał z otwartymi oknami w samochodzie. Powiew wiatru pachniał jak Vouvray* — kwiatowo, z lekkim zapachem kulek przeciwmolowych.

---

* Vouvray — francuskie wino (przyp. tłum.).

Przy Singleton Street, przed oknami piwnic, spod twardych połaci brudu wyzierały krokusy. Na podwórkach z tyłu domów powiewały dywany i pościel. Pojawiły się małe dzieci, które kręciły się w kojcach, pilnowane przez matki lub babcie. Starzy ludzie siedzieli przed swymi domami na plażowych krzesełkach albo w wózkach na kółkach. Na rogach ulic stały grupy mężczyzn z rękami w kieszeniach, w wystudiowanych niedbałych pozach. Macon uznał, że to bezrobotni, którzy wylegli z ciemnych saloników, gdzie spędzili całą zimę na oglądaniu telewizji. Docierały do niego fragmenty ich rozmów:

— Co się dzieje, koleś?

— Nic specjalnego.

— Co porabiasz?

— Niewiele.

Zaparkował przed domem Muriel, gdzie Dominik Saddler reperował jej samochód. Maska była otwarta, a Dominik głęboko zanurzył się we wnętrzu. Macon widział tylko dżinsy i ogromne zniszczone sportowe buty oraz fragment nagiego ciała nad paskiem z wołowej skóry. Po obu stronach stały bliźniaczki Butlerów i gadały jak najęte.

— To ona mówi nam, że jesteśmy uziemione...

— Nie możemy spotykać się z nikim do piątku...

— Zabiera nasze fałszywe dowody osobiste...

— Nie pozwala nam odbierać telefonu...

— Idziemy na górę i trzaskamy drzwiami od sypialni, niezbyt mocno, tak tylko, żeby jej pokazać, co o niej myślimy...

— A ona przychodzi ze śrubokrętem i odkręca drzwi z zawiasów!

— Hmm — chrząknął Dominik.

Macon postawił torbę na masce samochodu i zajrzał do silnika.

— Znowu robi jakieś numery? — zapytał.

— Cześć, Macon — przywitały się bliźniaczki, a Dominik wyprostował się i otarł czoło wierzchem dłoni. Był przystojnym ciemnowłosym chłopcem, którego wydatne muskuły sprawiały, że Macon odczuwał przykro swoją inność.

— To cholerstwo się blokuje — powiedział.

— Jak Muriel pojechała do pracy?

— Musiała jechać autobusem.

Macon miał nadzieję usłyszeć, że została w domu. Wszedł po schodach i otworzył drzwi frontowe. Gdy tylko się pojawił, Edward przywitał go piszcząc i zaczął służyć, starając się ustać tak długo, aż zostanie pogłaskany. Macon obszedł dom. Widać było, że wszyscy wychodzili w pośpiechu. Kanapa pozostała rozłożona (Claire pewnie znowu pokłóciła się z rodzicami.) Na kuchennym stole stało mnóstwo brudnych naczyń i nikt nie schował śmietanki. Macon zrobił to, po czym zaniósł torbę na górę. Łóżko Muriel było nie posłane, a nocna koszula rzucona na krzesło. W podstawce na szpilki na biurku znalazł kłębek splątanych włosów. Ujął go dwoma palcami i wyrzucił do kosza. Uświadomił sobie (nie po raz pierwszy), że świat dzieli się na dwie części: niektórzy ludzie żyją starannie, a inni niedbale i wszystko, co się zdarza, można wyjaśnić różnicą pomiędzy tymi dwiema grupami. Ale nigdy w życiu nie umiałby powiedzieć, dlaczego tak go wzruszyła cienka kołdra Muriel, leżąca na podłodze, gdzie zapewne spadła, kiedy Muriel rano wstawała.

Nie była to jeszcze pora powrotu Aleksandra ze szkoły, więc postanowił wyprowadzić Edwarda na spacer. Nałożył mu obrożę, wziął smycz i wyszedł frontowymi drzwiami. Kiedy mijał bliźniaczki Butlerów, powiedziały znowu: „Cześć, Macon", a Dominik zaklął i sięgnął po klucz francuski.

Mężczyźni stojący na rogu omawiali pogłoski o pracy w Teksasie. Czyjś szwagier znalazł tam pracę. Macon przeszedł koło nich z opuszczoną głową, czując się niezręcznie uprzywilejowany. Ominął wycieraczkę, która została wyszorowana i wyłożona na chodnik, żeby wyschła. Tutejsze kobiety poważnie traktowały wiosenne porządki. Trzepały z górnych okien miotełki od kurzu, siedziały na parapetach i wycierały szyby zgniecionymi gazetami. Dreptały pomiędzy domami, niosąc pożyczone odkurzacze, maszyny do czyszczenia dywanów i wielkie pojemniki z szamponem do mebli. Macon zawrócił i ruszył w stronę domu, stając na chwilę, żeby pozwolić Edwardowi wysiusiać się pod sadzonką klonu.

Kiedy zbliżał się do Singleton Street, ujrzał przed sobą pędzącego Aleksandra. Nie sposób było nie poznać tej sztywnej małej figurki z niezgrabnym tornistrem.

— Zaczekajcie! — wołał. — Zaczekajcie na mnie!

Dzieci Ebbettów, idące przed nim, odwróciły się i coś zawołały do niego. Macon nie słyszał co, ale dobrze znał ten ton — wysoki, szyderczy zaśpiew: „Tra-ta-ta-ta!" Aleksander biegł, potykając się o własne buty. Za nim pojawiła się druga grupa, dwóch starszych chłopców i rudowłosa dziewczynka i też zaczęli się z niego naśmiewać. Aleksander odwrócił się i spojrzał na nich. Jego twarz była mniejsza niż zwykle.

— Ruszaj! — rzucił Edwardowi, puszczając smycz. Pies nie potrzebował zachęty. Już wcześniej nastawił uszy na dźwięk głosu Aleksandra, a teraz popędził w jego stronę. Troje starszych dzieci rozbiegło się, kiedy szczekając przeleciał wśród nich. Zatrzymał się przed Aleksandrem. Chłopiec ukląkł i objął go za szyję.

Macon podszedł i zapytał:

— Wszystko w porządku?

Aleksander kiwnął głową i wstał.

— O co chodziło?

— O nic — odparł Aleksander.

Ale kiedy ruszyli, wsunął rączkę w dłoń Macona.

Macon czuł wyraźnie, że te chłodne małe paluszki są w jakiś szczególny sposób pełne charakteru. Wzmocnił uścisk i poczuł przepływający przez ciało przyjemny smutek. Jego życie znów jest pełne dawnych zagrożeń. Znowu będzie się musiał martwić o wojnę nuklearną i przyszłość planety. Często miewał tę samą, potajemną, pełną poczucia winy myśl, która pojawiła się po urodzeniu Ethana: „Od tej chwili już nigdy nie będę całkiem szczęśliwy".

Co nie znaczyło, oczywiście, że przedtem był szczęśliwy.

Przewodnik po Stanach miał się składać z pięciu oddzielnych broszur w układzie geograficznym — włożonych w jedną okładkę, tak że trzeba było kupić wszystkie pięć, nawet jeśli ktoś potrzebował tylko jednej. Macon uważał, że to nieuczciwe. Powiedział o tym Julianowi, kiedy szef wpadł po materiały dotyczące Zachodniego Wybrzeża.

— A co w tym nieuczciwego? — zdziwił się Julian. Macon widział jednak, że nie dociera do niego to, o czym mówią. Robił sobie w głowie notatki na temat gospodarstwa Muriel, co niewątpliwie było prawdziwym powodem tej niespodziewanej i niepotrzebnej wizyty. Mimo że wziął już maszynopis, chodził zamyślony po salonie; najpierw przyglądał się fotografii szkolnej Aleksandra w ramce, a potem wyszywanemu koralikami mokasynowi, który Claire zostawiła na kanapie. Była sobota i pozostali domownicy siedzieli w kuchni, ale Macon nie miał zamiaru pozwolić Julianowi spotkać się z nimi.

— Zawsze jest nieuczciwe zmuszać kogoś do kupowania tego, czego nie potrzebuje — powiedział Macon. — Jeśli chce tylko Środkowy Zachód, nie powinien być zmuszany do kupowania Nowej Anglii.

— Czy to głos twojej przyjaciółki? — zapytał Julian. — Czy to Muriel?

— Chyba tak — odparł Macon.

— Nie przedstawisz nas sobie?

— Jest zajęta.

— Naprawdę chciałbym ją poznać.

— Dlaczego? Czyżby Rose nie zdała ci wyczerpującego sprawozdania?

— Macon — powiedział Julian — wkrótce będę twoim krewnym.

— O Boże.

— To chyba normalne, że chcę ją poznać.

Macon się nie odezwał.

— Poza tym — ciągnął Julian — chcę ją zaprosić na ślub.

— Naprawdę?

— Więc mogę z nią porozmawiać?

— No, dobrze.

Zaprowadził go do kuchni. Czuł, że zrobił błąd — przez swoją szorstkość sprawił, że to spotkanie nabrało większej wagi, niż powinno. Ale Julian zachowywał się swobodnie i poufale.

— Dzień dobry paniom — przywitał się.

Muriel, Claire i Bernice, siedzące nad kartką papieru, spojrzały na niego. Macon wymienił szybko ich nazwiska, ale zaciął się przy Julianie.

— Julian... mhm... Edge, mój...

— Przyszły szwagier — dokończył Julian.

— Mój szef.

— Przyszedłem cię zaprosić na ślub, Muriel. Twojego synka też, jeśli... A gdzie on jest?

— Wyszedł z psem — odpowiedziała Muriel. — Ale on nie najlepiej zachowuje się w kościele.

— To będzie ślub w ogrodzie.

— No to może... nie wiem...

Była ubrana w coś, co nazywała „strojem skoczka spadochronowego" — uniform ze sklepu „Sunny's Surplus" — a włosy miała schowane pod jedwabnym turbanem w jaskrawe wzory. Na jej policzku widniała smuga od długopisu.

— Rozwiązujemy konkurs „Napisz piosenkę country i wygraj dwuosobową wycieczkę do Nashville" — wyjaśniła Julianowi. — Pracujemy nad tym razem. Zamierzamy zatytułować ją „Szczęśliwsze dni".

— Czy to już nie zostało kiedyś napisane?

— Mam nadzieję, że nie. Wiesz, w pismach zawsze są fotografie różnych par. „Mick Jagger i Bianca w szczęśliwszych dniach." „Richard Burton i Liz Taylor w..."

— Rozumiem.

— No więc ten mężczyzna mówi o swojej byłej żonie: „Znałem ją w innym miejscu i czasie..."

Odśpiewała całość swoim cienkim chropowatym głosem, który stwarzał wrażenie dystansu, jak zużyta płyta gramofonowa:

> *Kiedy cieszyliśmy się szczęśliwszymi dniami,*
> *Kiedy wszystko było jeszcze przed nami,*
> *Kiedy dzieliliśmy się swymi troskami...*

— Bardzo chwytliwe — stwierdził Julian — ale nie jestem pewien wyrażenia „dzieliliśmy się swymi troskami".

— A co w tym złego?

— Mieli troski w szczęśliwszych dniach?

— Racja — pochwaliła Bernice.

— Snami, czekami, bombami — zastanawiał się Julian — „Kiedy lubiliśmy być tylko sami, kiedy całowaliśmy się pod bzami..."

— Daj spokój, dobrze? — zirytował się Macon.

— „Kiedy wiosna rozkwitała kwiatami, kiedy lato szalało barwami..."

— Zaczekaj! — zawołała Bernice, notując pospiesznie.

— Może odkryłem w sobie talent — stwierdził Julian.

— Odprowadzę cię do drzwi — powiedział Macon.

— „Kiedy jesień płakała deszczami, kiedy zima ziębiła mrozami..." — mówił Julian, idąc za Maconem przez salon.

— Nie zapomnij o ślubie! — krzyknął do Muriel, po czym zwrócił się do Macona: — Jeśli ona wygra, mógłbyś pojechać do Nashville za darmo, przygotowując następną wersję książki o Stanach.

— Ona chyba chce zabrać Bernice.

— „Kiedy upijaliśmy się szampanami..." — nucił Julian.

— Odezwę się, jak tylko zacznę pisać o Kanadzie.

— Kanada! Nie będziesz na ślubie?

— Oczywiście, że będę. — Macon otworzył drzwi.

— Zaczekaj chwilę, Macon. Skąd ten pośpiech? Chcę ci coś pokazać.

Julian odłożył materiały o Zachodnim Wybrzeżu i zaczął grzebać w kieszeniach. Wyciągnął błyszczącą kolorową ulotkę reklamową.

— Hawaje — powiedział.

— Naprawdę nie widzę powodu, żeby pisać o...

— Nie dla ciebie, dla mnie! Na naszą podróż poślubną. Zabieram Rose.

— Ach, tak.

— Spójrz. — Julian rozłożył ulotkę, która okazała się mapą, jedną z tych bezużytecznych map, których Macon nie znosił, z powiększonymi, karykaturalnymi rysunkami ananasów, drzew palmowych i tancerek hula zaludniających zielone jak jabłko wyspy. — Dostałem to od firmy „Travel

People Incorporated". Słyszałeś o niej? Czy można na nich polegać? Zaproponowali tam hotel na... — Przesunął palcem wskazującym po mapce, szukając hotelu.

— Nic nie wiem na temat Hawajów — oznajmił Macon.

— Gdzieś tutaj... — pokazał Julian i prawdopodobnie zrozumiawszy dopiero w tej chwili, co powiedział Macon, złożył mapę. — Być może ona jest dokładnie tym, czego ci potrzeba — dodał.

— Słucham?

— Ta Muriel.

— Dlaczego wszyscy nazywają ją...

— Nie jest taka zła! Myślę, że twoja rodzina nie rozumie, co czujesz.

— Mhm, naprawdę nie rozumieją — potwierdził Macon. Był zdumiony, że człowiekiem, który to pojął, jest właśnie Julian.

Pożegnalne słowa Juliana brzmiały:

— „Kiedy opychaliśmy się truflami..."

Macon zdecydowanym ruchem zamknął za nim drzwi.

Postanowił kupić Aleksandrowi inne ubranie.

— Czy chciałbyś dostać niebieskie dżinsy? — zapytał.

— I robocze koszule? A chciałbyś mieć kowbojski pas z napisem „Piwo Budweiser" na klamrze?

— Mówisz poważnie?

— Nosiłbyś takie ubrania?

— Tak! Nosiłbym! Obiecuję!

— To chodźmy na zakupy.

— Mama też?

— Zrobimy jej niespodziankę.

Aleksander włożył wiosenną kurtkę — granatowy blezer z poliesteru, za który Muriel zapłaciła ogromną sumę. Macon nie był pewien, czy zgodziłaby się na dżinsy, dlatego wolał poczekać, aż wyjedzie z domu, żeby kupić zasłony dla jakiejś kobiety z Guilfordu.

Pojechał do sklepu z westernowymi strojami, dokąd zabierał kiedyś Ethana. Nic się tam nie zmieniło. Drewniane deski podłogi nadal skrzypiały, w przejściach pachniało skórą i nowym materiałem dżinsowym. Zaprowadził Aleksandra do działu chłopięcego, gdzie zakręcił okrągłym wieszakiem pełnym koszul. Ile razy robił to przedtem? Nie było to nawet bolesne, tylko dziwnie dezorientujące — fakt, że wszystko toczyło się normalnie bez względu na okoliczności. Dżinsy nadal były ułożone według obwodu pasa i długości nogawek. Spinki w kształcie konia nadal leżały za szkłem. Ethan nie żył, ale Macon nadal brał koszule i pytał:

— Ta? Czy ta? A może ta?

— Naprawdę to chciałbym podkoszulek — oznajmił Aleksander.

— Podkoszulek?

— Taki z rozciągniętym dekoltem. I dżinsy z obszarpanymi nogawkami.

— To musisz zrobić sam — powiedział Macon. — Musisz je obciąć.

— Nie chcę mieć ubrania, które wygląda na nowe.

— Coś ci powiem: wszystko, co kupimy, upierzemy ze dwadzieścia razy, zanim to włożysz.

— Ale nic fabrycznie spranego.

— Nie, nie.

— Tylko gnojki noszą fabrycznie sprane ubrania.

— Jasne.

Aleksander wybrał kilka podkoszulków, celowo za dużych, oraz różne dżinsy, bo nie był pewien, jaki rozmiar nosi. Potem udał się z tym wszystkim do przymierzalni.

— Mam iść z tobą? — zapytał Macon.

— Sam dam sobie radę.

— W porządku.

To też było znajome.

Aleksander zniknął w jednej z kabin, a Macon zaczął spacerować po dziale męskim. Przymierzył skórzany kowbojski kapelusz, ale natychmiast go zdjął. Potem wrócił pod przymierzalnię.

— Aleksandrze?

— Co?

— Jak idzie?

— Dobrze.

W szparze pod drzwiami widział buty i nogawki spodni Aleksandra. Najwyraźniej nie włożył jeszcze dżinsów.

— Macon? — usłyszał czyjś głos.

Odwrócił się i ujrzał kobietę o blond włosach podstrzyżonych na pazia, ubraną w spódnicę typu koperta w małe niebieskie wieloryby.

— Słucham? — odezwał się do niej.

— Jestem Laurel Canfield, matka Scotta, pamiętasz?

— Tak, oczywiście — odparł, ściskając jej dłoń. W tym momencie ujrzał Scotta, kolegę Ethana z tej samej klasy, niezwykle wysokiego, niezdarnego chłopaka czającego się za ramieniem matki i trzymającego furę sportowych skarpetek.

— Hej, Scott, miło cię widzieć — zwrócił się do niego. Chłopak zaczerwienił się i nic nie odpowiedział.

— Co za sympatyczne spotkanie. Robisz wiosenne zakupy? — zapytała Laurel Canfield.

— Mhm... ja... — Spojrzał w kierunku przymierzalni. Spodnie Aleksandra były teraz spuszczone do kostek. — Pomagam synowi mojej przyjaciółki — wyjaśnił.

— A my wykupiliśmy cały dział skarpetek.

— Właśnie widzę.

— Co drugi tydzień stwierdzam, że Scott zdarł wszystkie skarpetki. Wiesz, jak to jest w tym wieku... — urwała nagle z przerażoną miną. — To znaczy...

— Tak, jasne. To zdumiewające, prawda?

Było mu tak wstyd za nią, że aż się ucieszył, widząc z tyłu znajomą twarz. Dopiero po chwili zdał sobie sprawę, kto to jest. Jego teściowa! Czy nadal miał ją nazywać mamą Sidney? Panią Sidney? Jak, na Boga?

Na szczęście okazało się, że Laurel Canfield też ją zna.

— O, Paula Sidney — odezwała się pierwsza. — Nie widziałam cię od zeszłorocznych wyścigów o puchar myśliwski.

— Tak, wiele wyjeżdżałam — powiedziała pani Sidney, po czym spuściła nieco powieki i dodała: — Witaj, Maconie.

— Jak się masz? — odparł.

Była nienagannie zadbana i pracowicie wypielęgnowana — kobieta o niebieskich włosach, w szytych na miarę spodniach i golfie. Kiedyś martwił się, że Sara będzie się tak samo starzeć, wytworzy taki sam kruchy pancerz, ale teraz podziwiał determinację pani Sidney.

— Dobrze wyglądasz — stwierdził.

— Dziękuję. — Dotknęła fryzury. — Przyszedłeś tu pewnie po wiosenną garderobę.

— Macon pomaga swojej znajomej! — zawołała śpiewnie Laurel Confield. Nagle wpadła w tak dobry humor, że Macon podejrzewał, iż dopiero w tej chwili uświadomiła sobie, kim jest dla niego pani Sidney. Spojrzała w kierunku przymierzalni, w której był Aleksander. Chłopiec stał teraz w skarpetkach. Jedna stopa uniosła się i znikła w gęstwinie błękitnego materiału dżinsowego. — Kupowanie dla chłopców jest takie trudne, prawda?

— Nie wiem — odpowiedziała pani Sidney. — Nigdy nie miałam syna. Przyszłam, żeby kupić dżinsową spódnicę.

— Ach, spódnice... Zauważyłam, że mają w sprzedaży...

— Komu pomagasz w zakupach? — zwróciła się do Macona pani Sidney.

Nie wiedział, co odpowiedzieć. Zerknął w stronę przymierzalni. Gdyby Aleksander mógł tam zostać na zawsze... Jak wytłumaczyć, kim jest ten kościsty rozbitek życiowy, to nieszczęsne, nieudane dziecko, które nigdy nie będzie mogło równać się z prawdziwym dzieckiem?

Przekorny jak zawsze Aleksander wybrał właśnie ten moment, żeby wyjść z przymierzalni.

Miał na sobie za duży podkoszulek, który zsuwał się z jednego ramienia, jak gdyby chłopiec właśnie zakończył szarpaninę. Dżinsy były luźne i workowate. Macon uświadomił sobie nagle, że w ciągu ostatnich kilku tygodni jego buzia się wypełniła, czego nikt przedtem nie zauważył, a włosy, które zaczął mu strzyc w domu, straciły swoją sztywność i stały się gęste i miękkie.

— Wyglądam super! — oznajmił Aleksander.

Macon odwrócił się do obu kobiet i powiedział:

— W gruncie rzeczy uważam, że robienie zakupów dla chłopców to prawdziwa przyjemność.

XVI

Nie ma bardziej kojącego dźwięku niż szum deszczu bijącego o dach, jeśli smacznie śpisz w czyimś domu. Macon słyszał delikatne bębnienie, słyszał, jak Muriel wstaje i zamyka okno. Przesunęła mu się przed oczami jak światła samochodu na suficie — biała, szczupła i rozmyta, w dużej gładkiej halce ze sklepu „Goodwill Industries". Zamknęła okno; otoczyła go cisza i zasnął ponownie.

Ale rano jego pierwszą myślą było: „Och, nie! Deszcz w dzień ślubu Rose!"

Wstał ostrożnie, żeby nie obudzić Muriel, i wyjrzał przez okno. Niebo było jasne, ale zamglone. Miało kolor muszli ostrygi, co nie wróżyło nic dobrego. Z gałązek i pączków chuderlawego krzaku derenia w kącie podwórka kapała woda, a leżący od dawna u sąsiada, pana Butlera, stos drewna na opał wyraźnie ściemniał.

Macon zszedł na dół, przechodząc na palcach przez salon, gdzie wśród skłębionych koców chrapała Claire. Przygotował dzbanek kawy i zadzwonił z kuchennego telefonu do Rose. Odebrała natychmiast, całkiem rozbudzona.

— Czy przenosicie ślub do domu? — zapytał.

— Mamy zbyt wielu gości, żeby urządzić go w domu.

— Dlaczego? Ile osób ma przyjść?

— Wszyscy, których znamy.

— Na miłość boską, Rose!

— Nic nie szkodzi, przejaśni się.

— Ale trawa jest mokra!

— Włóż kalosze — zaproponowała i odłożyła słuchawkę.

Macon pomyślał, że odkąd poznała Juliana, stała się beztroska, nonszalancka i powierzchowna.

Miała jednak rację, jeśli chodzi o pogodę. Po południu wyjrzało blade, nieśmiałe słońce. Muriel postanowiła włożyć sukienkę z krótkimi rękawami, tak jak planowała, tylko na ramiona zamierzała zarzucić szal. Chciała, żeby Aleksander włożył garnitur — miał jeden, z kamizelką. Chłopiec zaprotestował, a Macon go poparł:

— Dżinsy i porządna biała koszula. Tak będzie bardzo dobrze.

— No, skoro tak uważasz.

Ostatnio ustępowała mu w sprawach dotyczących Aleksandra. Dała się wreszcie przekonać do sportowych butów i przestała skrupulatnie pilnować jego diety. Wbrew jej krakaniu nie dostał platfusa i nie miewał ataków egzemy. Najwyżej zdarzała mu się od czasu do czasu drobna wysypka.

Ślub miał się odbyć o trzeciej. Wyruszyli pół godziny wcześniej, idąc z pewnym skrępowaniem do samochodu Macona. Była sobota i nikt w sąsiedztwie nie był tak wystrojony. Pan Butler stał na drabinie z młotkiem i woreczkiem pełnym gwoździ. Rafe Daggett rozkładał na kawałki swoją bagażówkę. Hinduska polewała błyszczący sznurkowy dywan, który rozłożyła na chodniku; po chwili zakręciła wodę, uniosła brzeg sari i zaczęła go udeptywać, tak że z dywanu pryskały małe kropelki. Wszystkie akurat przejeżdżające samochody uginały się pod ciężarem materaców i mebli do patio, co przypominało Maconowi mrówki zmykające do mrowiska z ładunkami czterokrotnie większymi od nich samych.

— Chyba mam być drużbą — powiedział Macon do Muriel, kiedy ruszył.

— Nie wspominałeś o tym!

— A Charles będzie ją oddawał narzeczonemu.

— A zatem to prawdziwy ślub, a nie dwoje stojących obok siebie ludzi.

— Rose chciała, aby tak to wyglądało.

— Ja bym wcale nie robiła tego w ten sposób — stwierdziła Muriel. Spojrzała do tyłu. — Aleksandrze, przestań kopać w moje siedzenie. Za chwilę dostanę szału. Nie... — ciągnęła, patrząc znów przed siebie — wiesz, co bym zrobiła, gdybym miała wychodzić za mąż? Nikomu bym o tym nie powiedziała. Zachowywałabym się tak, jakbym od lat była mężatką. Wymknęłabym się cichaczem do urzędu stanu cywilnego, po czym wróciłabym jakby nigdy nic i udawałabym, że już od dawna jestem mężatką.

— Ale to jest pierwszy ślub Rose — przypomniał jej Macon.

— Tak, ale mimo to ludzie mogą powiedzieć: „Sporo czasu ci to zajęło". Jakbym słyszała moją matkę; na pewno by tak powiedziała: „Sporo czasu ci to zajęło. Myślałam, że to się nigdy nie stanie". Tak by powiedziała... Gdybym kiedykolwiek miała wyjść za mąż.

Macon przyhamował przed światłami.

— Gdybym się kiedykolwiek zdecydowała na małżeństwo... — uściśliła.

Spojrzał na nią. Jak ładnie wyglądała! Z różem na policzkach i w barwnym szalu zarzuconym na ramiona. Jej pantofle o ostrych obcasach miały wąskie świecące paseczki wokół kostek. Nie rozumiał, dlaczego paseczki wokół kostki są tak uwodzicielskie.

Pierwszą osobą, którą ujrzeli zajechawszy na miejsce, była jego matka. Macon, nie wiedzieć czemu, nie przewidział, że Alicja zostanie zaproszona na ślub własnej córki, więc gdy otworzyła drzwi, w pierwszym momencie jej nie poznał. Po pierwsze wyglądała całkiem inaczej. Ufarbowała włosy na ciemnoczerwony kolor. Miała na sobie długą białą tunikę obszytą jedwabną tasiemką, a gdy wyciągnęła ramiona, żeby go objąć, zabrzęczały liczne metalowe bransolety, które zsunęły jej się z lewego ramienia.

— Macon, kochanie — powiedziała. Pachniała zgniecionymi gardeniami. — A któż to taki? — dodała, zerkając za niego.

— Hm, chciałbym ci przedstawić Muriel Pritchett i jej syna, Aleksandra.

— Naprawdę? — Jej twarz zachowała wyraz uprzejmego zainteresowania. Pewnie nikt jej nie powiadomił. (Albo nie raczyła słuchać.) — No cóż, skoro jestem majordomusem, zaprowadzę was na podwórko, gdzie są państwo młodzi.

— Rose nie pozostaje w ukryciu?

— Nie, mówi, że nie widzi krzty sensu w tym, żeby przegapić własny ślub — odparła, prowadząc ich na tył domu.

— Muriel, czy długo znasz Macona?

— Raczej tak.

— Jest bardzo konserwatywny. — Alicja wpadła w konfidencjonalny ton. — Wszystkie moje dzieci są takie. Odziedziczyły to po rodzinie Learych.

— Uważam, że jest bardzo miły — oświadczyła Muriel.

— Ach, miły, oczywiście. I bardzo poprawny, i porządny — stwierdziła Alicja, rzucając Maconowi spojrzenie, którego nie zrozumiał. Wzięła Muriel pod rękę — zawsze lubiła fizyczny kontakt.

Lamówka jej tuniki miała niemal taki sam kolor jak szal Muriel. Macon pomyślał nagle z przerażeniem, że być może doszedłszy do wieku średniego zaczyna wybierać osoby typu własnej matki, jak gdyby uznając, że Alicja — niemądra, próżna, denerwująca kobieta — umie jednak znaleźć właściwe odpowiedzi. Ale nie. Odsunął tę myśl. A Muriel uwolniła ramię z uścisku Alicji.

— Aleksandrze, idziesz? — zapytała.

Przeszli przez podwójne drzwi werandy. Podwórko było pełne pastelowych barw — stare damy, znajome Rose, w bladych sukniach, wszędzie wiadra pełne narcyzów, a wzdłuż alejki kwitnące forsycje. Doktor Grauer, znajomy pastor Rose, podszedł i uścisnął Maconowi dłoń.

— Oto i nasz drużba — powiedział.

Za nim zbliżył się Julian w czerni, która nie była jego kolorem. Łuszczyła mu się skóra na nosie. Pewnie znowu zaczął się sezon żeglarski.

— Chcę, żebyś to przechował. — Włożył Maconowi w dłoń złotą obrączkę.

Macon przez chwilę wyobraził sobie, że naprawdę ma ją zatrzymać.

— Ach, tak, obrączka. — Wrzucił ją do kieszeni.

— Nie mogę uwierzyć, że wreszcie będę miała zięcia — zwróciła się Alicja do Juliana. — Zawsze miałam tylko synówki.

— Synowe — poprawił Macon odruchowo.

— Dobrze, dobrze, i tak nie udało mi się utrzymać ich na dłużej — stwierdziła Alicja.

Kiedy Macon był mały, martwił się, że matka uczy go niewłaściwych nazw różnych rzeczy. „Nazywają to sztruksem" — mówiła, zapinając mu nowy płaszczyk, a on myślał: „Czy aby na pewno?" W gruncie rzeczy „sztruks" to śmieszne słowo. Bardzo podejrzane. Jak mógł być pewien, że inni ludzie nie mówią całkiem innym językiem? Z nieufnością przyglądał się matce, jej głupim loczkom i rozbieganym oczom.

Przybyły dzieci Portera. Cała trójka trzymała się razem, a z tyłu szła June, ich matka. Czy to nie dziwne, zapraszać na swój ślub byłą żonę brata? Zwłaszcza z brzuchem jak balon, bo ma urodzić dziecko innemu mężczyźnie. Ale June czuła się tu świetnie. Uszczypnęła Macona w policzek i przechyliła głowę oceniając Muriel.

— Dzieci, to jest Aleksander — przedstawił Macon chłopca. Miał bezpodstawną nadzieję, że się dogadają i zaprzyjaźnią, co się, rzecz jasna, nie stało. Dzieci Portera zmierzyły Aleksandra posępnym spojrzeniem i nie powiedziały ani słowa. Aleksander zacisnął ręce w kieszeniach.

— Twoja przyszła żona wygląda olśniewająco — powiedziała June do Juliana.

— Prawda? — odparł.

Kiedy jednak Macon dostrzegł Rose, uznał, że jest spięta i zdenerwowana, jak większość panien młodych, tylko że ludzie nigdy tego nie mówią. Miała na sobie białą sukienkę do pół łydki, bardzo prostą, a na głowie jakiś stroik z koronki czy siateczki. Rozmawiała z właścicielem sklepu z artykułami żelaznymi. Była tam również dziewczyna, która realizowała ich czeki w Mercantile Bank, a obok Charlesa stał ich dentysta. Macon pomyślał o „Mary Poppins" — o tych nocnych przygodach, o których czytał Ethanowi, gdzie pojawiali się wszyscy pracownicy i zachowywali całkiem inaczej niż w dzień.

— Nie wiem, czy były na ten temat jakieś badania — mówił Charles do dentysty — ale czy próbował pan kiedyś czyścić zęby podkoszulkiem, po oczyszczeniu ich nicią dentystyczną?

— Hmmm...?

— Zwykłym bawełnianym podkoszulkiem. Stuprocentowa bawełna. Myślę, że będzie pan zachwycony, kiedy przyjdę na następną kontrolę, widzi pan, mam taką teorię...

Muriel i June rozmawiały o cesarskich cięciach. Julian pytał Alicję, czy kiedykolwiek płynęła Intracoastal Waterway. Pani Barrett opowiadała listonoszowi, że firma „Leary Metals" robiła kiedyś najładniejsze matryce do stiuków sufitowych w Baltimore.

A Sara rozmawiała z Maconem o pogodzie.

— Tak, martwiłem się, kiedy zeszłej nocy padał deszcz — oznajmił Macon. A może powiedział co innego. Cokolwiek...

Patrzył na Sarę, a właściwie pożerał ją wzrokiem — jej błyszczące loki, okrągłą słodką twarz i cień pudru na dolnej części policzka.

— Jak się miewasz, Macon? — zapytała.

— Dobrze.

— Jesteś zadowolony z tego ślubu?

— Chyba tak, jeśli Rose jest zadowolona. Chociaż ciągle mam wrażenie, że... cóż, Julian. Wiesz przecież.

— Tak, wiem. Ale nie wiesz o nim wszystkiego. Może się okazać, że będzie bardzo dobrym mężem.

Kiedy stała w słońcu, jej oczy były tak czyste, że wydawało się, iż można zobaczyć ich dno. Kiedyś, dawno temu, znał tę ich właściwość. Były tak znajome, że mogłyby być jego własnymi oczyma.

— A co u ciebie?

— Wszystko w porządku.

— To dobrze.

— Wiem, że masz kogoś. — Głos miała spokojny.

— No, właściwie... Tak.

Wiedziała, o kogo chodzi, bo patrzyła w tym momencie na Muriel i Aleksandra. Powiedziała jednak tylko:

— Rose mi mówiła, kiedy mnie zapraszała.

— A ty?

— Ja?

— Żyjesz z kimś?

— Niezupełnie.

Podeszła Rose i dotknęła ich ramion, co nie było w jej stylu.

— Jesteśmy gotowi — oświadczyła i dodała, zwracając się do Macona: — Czy ci wspominałam, że Sara jest moim świadkiem?

— Nie — odparł Macon.

Oboje z Sarą poszli za nią pod tulipanowiec, pod którym czekali Julian i doktor Grauer. Był tam rodzaj prowizorycznego ołtarza — nieduży stolik przykryty serwetą. Macon nie zwrócił na to specjalnej uwagi. Stał obok pastora i kręcił palcami obrączkę, którą miał w kieszeni. Sara stała naprzeciwko i patrzyła na niego poważnym wzrokiem.

Wszystko wydawało się całkiem normalne.

XVII

— Nigdy ci o tym nie mówiłam — powiedziała Muriel — ale tuż przed tym, zanim cię poznałam, spotykałam się z kimś.

— Tak? A z kim? — zapytał Macon.

— Był klientem w Ośrodku Szybkiego i Łatwego Kopiowania. Przyniósł papiery rozwodowe i chciał, żeby mu zrobić kopię. Zaczęliśmy rozmawiać i skończyło się na tym, że zaczęliśmy się spotykać. Jego rozwód był okropny. Straszna heca. Żona miała kochanka. Powiedział, że już chyba nigdy nie uwierzy żadnej kobiecie. Minęło wiele miesięcy, zanim zgodził się zostać u mnie na noc: nie lubił zasypiać w pokoju, gdzie była kobieta. Ale stopniowo zmieniłam go. Odprężył się i stał się innym człowiekiem. Wprowadził się do mnie, zaczął płacić rachunki i zapłacił wszystkie długi, jakie miałam u lekarza Aleksandra. Zaczęliśmy rozmawiać o małżeństwie. A potem poznał stewardesę i po tygodniu z nią uciekł.

— Rozumiem.

— Wyglądało to tak, jak gdybym go wyleczyła tylko po to, żeby mógł uciec z inną kobietą.

— Mhm.

— Ty byś nie zrobił czegoś takiego, prawda, Maconie?

— Ja?

— Czy uciekłbyś z kimś innym? Czy spotykałbyś się z kimś poza moimi plecami?

— Ależ, Muriel, oczywiście, że nie.

— Czy porzuciłbyś mnie i wrócił do żony?

— O czym ty mówisz?

— Zrobiłbyś to?

— Nie bądź niemądra.

Przechyliła głowę i przyjrzała mu się uważnie. Jej oczy były czujne, jasne i bystre, jak oczy małego zwierzątka.

Był mokry wtorkowy ranek i Edward, który nie lubił deszczu, zapierał się, żeby nie wyjść, ale Macon i tak go wyprowadził. Kiedy czekał na podwórku pod parasolem, ujrzał młodą parę idącą alejką. Zwrócił na nich uwagę, bo szli bardzo wolno, jak gdyby nie zdawali sobie sprawy, że mokną. Chłopiec, wysoki i delikatny, był ubrany w podarte dżinsy i miękką białą koszulę. Dziewczyna miała na głowie płaski słomkowy kapelusz ze wstążkami z tyłu i była w długiej bawełnianej sukience. Mieli splecione dłonie i patrzyli tylko na siebie. Natknęli się na motocykl i rozłączyli się, żeby go obejść. Ale dziewczyna nie poszła zwyczajnie, tylko sunęła tanecznym krokiem, kołysząc krajem sukienki, a chłopiec okręcił się, roześmiał i znów wziął ją za rękę.

Edward załatwił wreszcie swoją potrzebę i Macon zaprowadził go do domu. Włożył parasol do zlewu w kuchni i schylił się, żeby wytrzeć Edwarda starym plażowym ręcznikiem. Najpierw tarł go żwawo, a potem zwolnił. Wreszcie przestał, ale nadal siedział na podłodze z ręcznikiem w rękach, a wokoło unosił się charakterystyczny zapach mokrego psa.

Co właściwie Sara miała na myśli, kiedy na jego pytanie, czy żyje z kimś, odpowiedziała „Niezupełnie"?

Deszcz ustał, więc wzięli Edwarda na smycz i poszli na zakupy. Muriel chciała kupić pantofle ozdobione piórkami.

— Czerwone, na wysokich obcasach i z ostrym noskiem — opisała je.

— Boże, po co? — zapytał Macon.

— Chcę w nich łazić po domu w niedzielne ranki. Nie potrafisz sobie tego wyobrazić? Szkoda, że nie palę papierosów. Szkoda, że Aleksander jest uczulony na dym.

Właściwie potrafił sobie to wyobrazić.

— W twoim czarno-złotym kimonie — powiedział.

— Tak jest.

— Ale nie sądzę, żeby takie upierzone pantofle były jeszcze w sprzedaży.

— Mają je w sklepach ze starzyzną.

— Aha.

Macon ostatnio też polubił te tanie sklepy. W morzu plastyku znalazł składaną miarkę stolarską z bukszpanu, pomysłową krajaczkę do ciastek, która nie zostawiała niepotrzebnej przestrzeni pomiędzy nimi, oraz miniaturową mosiężną poziomnicę do skrzynki z narzędziami Aleksandra.

Było ciepło i wilgotno. Pani Butler stawiała podpórki dla zgniecionych gałązek pelargonii, które zwisały w pobielonej oponie na jej podwórku. Pani Patel, wyjątkowo ubrana nie w swoje świecące sari, tylko w ciasne, powypychane dżinsy marki Calvin Klein, w których wyglądała niezgrabnie i mało romantycznie, wycierała kałuże na schodkach przed domem. A pani Saddler stała przed sklepem z artykułami żelaznymi i czekała, aż go otworzą.

— Pewnie nie widziałaś Dominika — odezwała się do Muriel.

— Ostatnio nie.

— Zeszłej nocy nie wrócił do domu. Ten chłopak ciągle przysparza mi zmartwień. Nie jest w gruncie rzeczy zły — zwróciła się do Macona pani Saddler — ale sprawia kłopoty. Wiesz, o co mi chodzi? Kiedy jest w domu, wszędzie go pełno: słychać tupot tych jego buciorów, ale kiedy go nie ma, to okropnie czuje się jego nieobecność. Nie uwierzysz, ale dom wydaje się tak pusty, że słychać w nim echo.

— Wróci — powiedziała Muriel. — Dziś wieczorem jego kolej na samochód.

— Ale kiedy wyjeżdża samochodem, jest jeszcze gorzej — stwierdziła pani Saddler. — Gdy tylko rozlegnie się sygnał karetki, zastanawiam się, czy to nie Dominik. Dobrze wiem, jak ścina zakręty! I znam te szybkie dziewczyny, z którymi się spotyka!

Zostawili ją stojącą pod sklepem i w roztargnieniu miętoszącą portmonetkę z bilonem, choć właściciel otworzył już drzwi i właśnie rozsuwał markizę nad wejściem.

Przed sklepem o nazwie „Rzeczy do ponownego użytku" kazali Edwardowi zostać i siedzieć. Posłuchał, ale wyglądał ponuro. Muriel grzebała w stosach wykręconych, łamliwych pantofli, które stwardniały przybierając kształt czyjejś stopy. Zrzuciła swoje buty i przymierzyła srebrne wieczorowe sandały.

— Co o nich sądzisz? — zapytała Macona.

— Myślałem, że szukasz pantofli domowych.

— Ale co sądzisz o tych?

— Mogę bez nich żyć — powiedział. Był już znudzony, gdyż sprzedawano tu tylko buty i odzież.

Muriel odłożyła sandały i poszli do sąsiedniego sklepu „Garage Sale Incorporated". Macon usiłował wmówić sobie, że przyda mu się zardzewiały metalowy segregator na fiszki, który znalazł w stosie łańcuchów do opon. Może mógłby go jakoś wykorzystać przy swoich poradnikach i odjąć jego koszt od podatku? Muriel wzięła brązową winylową walizkę z zaokrąglonymi brzegami, która przypominała Maconowi częściowo wyssany karmelek.

— Kupić ją? — zapytała.

— Myślałem, że chcesz kupić pantofle.

— Ale na podróż.

— Od kiedy to podróżujesz?

— Wiem, dokąd jedziesz następnym razem — oznajmiła i podeszła do niego, ściskając obiema dłońmi rączkę walizki. Wyglądała jak mała dziewczynka stojąca na przystanku autobusowym albo zatrzymująca samochody na autostradzie.

— Chciałam cię zapytać, czy mogłabym z tobą pojechać.

— Do Kanady?

— Chodzi mi o następne miejsce. O Francję.

Macon odłożył segregator. (Wzmianki o Francji zawsze go przygnębiały.)

— Julian tak powiedział! — przypomniała mu. — Powiedział, że już czas znowu pojechać do Francji.

— Wiesz, że nie mogę cię zabrać.

Muriel odstawiła walizkę i wyszli ze sklepu.

— Ale tylko ten jeden raz — mówiła, biegnąc obok niego.

— To nie będzie dużo kosztować!

Macon odwiązał smycz Edwarda i pozwolił mu wstać.

— Będzie kosztować majątek, a poza tym opuściłabyś kilka dni w pracy.

— Nie. Odeszłam.

Spojrzał na nią.

— Odeszłaś?

— Tak, odeszłam z „Miau-Hau". A takie sprawy jak firma „George" i tresura psów mogę inaczej poumawiać. Gdybym miała pojechać, mogłabym...

— Odeszłaś z „Miau-Hau"?

— No to co?

Nie potrafił wytłumaczyć, dlaczego nagle poczuł się, jakby spadł na niego jakiś ciężar.

— To nie dawało wielkich zarobków — powiedziała Muriel. — A ty robisz teraz prawie wszystkie zakupy, płacisz czynsz i inne rzeczy. Nie potrzebuję pieniędzy. Poza tym to zabierało tyle czasu! Czasu, który mogłabym spędzać z tobą i z Aleksandrem! Wracałam wieczorami skonana, Macon. Dosłownie.

Minęli salon piękności „Methylene", agencję ubezpieczeniową i odrapany sklep. Edward spojrzał z zainteresowaniem na dużego pyzatego kocura grzejącego się na masce półciężarówki.

— W przenośni.

— Co?

— Byłaś w przenośni skonana. Boże, Muriel, jesteś taka nieprecyzyjna i niedbała. A poza tym jak mogłaś tak po prostu rzucić pracę? Jak mogłaś robić takie założenia? Nawet mnie nie uprzedziłaś!

— Ojej, nie rób z tego takiej wielkiej sprawy.

Doszli do jej ulubionego sklepu — bezimiennej małej dziupli z furą zakurzonych kapeluszy na wystawie. Macon postanowił zostać na zewnątrz.

— Nie wchodzisz? — zapytała.

— Zaczekam przed sklepem.

— Ale tutaj mają różne ciekawe rzeczy!

Nic nie odpowiedział. Westchnęła i zniknęła.

I wtedy poczuł ulgę.

Schylił się, żeby podrapać Edwarda za uchem, po czym wstał i zaczął się przyglądać wyblakłemu od słońca plakatowi wyborczemu, jakby zawierał on jakąś ciekawą, zakodowaną informację. Minęły go dwie czarne kobiety pchające druciane wózki z praniem.

— Było tak ciepło jak właśnie dzisiaj, kiedy ci to mówię, a ona miała na sobie grube futro...

— May-con.

Odwrócił się ku drzwiom sklepu.

— Och, Maay-con!

Ujrzał dziecięcą rękawiczkę w kształcie pacynki. We wnętrzu dłoni były filcowe czerwone usta, które otworzyły się i pisnęły:

— Macon, proszę, nie gniewaj się na Muriel!

Wybuchnął śmiechem.

— Chodź do tego miłego sklepu — namawiała pacynka.

— Muriel, Edward zaczyna się niecierpliwić.

— Tutaj jest dużo rzeczy do kupienia! Obcęgi i klucze francuskie, i kątownice... Jest też cichy młotek.

— Co takiego?

— Młotek, który nie stuka. Można wbijać gwoździe w środku nocy.

— Słuchaj...

— Jest potłuczona i połamana lupa, a kiedy patrzysz przez soczewkę na połamane rzeczy, przysiągłbyś, że są znowu całe.

— Muriel, daj spokój.

— Nie jestem Muriel! Jestem Mitchell Rękawiczka! Macon, czy nie wiesz, że Muriel zawsze da sobie radę? — zapytała pacynka. — Czy nie wiesz, że jeśli zechce, jutro znajdzie nową pracę? Wejdź do środka! Chodź! Jest tu nóż kieszonkowy, który ma własną osełkę.

— Och, na miłość boską! — powiedział Macon, ale uśmiechnął się półgębkiem i wszedł do sklepu.

W ciągu następnych kilku dni Muriel wciąż wracała do sprawy Francji. Przysłała mu anonimowy list ułożony z liter z gazety: Nie Zapomnij KUPIĆ Biletu lotniczego dla Muriel. (A demaskujące ją pismo, z wyciętymi fragmentami tekstu, nadal leżało na kuchennym stole.) Poprosiła go, żeby wyjął jej klucze z torebki, a kiedy ją otworzył, znalazł fotografie — dwa małe kolorowe zdjęcia na cienkim papierze, ukazujące na wpół przymknięte oczy Muriel. Zdjęcia paszportowe, to jasne. Pewnie chciała, żeby je zobaczył, bo obserwowała go bardzo uważnie. Ale on tylko włożył jej klucze w dłoń i nic nie powiedział.

Podziwiał ją. Nigdy przedtem nie spotkał osoby tak wytrwale dążącej do celu. Pewnego wieczoru wyszedł z nią po zakupy bardzo późno i kiedy mijali ciemny fragment ulicy, z którychś drzwi wyszedł chłopak.

— Daj wszystko, co masz w torebce — zażądał od Muriel.

Macon był zaskoczony, bo chłopak był niemal dzieckiem. Zastygł, ściskając torbę z zakupami. Ale Muriel krzyknęła:

— Niedoczekanie twoje! — I zamachnąwszy się torebką na pasku uderzyła chłopaka w szczękę. — Idź natychmiast do domu, bo pożałujesz, że się urodziłeś! — dodała.

Chłopak uniósł dłoń ku twarzy i wycofał się chyłkiem, oglądając się na nią ze zdumieniem.

Kiedy Macon odzyskał język w gębie, powiedział Muriel, że jest głupia.

— Przecież mógł mieć broń — stwierdził. — Kto wie, co się mogło stać! Dzieciaki mają mniej litości niż dorośli, co dzień czyta się o tym w gazetach.

— Ale wszystko się dobrze skończyło, prawda? O co się więc tak wściekasz? — zapytała.

Nie był pewien. Pomyślał, że być może jest wściekły na siebie. Nie zrobił nic, żeby ją obronić, nie wykazał siły ani rycerskości. Nie zebrał myśli tak szybko jak ona, a właściwie w ogóle nie był w stanie myśleć. A Muriel... ona nie wydawała się nawet zaskoczona. Mogłaby iść tą ulicą, spodziewając się sąsiada, bezpańskiego psa albo napadu — i wszystko to stanowiło część jej życia. Przeraziła go i zdumiała; poczuł się upokorzony. Tymczasem Muriel szła nucąc „Wielkiego nakrapianego ptaka", jak gdyby nie stało się nic nadzwyczajnego.

*

— Uważam, że Aleksandra nie uczą najlepiej — powiedział do niej któregoś wieczoru.

— Ach, da sobie radę.

— Kiedy kupowaliśmy dziś mleko, poprosiłem go, żeby obliczył, ile reszty nam wydadzą, a on nie miał zielonego pojęcia. Nawet nie wiedział, że musi odjąć.

— Jest dopiero w drugiej klasie — broniła go Muriel.

— Uważam, że powinien być przeniesiony do szkoły prywatnej.

— Szkoły prywatne są drogie.

— No to co? Zapłacę.

Przestała obracać bekon i spojrzała na niego.

— O czym ty mówisz, Macon?

— Słucham?

— Co chcesz powiedzieć? Że jesteś zaangażowany?

Macon odchrząknął i powtórzył:

— Zaangażowany.

— Aleksander ma przed sobą jeszcze dziesięć lat szkoły. Czy chcesz powiedzieć, że będziesz z nami przez całe dziesięć lat?

— Hm...

— Nie mogę go umieścić w nowej szkole, a potem zabierać, kiedy ty będziesz miał nowy kaprys.

Milczał.

— Powiedz mi jedno. Czy przewidujesz, że kiedyś się pobierzemy? Kiedy już dostaniesz rozwód.

— Małżeństwo, Muriel...

— Nie planujesz tego, prawda? Nie wiesz, czego chcesz. Raz mnie lubisz, a raz nie. Raz wstydzisz się ze mną pokazywać, a za chwilę uważasz, że jestem czymś najlepszym, co ci się zdarzyło.

Spojrzał na nią. Nigdy nie przypuszczał, że tak dokładnie czyta w jego myślach.

— Uważasz, że możesz tak płynąć, dzień za dniem, bez żadnych planów — ciągnęła. — Może będziesz tu jutro, a może nie. Może wrócisz do Sary. O, tak! Widziałam na ślubie Rose, jak na siebie patrzyliście.

— Mówię tylko, że... — zaczął Macon.

— A ja mówię — przerwała mu Muriel — żebyś uważał na to, co obiecujesz mojemu synowi. Nie składaj mu obietnic, których nie masz zamiaru dotrzymać.

— Ale ja tylko chcę, żeby się nauczył odejmować!

Nie odpowiedziała, wiec ostatnie słowo brzmiało przez chwilę w powietrzu. Odejmować. Płaski, ostry, pusty dźwięk, który go przygnębił.

Przy kolacji Muriel była zbyt milcząca; nawet Aleksander się nie odzywał i gdy tylko skończył swoją kanapkę z bekonem, sałatą i pomidorem, poprosił, żeby mu było wolno odejść od stołu. Macon kręcił się jednak po kuchni. Muriel nalewała wodę do zlewu.

— Może powycieram? — zaproponował.

Bez żadnego ostrzeżenia odwróciła się i rzuciła mu w twarz mokrą gąbkę.

— Muriel?!

— Wynoś się! — krzyknęła ze łzami w oczach, po czym odwróciła się i zanurzyła ręce w wodzie tak gorącej, że parowała.

Macon wyszedł. Poszedł do salonu, gdzie Aleksander oglądał telewizję. Chłopiec posunął się, robiąc mu miejsce na kanapie. Nic nie powiedział, ale Macon zdawał sobie sprawę, że słyszał, co zaszło, bo na każdy brzęk talerzy w kuchni sztywniał. Po chwili brzęk ustał. Macon i Aleksander spojrzeli na siebie. Było cicho — słyszeli tylko niewyraźny głos. Macon wstał i wrócił do kuchni, idąc ciszej niż zwykle i zerkając jak kot, który skrada się ponownie po tym, jak został zrzucony z kolan.

Muriel rozmawiała przez telefon z matką. Jej głos był wesoły i dziarski, tylko nieco grubszy niż zwykłe, jakby była przeziębiona.

— No więc — mówiła — pytam ją, jakie kłopoty sprawia jej pies, a ona na to: „Żadnych", więc pytam: „To o co chodzi?", a ona: „Żadnych poważnych problemów". To ja mówię: „Proszę pani, chyba wezwała mnie pani z jakiegoś powodu". A ona mówi: „No, właściwie zastanawiam się, kiedy on robi". „Robi?", pytam. „Tak, kiedy załatwia pierwszą potrzebę. Robi to tak, jak małe suczki — nie podnosi nogi".

Mówię jej: „Zaraz, ustalmy, wezwała mnie pani, żebym nauczyła pani psa podnosić nogę przy siusianiu?"

Wolną dłonią wykonywała ruchy, jak gdyby matka mogła to zobaczyć. Macon podszedł od tyłu i objął ją, a ona oparła się o niego.

— Ach, nie ma chwili nudy, zapewniam cię — powiedziała do słuchawki.

Tej nocy śniło mu się, że podróżuje po obcym kraju, tylko że okazał się on mieszaniną wszystkich krajów, w których był, a nawet takich, w których nie był. Sterylne, ogromne przestrzenie lotniska Charles'a de Gaulle'a mieszały się z małymi ptaszkami, które widział w sali odlotów w Brukseli, a kiedy wyszedł na dwór, znalazł się na zielonej mapie Hawajów Juliana, z miejscowymi tancerkami, powiększonymi, kołyszącymi się wokół punktów oznaczających różne turystyczne atrakcje. Tymczasem jego głos, obojętny i monotonny, mruczał równo. „W Niemczech biznesmen musi punktualnie stawiać się na spotkania, w Szwajcarii powinien przychodzić o pięć minut wcześniej, a we Włoszech często zdarzają się kilkugodzinne spóźnienia..."

Obudził się. Było całkiem ciemno, ale przez otwarte okno słyszał daleki śmiech, muzykę i ciche okrzyki, jak gdyby odbywała się jakaś zabawa. Zerknął na zegarek na radiu: wpół do czwartej. Kto może się bawić o tej porze? W dodatku przy tej ulicy — zaniedbanej, smutnej, gdzie nikomu nic się nie udawało, gdzie mężczyźni mieli beznadziejną pracę albo nie mieli żadnej, kobiety tyły, dzieci schodziły na manowce. Ale dobiegł go kolejny radosny okrzyk i ktoś zaśpiewał fragment piosenki. Macon się uśmiechnął. Odwrócił się ku Muriel i zamknął oczy. Resztę nocy przespał bez snów.

Listonosz zadzwonił do drzwi i podał długą paczkę w kształcie rulonu zaadresowaną do Macona.

— Co to może być? — zdziwił się Macon.

Wrócił do salonu. Muriel czytała książkę zatytułowaną „Porady gwiazd na temat piękności". Uniosła wzrok i powiedziała:

— Może otworzysz i przekonasz się, co to jest.

— Czy to twoja robota?

Przewróciła tylko stronę.

Domyślał się, że to kolejna prośba o zabranie jej do Francji.

Zdjął taśmę z jednego końca i potrząsnął paczką, aż wypadł z niej rulon błyszczącego papieru. Kiedy go rozwinął, ujrzał kolorowy obrazek dwóch szczeniaków w koszyku, nad nim napis: WITAMINY DLA ZWIERZĄT PRODUKCJI DOKTORA MACKA, a poniżej kalendarz stycznia.

— Nie rozumiem — stwierdził Macon.

Muriel przewróciła kolejną stronę.

— Po co mi przysyłasz kalendarz na rok, którego połowa już upłynęła?

— Może coś jest na nim napisane — podsunęła.

Przejrzał luty, marzec, kwiecień. Nic. Maj. Potem czerwiec: drobne pismo, czerwony atrament na sobocie. Ślub — przeczytał.

— Ślub? Czyj?

— Może nasz?

— Och, Muriel...

— Akurat minie rok twojej separacji, Macon. Będziesz mógł dostać rozwód.

— Ale Muriel...

— Zawsze chciałam wziąć ślub w czerwcu.

— Muriel, proszę cię, nie jestem na to gotów! Myślę, że nigdy nie będę. Naprawdę nie uważam, że małżeństwo powinno być czymś tak powszechnym, jak jest. Sądzę, że powinien to być wyjątek od reguły. No, może idealne pary mogłyby się pobierać, ale gdzie masz idealną parę?

— Pewnie ty i Sara — odpowiedziała Muriel.

Imię Sary wywołało w nim wizję jej spokojnej, okrągłej jak stokrotka twarzy.

— Nie, nie — zaprzeczył słabo.

— Jesteś takim egoistą! — krzyknęła Muriel. — Jesteś tak skupiony na sobie! Zawsze masz mnóstwo powodów, żeby nie zrobić najdrobniejszej rzeczy, której ja chcę!

Rzuciła książkę i pobiegła na górę.

Macon słyszał ostrożne, przypominające mysz odgłosy, kiedy Aleksander skradał się po kuchni, szykując sobie coś do jedzenia.

Claire pojawiła się w drzwiach z walizką pełną ciuchów i oczami zaczerwienionymi od łez.

— Nigdy już nie odezwę się do mamy — oznajmiła. Przepchnęła się pomiędzy nimi i weszła do domu. — Wiecie, co się stało? Spotykałam się z takim chłopakiem, z Claude'em McEwenem. Ale nie powiedziałam o tym mamie, bo wiecie, że ona się boi, żebym nie skończyła tak jak Muriel. No i wczoraj wieczorem, kiedy po mnie przyjechał, wsiadłam do jego samochodu, a ona zobaczyła mnie z okna i zauważyła, że na zderzaku jest nalepka EDGEWOOD. To dlatego, że on chodził do szkoły średniej zwanej Edgewood Prep w Delaware, ale mama pomyślała, że chodzi o Akademię Wojskową Edgewood i że on jest żołnierzem. W każdym razie wstaję dzisiaj rano, a ona wściekła mówi: „Wiem, co robiłaś! Wypuściłaś się zeszłego wieczoru z generałem!" A ja pytam: „Z kim?" Ale jak ona zacznie, to nie można jej zatrzymać. Powiada, że będę uziemiona na zawsze i że nie mogę się więcej spotykać z generałem, bo w przeciwnym razie poda go do sądu wojennego i zedrą mu gwiazdki z munduru... No to ja się błyskawicznie spakowałam...

Macon, który słuchał nieuważnie, podczas gdy Edward wzdychał mu u stóp, ujrzał nagle swoje życie jako bogate, pełne i zdumiewające. Chciałby je komuś pokazać. Pragnął wyciągnąć ramię i powiedzieć: „Widzicie?"

Ale osobą, której chciał to pokazać, była Sara.

Rose i Julian wrócili z podróży poślubnej i wydawali rodzinną kolację, na którą zaprosili Macona i Muriel.

Macon kupił butelkę bardzo dobrego wina jako prezent dla gospodyni. Postawił ją na szafce; przyszła Muriel i zapytała:

— Co to?

— Wino dla Rose i Juliana.

— Trzydzieści sześć dolarów i dziewięćdziesiąt dziewięć centów! — przeczytała na nalepce.

— Tak, to francuskie wino.

— Nie wiedziałam, że wino może kosztować trzydzieści sześć dolarów dziewięćdziesiąt dziewięć centów.

— Pomyślałem, że skoro to nasza pierwsza wizyta w ich mieszkaniu...

— Dbasz o swą rodzinę — stwierdziła Muriel.

— Oczywiście.

— Ale mnie nigdy nie kupiłeś wina.

— Nie wiedziałem, że chciałabyś. Mówiłaś mi, że od wina robi ci się osad na zębach.

Nie odezwała się.

Później w ciągu dnia zauważył, że butelka była ruszana, że jest otwarta i do połowy wypita. Obok leżał korek, nadal wbity na korkociąg. Brudnawa szklanka miała zapach winogron.

— Muriel! — zawołał Macon.

— Co? — odpowiedziała z salonu.

Podszedł do drzwi. Oglądała z Aleksandrem mecz piłkarski.

— Muriel, czy piłaś to wino, które kupiłem? — zapytał.

— Tak.

— Dlaczego?

— Ach, ogarnęła mnie nieodparta chęć, żeby spróbować.

— Spojrzała na niego zmrużonymi oczami, wysuwając podbródek.

Czuł, że prowokuje go, żeby coś zrobił, ale nic nie powiedział. Wziął kluczyki i pojechał po drugą butelkę.

Macon był onieśmielony myśląc o tej kolacji, jak gdyby Rose stała się kimś obcym. Ubierał się dłużej niż zwykle, nie mogąc się zdecydować, którą koszulę włożyć. Muriel też miała problemy; przymierzała i zdejmowała różne stroje. Na łóżku i podłodze zaczęły się piętrzyć barwne stosy.

— Och, Boże, chciałabym być kimś całkiem innym — westchnęła.

Macon, skupiony na wiązaniu krawata, nic nie powiedział. Z ramy w lustrze uśmiechało się do niego jej zdjęcie z dziecięcych lat. Zauważył datę na ramce: SIERPIEŃ 1960.

Kiedy Muriel miała dwa lata, Macon i Sara byli już zaręczeni.

Na dole Dominik Saddler i Aleksander siedzieli na kanapie.

— Oto twój wosk — mówił Dominik. — Nigdy nie poleruj samochodu niczym innym, tylko woskiem. A tu mamy pieluszkę. Pieluszki są najlepszymi szmatkami, bo nie zostawiają kłaczków. Zwykle kupuję tuzin u Searsa i Roebucka. I ircha. Znasz irchowe szmatki. No więc bierzesz te wszystkie rzeczy, skrzynkę dobrego piwa i dziewczynę, i ruszasz do Loch Raven. Potem parkujesz w słońcu, zdejmujesz koszulę i oboje zaczynacie polerować samochód. Nie znam piękniejszego sposobu spędzenia wiosennego popołudnia.

Macon uznał, że to Dominikowa wersja bajki na dobranoc. Miał dziś zostać z Aleksandrem. (Bliźniaczki Butlerów miały randki, a Claire umówiła się z Generałem, jako że wszyscy go teraz tak nazywali.) W zamian za to Muriel przyrzekła Dominikowi, że będzie mógł używać jej samochodu przez cały tydzień — same pieniądze by go nie przekonały. Rozsiadł się obok Aleksandra z pieluszką na kolanie; pod podkoszulkiem z napisem WEEKENDOWY WOJOWNIK rysowały się mięśnie. Na głowie miał zsuniętą do tyłu czapkę greckiego marynarza z wpiętym nad daszkiem znaczkiem grupy rockowej Judas Priest. Aleksander był zachwycony.

Muriel zeszła po schodach stukając obcasami; wykręcała głowę, żeby zobaczyć, czy nie wystaje jej halka.

— Czy ten strój jest dobry? — zapytała Macona.

— Bardzo ładny — odpowiedział zgodnie z prawdą, mimo że był całkiem nie w jej stylu. Zapewne postanowiła wybrać Rose jako swój wzór. Zebrała włosy, upięła je nisko w kok i ubrała się w szarą sukienkę z watowanymi ramionami. Tylko sandały o cienkich obcasach były w typie jej ulubionych kreacji, gdyż prawdopodobnie nie miała żadnych rozsądnych pantofli podobnych do pantofli Rose — płaskich, takich, jakie noszą uczennice.

— Chcę, żebyś mi powiedział, jeśli coś jest nie w porządku — oznajmiła — jeśli coś uważasz za nieodpowiednie.

— Wszystko jest znakomite — zapewnił ją.

Ucałowała Aleksandra, zostawiając mu na policzku czerwoną smugę. Dokonała ostatniej inspekcji przed lustrem obok drzwi frontowych, wołając jednocześnie:

— Nie pozwól mu siedzieć zbyt długo, Dominiku, i nie daj mu oglądać w telewizji żadnych przerażających rzeczy...

— Muriel! — popędził ją Macon.

— Wyglądam jak gniew Boga.

Dzieci z rodziny Learych były wychowane w przekonaniu, że jeśli jest się zaproszonym na posiłek, należy przybywać punktualnie. To nieważne, że często zastawali gospodynię w lokówkach — postępowali zgodnie z tym, czego ich nauczono. Tak więc Macon nacisnął dzwonek w holu punktualnie o szóstej dwadzieścia siedem, a Porter i Charles dołączyli do nich przed windą. Obaj powiedzieli Muriel, że miło im ją widzieć. Potem jechali na górę w ponurej ciszy z oczami wbitymi w numery pięter. Charles trzymał doniczkę z paprotką, a Porter drugą butelkę wina.

— Czyż to nie ekscytujące? — odezwała się Muriel. — Jesteśmy pierwszymi gośćmi, których zaprosili.

— W domu oglądalibyśmy teraz wiadomości wieczorne CBS — oznajmił Charles.

Muriel nie potrafiła na to odpowiedzieć.

Punkt o wpół do siódmej zadzwonili do drzwi, stojąc w wyciszonym korytarzu pokrytym wykładziną dywanową w kolorze écru. Rose otworzyła i zawołała:

— Są już!

Lekko przytuliła policzek do twarzy każdego z nich. Była ubrana w obramowany koronką fartuch babci Leary i pachniała mydłem lawendowym, jak zawsze.

Ale na nosie miała łuszczącą się od opalenizny skórę.

Julian, schludny i nieformalny w granatowym golfie i białych spodniach (chociaż nie był to jeszcze Dzień Pamięci),* przygotował drinki, podczas gdy Rose wycofała się

---

* Dzień Pamięci (Memorial Day) — 30 maja. Zgodnie z tradycją w tzw. dobrym towarzystwie białe spodnie, spódnice, pantofle itd. (dolną część ubrania) nosi się dopiero w sezonie letnim, który rozpoczyna się po tej dacie (przyp. tłum.).

do kuchni. Mieli jedno z tych supernowoczesnych mieszkań, gdzie wszystkie pokoje się łączyły, więc widzieli ją, jak się krząta. Julian pokazywał zdjęcia z Hawajów. Albo miał słaby film, albo też Hawaje były czymś zupełnie innym niż Baltimore, bo niektóre kolory źle wyszły. Drzewa wydawały się niebieskie. Na większości zdjęć Rose stała przed klombem z kwiatami albo przed kwitnącymi krzewami i miała na sobie białą sukienkę bez rękawów, której Macon nigdy przedtem nie widział; trzymała założone ręce i uśmiechała się zbyt szeroko, tak że wyglądała na starszą, niż była.

— Mówię Rose, że uznacie, iż pojechała w podróż poślubną sama — powiedział Julian. — Ja robiłem zdjęcia, bo Rose nie potrafiła się nauczyć obsługi mojego aparatu fotograficznego.

— Naprawdę? — zdziwił się Macon.

— To był niemiecki model z różnymi przyciskami.

— Nie umiała sobie poradzić z tymi przyciskami?

— Mówię jej: „Ludzie pomyślą, że mnie tam w ogóle nie było".

— Ależ Rose potrafiłaby rozłożyć aparat na czynniki pierwsze i złożyć go ponownie — stwierdził Macon.

— Nie, to był niemiecki model z...

— Nie był zbyt logicznie skonstruowany! — krzyknęła Rose z kuchni.

— Aha — mruknął Macon siadając.

Rose weszła do pokoju z tacą, którą ustawiła na szklanym stoliku do kawy. Potem uklękła i zaczęła rozsmarowywać pasztet na małych krakersikach. Macon zauważył, że inaczej się porusza. Było w niej więcej wdzięku, ale i samokontroli. Najpierw poczęstowała Muriel, potem braci, a na końcu Juliana.

— Na Hawajach zaczęłam się uczyć żeglowania — pochwaliła się. Wyraźnie zaakcentowała słowo „Hawaje", co Maconowi wydało się pretensjonalne. — Teraz będę ćwiczyć w zatoce.

— Usiłuje dopiero nauczyć się poruszania w łodzi — powiedział Julian. — Ma niestety skłonności do choroby morskiej. Ciągle miała nudności.

Macon ugryzł krakersa. Pasztet miał znajomy smak. Był dosyć gruzełkowaty, ale delikatny; czuło się w nim dużą ilość masła. Rozpoznał przepis Sary. Siedział bez ruchu i nie żuł. Zachwycał się subtelną kompozycją taragony, śmietany i domu.

— Ach, wiem, co przeżywasz — zwróciła się Muriel do Rose. — Mnie wystarczy spojrzeć na łódź i już mi nudno.

Macon przełknął i spojrzał w dół, na dywan pomiędzy swoimi stopami. Czekał, aż ktoś ją poprawi, ale nikt tego nie zrobił. To było jeszcze gorsze.

W łóżku zaczęła pytać:

— Nigdy mnie nie opuścisz, prawda? Czy mógłbyś mnie kiedykolwiek porzucić? Nie będziesz taki jak inni, co? Obiecujesz, że mnie nie zostawisz?

— Tak, tak — mruknął, zapadając w sen i budząc się ponownie.

— Nie traktujesz mnie poważnie, prawda? Tak?

— Och, Muriel, na miłość boską... — jęknął.

Ale później, kiedy obróciła się we śnie i odsunęła od niego, jego stopy same zaczęły szukać jej stóp po drugiej stronie łóżka.

XVIII

Kiedy zadzwonił telefon, Macon siedział w pokoju hotelowym w Winnipeg, stolicy kanadyjskiej prowincji Manitoba. Dopiero po paru sekundach zorientował się, że to właśnie telefon, bo akurat zabawiał się tajemniczym obiektem, który przed chwilą odkrył, był to pomalowany na kolor kości słoniowej metalowy cylinder przymocowany do ściany nad łóżkiem. Nigdy przedtem tego nie widział, chociaż mieszkał w tym hotelu podczas poprzednich dwóch podróży. Kiedy dotknął cylindra, żeby się przekonać, co to jest, ten obrócił się i zniknął w ścianie, a zamiast niego wynurzyła się zapalona żarówka. W tym momencie zadzwonił telefon. Macon, przez chwilę zdezorientowany, myślał, że to dzwoni cylinder. Potem zauważył aparat telefoniczny na nocnym stoliku. Nadal nie rozumiał, o co chodzi — przecież nikt nie miał jego numeru telefonu.

Podniósł słuchawkę.

— Halo!

— Macon?

Serce mu zamarło.

— Saro, to ty?

— Czy ci przeszkodziłam?

— Nie, nie... Skąd wiedziałaś, gdzie jestem?

— Julian sądził, że będziesz teraz albo w Toronto, albo w Winnipeg, więc zajrzałam do twojego ostatniego przewodnika i zorientowałam się, że hotele, w których opisywałeś nocne odgłosy, to są te, w których sam mieszkałeś, więc...

— Czy coś się stało?

— Nie, chcę cię prosić o przysługę. Czy zgodziłbyś się, żebym się z powrotem wprowadziła do naszego domu?

— Hm.

— Traktuję to tylko jako miejsce do zamieszkania na pewien czas — dodała pospiesznie. — Moja umowa dotycząca wynajmu wygasa z końcem miesiąca, a nie mogę znaleźć nowego mieszkania.

— Ale dom jest w okropnym stanie — powiedział.

— Zajmę się tym.

— Chodzi mi o to, co się stało w czasie zimy: pękły rury, sufit się posypał...

— Tak, wiem.

— Wiesz?

— Twoi bracia mi powiedzieli.

— Moi bracia?

— Ponieważ nie odbierali telefonu, pojechałam zapytać, gdzie jesteś. A Rose mówiła, że też zajrzała do naszego domu i...

— Pojechałaś również do Rose?

— Nie, ona była u twoich braci.

— Aha.

— Będzie tam mieszkać przez jakiś czas.

— Co będzie robić?

— June właśnie urodziła, więc poprosiła Portera, żeby wziął do siebie dzieci na pewien czas.

— Ale co to ma wspólnego z Rose? Czy ona uważa, że Porter nie potrafi im otworzyć puszki zupy? I co June strzeliło do głowy, żeby się pozbyć dzieci z domu?

— Ach, znasz June, zawsze miała ptasi móżdżek.

Kiedy to mówiła, jej głos przybrał starą, znajomą barwę. Do tej pory była w nim pewna ostrożność, przezorność, jakaś gotowość do wycofania się, lecz teraz pojawił się ton żartobliwy i konfidencjonalny. Macon oparł się o poduszkę.

— Powiedziała dzieciom, że musi mieć trochę czasu na nawiązanie kontaktu — wyjaśniła Sara.

— Trochę czasu na co?

— Ona i jej mąż muszą nawiązać kontakt z dzieckiem.

— Dobry Boże!

— Kiedy Rose o tym usłyszała, powiedziała Porterowi, że wraca do domu. Poza tym uważała, że Porter i Charles nie odżywiają się właściwie, a w ścianie domu jest szczelina i musi ich dopilnować, żeby ją załatali, zanim się poszerzy.

— Jaka znowu szczelina?

— Jakaś szpara w murze, nie wiem zresztą. Rose mówi, że kiedy deszcz zacina pod pewnym kątem, nad stropem w kuchni gromadzi się woda; Porter i Charles mieli to zreperować, ale nadal nie mogą uzgodnić, jak to najlepiej zrobić.

Macon zsunął buty i ułożył nogi na łóżku.

— To Julian mieszka teraz sam czy co? — zapytał.

— Tak, ale ona zanosi mu zapiekanki — powiedziała Sara. — Czy zastanowiłeś się już nad tym, Maconie?

Serce znów mu zamarło.

— Nad czym?

— Nad tym, czy mogłabym zamieszkać w domu.

— Ach, tak. Mnie to nie przeszkadza, ale chyba nie zdajesz sobie sprawy z rozmiarów zniszczenia.

— Ale gdybyśmy mieli go sprzedać, to i tak musielibyśmy zrobić remont. Więc pomyślałam sobie, że zapłaciłabym za naprawy, czyli za to, czego nie pokrywa ubezpieczenie, z pieniędzy, które musiałabym zapłacić za wynajem. Czy takie rozwiązanie uważasz za uczciwe?

— Tak, oczywiście.

— I może znalazłabym kogoś, kto by wyczyścił tapicerkę — dodała.

— Dobrze.

— I dywany.

— Dobrze.

Po tylu wspólnie spędzonych latach wiedział, kiedy Sara do czegoś zmierza. Rozpoznał ten niezdecydowany ton, który oznaczał, że zbiera się na odwagę, żeby oznajmić mu to, co najważniejsze.

— Aha, przy okazji — powiedziała. — Przyszły dokumenty od adwokata.

— Aha.

— Ostateczne ustalenia. Wiesz, to, co muszę podpisać.

— Tak.

— To był szok.

Milczał.

— Oczywiście wiedziałam, że te papiery przyjdą, bo minął już prawie rok. Zresztą on zatelefonował i uprzedził mnie, że je wysyła, ale kiedy zobaczyłam to czarno na białym, to jakbym dostała obuchem w głowę. Nie uwzględnia się w nich odczuć człowieka. Tego się chyba nie spodziewałam...

Macon poczuł, że nadciąga niebezpieczeństwo, coś, nad czym nie byłby w stanie zapanować.

— Ach, oczywiście! — przerwał. — To normalna reakcja. W każdym razie życzę ci powodzenia, jeśli chodzi o dom, moja droga.

I szybko odłożył słuchawkę.

Podczas lotu do Edmontonu siedziała koło niego kobieta, która bała się latać. Macon domyślił się tego jeszcze przed startem samolotu, zanim spojrzał w jej kierunku. Wyglądał przez okno i jak zwykle nie udzielał się towarzysko; nagle usłyszał, jak jego sąsiadka przełyka nerwowo ślinę. Czuł też, że zaciska dłonie na poręczach fotela, po czym zwalnia uścisk. W końcu odwrócił się, żeby spojrzeć kto to. Jego wzrok napotkał spojrzenie opuchniętych oczu. Bardzo stara, rozlana kobieta w kwiecistej sukni wpatrywała się w niego w napięciu — być może siłą woli zmusiła go, aby odwrócił się w jej stronę.

— Sądzi pan, że ten samolot jest bezpieczny — powiedziała głucho, nawet nie w formie pytania.

— Jest całkiem bezpieczny — odparł.

— To po co wyświetlają te wszystkie znaki: tlen, kamizelki ratunkowe, wyjścia awaryjne? Najwyraźniej spodziewają się najgorszego.

— Takie są przepisy federalne — poinformował ją.

Po chwili zaczął się zastanawiać nad słowem „federalne". Czy stosuje się je w Kanadzie? Zmarszczył brwi i wbił wzrok w siedzenie przed sobą, rozmyślając nad tym zagadnieniem. Wreszcie skorygował:

— Przepisy rządowe.

Kiedy zerknął na staruszkę, aby sprawdzić, czy to określenie jest dla niej bardziej zrozumiałe, zorientował się, że pewnie przez cały czas wpatrywała się w niego. Wysunęła ku niemu twarz, poszarzałą i pełną rozpaczy. Zaczął się o nią martwić.

— Może pani wypije kieliszek sherry?

— Nie podadzą sherry, dopóki nie wystartujemy, a wtedy już będzie za późno.

— Chwileczkę.

Pochylił się, żeby otworzyć torbę, i wyjął z saszetki z przyborami do golenia plastykową butelkę podróżną. Zawsze ją zabierał na wypadek bezsennych nocy. Nigdy jej jednak nie używał, nie dlatego, że nie miewał bezsennych nocy, tylko dlatego, że oszczędzał ją na jeszcze gorszą sytuację niż ta, w jakiej się znajdował, na sytuację, która mogła nigdy nie zaistnieć. Podobnie jak inne awaryjne drobiazgi (pudełeczko z przyborami do szycia wielkości pudełka zapałek i mała biała tabletka przeciwko chorobie lokomocyjnej), butelkę trzymał na wypadek prawdziwego zagrożenia. Kiedy odkręcił metalową zakrętkę, ujrzał, że jest od środka zardzewiała.

— Obawiam się, że mogło... trochę stracić smak... Nie wiem, co się może stać z sherry — powiedział do staruszki.

Nie odzywała się, tylko nadal patrzyła mu prosto w oczy. Nalał sherry do zakrętki, która jednocześnie służyła za kubeczek. Tymczasem samolot zatrzeszczał głucho i ruszył po pasie startowym. Kobieta wypiła sherry i oddała mu zakrętkę. Zrozumiał, że nie oddaje jej na dobre, więc napełnił ją ponownie. Tym razem wypiła wolniej, po czym oparła głowę o zagłówek fotela.

— Lepiej? — zapytał.

— Jestem Danielowa Bunn — przedstawiła się.

Uznał, że w ten sposób chce mu dać do zrozumienia, iż jest znowu sobą — osobą oficjalną i pełną godności.

— Miło mi — powiedział. — Nazywam się Macon Leary.

— Wiem, że to głupie, panie Leary, ale drink daje złudzenie, że robi się coś, co pomaga przetrwać trudną chwilę, prawda?

— Oczywiście — potwierdził Macon.

Nie był jednak pewien, czy kobieta radzi sobie z sytuacją. W miarę jak samolot nabierał szybkości, jej wolna dłoń zaciskała się na poręczy fotela, a druga, bliższa niego, w której trzymała zakrętkę, zbielała wokół paznokci. Nagle zakrętka wyskoczyła z jej uścisku i poleciała w powietrze.

— Hopla! — krzyknął Macon, chwycił ją zwinnie, i zakręcił butelkę, którą włożył ponownie do torby. — Kiedy oderwiemy się od ziemi... — zaczął.

Wyraz jej twarzy sprawił, że zamilkł. Znowu przełykała ślinę. Samolot zaczął się wznosić. Podczas gdy dziób unosił się w górę, ona wciskała się w fotel. Wyglądała jak spłaszczona.

— Pani Bunn?! — Przestraszył się, że kobieta ma atak serca.

Zamiast odpowiedzieć, odwróciła się do niego i przywarła do jego ramienia. Objął ją.

— Proszę się uspokoić. Boże drogi, nic pani nie grozi. Proszę się uspokoić.

Samolot nadal się wznosił. Kiedy wciągano podwozie, Macon poczuł, że przez ciało pani Bunn przebiega dreszcz. Jej włosy pachniały jak świeżo wyprasowane ścierki. Wielkie, jakby pozbawione kości plecy przypominały grzbiet wieloryba.

Był zdumiony, że ktoś w tym wieku jeszcze tak zaciekle pragnie żyć.

Po chwili samolot wrócił do pozycji poziomej i pani Bunn zebrała się w sobie — wyprostowała się i odsunęła od niego, po czym otarła łzy, które widniały w workach pod oczami. Cała była pełna fałd, rozłożysta, nalana i obwisła, ale w długich, gąbczastych płatkach usznych dzielnie nosiła perłowe kolczyki, a na wargach, tak pomarszczonych, że nie miały żadnej wyraźnej linii, miała wyzywająco czerwoną szminkę.

— Dobrze się pani czuje? — zapytał.

— Tak i stokrotnie przepraszam — odparła i pogłaskała broszkę spinającą kołnierzyk sukni.

Kiedy podjechała stewardesa z wózkiem pełnym drinków, zamówił dla niej jeszcze jedną sherry, za którą koniecznie chciała zapłacić. Zamówił też dla siebie, choć nie zamierzał wypić. Pomyślał, że może przyda się pani Bunn. Okazało się, że miał rację, bo lot był niezwykle niespokojny. Przez cały czas świecił znak nakazujący zapięcie pasów, a samolot podskakiwał i wydawał takie odgłosy, jakby jechał po żużlu. Od czasu do czasu nagle opadał i pani Bunn krzywiła się, ale dochodziła do siebie popijając małe łyczki sherry.

— To nic takiego — pocieszał ją Macon. — Miewałem gorsze loty.

Wyjaśnił, jak ma sobie radzić z podskokami.

— To jak podróż statkiem. Albo na kółkach, na deskorolce. Musi pani rozluźnić kolana i się pochylić. Rozumie pani, co mówię? Poddać się rytmowi.

Pani Bunn powiedziała, że się stara.

Zawirowania powietrza nie były jedynym problemem — we wnętrzu samolotu też pojawiały się różne kłopoty. Wózek z napojami wciąż odjeżdżał od stewardesy, gdy tylko go puszczała. Rozkładany stolik pani Bunn dwukrotnie znienacka spadł jej na kolana. Przy każdej takiej niespodziance Macon śmiał się, wykrzykiwał: „Ojoj!" i potrząsał ze zdziwieniem głową. „Och, znowu!" Pani Bunn wpatrywała się w niego, jak gdyby był jej jedyną nadzieją.

Nagle rozległ się trzask i kobieta podskoczyła. To drzwi do kabiny pilotów otworzyły się bez żadnego powodu.

— Co to? Co to? — przeraziła się, ale Macon zwrócił jej uwagę, że teraz może się naocznie przekonać, iż pilot się w ogóle nie przejmuje.

Siedzieli tak blisko kabiny, że mogła nawet usłyszeć, o czym tam rozmawiają. Pilot wykrzykiwał jakieś pytanie do drugiego pilota — chciał wiedzieć, dlaczego dziesięcioletnia dziewczynka, która ma odrobinę rozumu, nosi aparat ortodontyczny w saunie.

— Czy tak się zachowuje człowiek, który jest zaniepokojony? — zapytał Macon panią Bunn. — Czy sądzi pani, że facet, który ma wyskoczyć ze spadochronem z samolotu, dyskutowałby o ortodoncji?

— Wyskoczyć ze spadochronem! — zawołała ze strachem pani Bunn. — To mi w ogóle nie przyszło do głowy!

Macon znów się roześmiał.

Przypomniała mu się pierwsza podróż, którą odbył samotnie jako chłopiec. Napawając się świeżo uzyskaną wolnością, skłamał siedzącemu obok mężczyźnie, mówiąc mu, że pochodzi z Kenii, gdzie jego ojciec prowadzi safari. Podobnie kłamał teraz, udając przed panią Bunn, że jest wesołym, wyrozumiałym człowiekiem.

Ale kiedy wylądowali i pani Bunn (która wreszcie przestała się bać, bo liczne porcje sherry zrobiły swoje) odeszła z dorosłą córką, małe dziecko wpadło na Macona i uderzyło się głową o jego kolano. Za nim pojawiły się inne dzieci, wszystkie mniej więcej tego samego wzrostu — Macon pomyślał, że to grupa z przedszkola, która ma wycieczkę na lotnisko — i każde z nich, jak gdyby nie mogąc zmienić kierunku, jaki obrało pierwsze, odbijało się od kolan Macona wykrzykując: „Och!" Te wołania niosły się jak ćwierkanie małych ptaszków: „Och!" „Och!" „Och!" Spoza dzieci wyłoniła się strapiona kobieta.

— Przepraszam — powiedziała do Macona, a on odrzekł:

— Nic się nie stało.

Dopiero później, kiedy miał lustro i ujrzał na swojej twarzy uśmiech, zdał sobie sprawę, że być może wcale nie okłamywał pani Bunn.

— Hydraulik twierdzi, że to nie będzie trudne do naprawienia — oznajmiła Sara. — Mówi, że wygląda nie najlepiej, ale pękła tylko jedna rura.

— To dobrze — odparł Macon.

Tym razem jej telefon nie zdziwił go, ale czuł, że jest coś kłopotliwego w fakcie, że stoi popołudniową porą któregoś dnia tygodnia w pokoju hotelowym w Edmontonie i słucha głosu Sary płynącego z drugiego końca linii.

— Byłam tam dziś rano i trochę posprzątałam. Wszystko jest w takim nieładzie.

— W nieładzie?

— Dlaczego niektóre prześcieradła są pozszywane? A co robi w sypialni maszynka do prażenia kukurydzy? Czy jadałeś kukurydzę w sypialni?

— Chyba tak — odpowiedział.

Stał obok otwartego okna i spoglądał na dziwnie piękny krajobraz: bezkresną równinę i budynki o prostych krawędziach wynurzające się z oddali jak dziecięce klocki na dywanie. W tym otoczeniu trudno mu było przypomnieć sobie, dlaczego maszynka do robienia kukurydzy znajdowała się w sypialni.

— Jaka tam jest pogoda? — zapytała Sara.

— Szarawo.

— Tutaj jest słonecznie i wilgotno.

— Tutaj w ogóle nie bywa wilgotno. Powietrze jest tak suche, że deszcz znika, zanim dotknie ziemi.

— Naprawdę? To skąd wiesz, że pada?

— Widać nad równiną. Wygląda to jak pasma, które zanikają w połowie drogi z nieba.

— Żałuję, że nie jestem tam i nie oglądam tego razem z tobą — powiedziała Sara.

Macon przełknął ślinę.

Spoglądając przez okno nagle przypomniał sobie Ethana jako małe dziecko. Zwykle płakał, jeśli nie był ciasno owinięty kocem. Pediatra wyjaśnił, że nowo narodzone dzieci boją się, że rozpadną się na kawałki. Wówczas Macon nie mógł sobie tego uzmysłowić, ale teraz nie miał z tym najmniejszych problemów. Potrafił wyobrazić sobie siebie samego rozpadającego się na kawałki; własną głowę odpływającą przerażająco szybko w niesamowicie zielonym powietrzu Alberty.

Kiedy był w Vancouverze, zapytała, czy tam deszcz też znika.

— Nie — odparł.

— Nie?

— Nie, w Vancouverze pada.

Padało nawet w tym momencie — delikatny, nocny deszcz. Słyszał go, ale nie widział, z wyjątkiem stożka oświetlonych kropel pod latarnią uliczną, która znajdowała się naprzeciw jego pokoju. Można było niemal pomyśleć, że to sama latarnia jest źródłem deszczu.

— Wprowadziłam się do domu — powiedziała Sara.

— Przeważnie jestem na górze. Obie z kotką obozujemy w sypialni i skradamy się na dół tylko w porze posiłków.

— Co to za kotka?

— Helen.

— Ach, tak.

— Zabrałam ją od Rose. Chciałam mieć towarzystwo. Nie masz pojęcia, jak tu jest samotnie.

Mógł powiedzieć, że ma pojęcie, ale nie zrobił tego.

Mógł też powiedzieć, że znowu znajdują się na starych pozycjach: zwrócił na siebie jej uwagę dzięki temu, że się wycofał. Nie był zdziwiony, kiedy usłyszał:

— Macon? Czy ty... Jak ona ma na imię? Ta kobieta, z którą mieszkasz?

— Muriel — odpowiedział.

Podejrzewał, że wiedziała to, zanim zapytała.

— Czy zamierzasz na zawsze zostać z Muriel?

— Naprawdę nie wiem — odparł.

Zauważył, jak dziwnie zawisło to imię w sztywnym staroświeckim pokoju hotelowym. Muriel. Co za dziwny dźwięk. I nagle tak obcy.

Lecąc z powrotem siedział obok atrakcyjnej młodej kobiety w szytym na miarę kostiumie. Rozłożyła na stoliku zawartość teczki i dłońmi o idealnie wymanikiurowanych paznokciach przerzucała wydruki komputerowe. Potem zapytała Macona, czy mógłby jej pożyczyć coś do pisania. Rozbawiło go to, bo spod zewnętrznej powłoki kobiety interesu wyjrzała jej prawdziwa natura. Jednakże miał przy sobie tylko wieczne pióro, którego nie lubił pożyczać, więc odmówił. Wydawało się, że odczuła ulgę — radośnie spakowała wszystko, co wyjęła z teczki.

— Przysięgłabym, że zabrałam długopis z ostatniego hotelu, w którym mieszkałam — powiedziała — ale może to było kiedy indziej. Wie pan, jak one się człowiekowi mylą.

— Pewnie dużo pani podróżuje — odezwał się Macon uprzejmie.

— Oj tak! Czasami, kiedy się budzę, muszę sprawdzić papeterię hotelową, żeby się przekonać, w jakim mieście jestem.

ANNE TYLER

— To okropne.

— Ja to lubię. — Pochyliła się, żeby wsunąć teczkę pod siedzenie. — To jedyna okazja, kiedy mogę się odprężyć. Gdy wracam do domu, jestem zdenerwowana i nie mogę spokojnie usiedzieć. Wolę być tak zwanym ruchomym celem.

Macon przypomniał sobie coś, co kiedyś czytał o heroinie: że nie jest to w gruncie rzeczy przyjemność, ale tak kompletnie zmienia funkcjonowanie organizmu, że gdy ktoś zacznie, musi brać dalej.

Odmówił drinków i obiadu, podobnie jak jego sąsiadka, która zgrabnie zwinęła żakiet, robiąc z niego poduszkę, i zasnęła. Macon wyjął „Pannę MacIntosh" i przez chwilę wpatrywał się w jedną stronę. Pierwszy wiersz zaczynał się od słów: „...nastroszone brwi, a jej włosy przetykane siwizną". Studiował te słowa tak długo, że prawie przestały mu się wydawać słowami; cały język angielski sprawiał wrażenie topornego i kruchego zarazem. „Panie i panowie — odezwał się głos w megafonie — zaczynamy schodzić do lądowania..." Wyrażenie „schodzić do lądowania" uderzyło go jak coś nowego, jakiś nowy eufemizm wymyślony przez linie lotnicze.

Kiedy wylądowali w Baltimore, wsiadł do autobusu, który zawiózł go na parking, skąd zabrał samochód. Tutaj był późny wieczór, a niebo nad miastem blade i jaśniejące. Jadąc, nadal widział słowa z książki „Panna MacIntosh" i słyszał wynurzający się i zanikający głos stewardesy: „Napoje gratis" i „kapitan prosi nas" i „proszę zamknąć składane stoliki". Rozważał, czy nie włączyć radia, ale nie wiedział, na jaką stację jest nastawione. Może na muzykę country, ulubioną przez Muriel. Ta perspektywa sprawiła, że poczuł się zmęczony — miał wrażenie, że nie będzie miał siły nacisnąć guzika, więc jechał w ciszy.

Dojechał do Singleton Street i włączył migacz, ale nie skręcił. Po chwili migacz wyłączył się automatycznie. Jechał przez miasto, wzdłuż Charles Street, po czym znalazł się w swojej starej dzielnicy. Zatrzymał się, wyłączył silnik i siedział patrząc na dom. W oknach na dole było ciemno, ale z góry sączyło się łagodne światło. Najwyraźniej przyjechał do domu.

XIX

Macon i Sara musieli kupić nową kanapę. Przeznaczyli na to sobotę, a właściwie pół soboty, bo po południu Sara miała swoje lekcje. Przy śniadaniu przeglądała magazyn o wystroju wnętrz, żeby móc potem szybko podjąć decyzję.

— Chciałabym coś w kwiaty — oznajmiła. — Nigdy nie mieliśmy kwiecistej kanapy. A może to zbyt ozdobne?

— No, nie wiem. Pomyśl o zimie — odpowiedział Macon.

— O zimie?

— Teraz, w środku czerwca, kwiecista kanapa wygląda świetnie, ale w grudniu będzie trochę niestosowna.

— Więc wolisz coś w jednym kolorze — stwierdziła Sara.

— Nie wiem.

— A może w paski.

— Nie jestem pewien.

— Wiem, że nie lubisz kratek.

— Mhm.

— A co sądzisz o tweedach?

— Tweedy — powtórzył Macon w zamyśleniu.

Sara podała mu katalog i zaczęła wkładać naczynia do zmywarki.

Przestudiował zdjęcia nowoczesnych kanap narożnikowych, klasycznych, przytulnych, pokrytych perkalem, oraz pokrytych wymyślnymi materiałami kanap w stylu kolonialnym. Zabrał katalog do salonu i zerknął w miejsce, gdzie miała stać nowa kanapa. Stara, która okazała się zbyt przesiąknięta wodą, aby ją uratować, została wywieziona razem z dwoma fotelami. Teraz była tam tylko długa pusta ściana i świeżo pokryty tynkiem, oślepiająco biały sufit. Macon zauważył, że pusty pokój wygląda bardzo użytecznie, jak jakiś zbiornik. Albo jak pojazd. Tak — stojąc tam miał poczucie, że pędzi przez wszechświat.

Podczas gdy Sara się ubierała, zabrał psa na spacer. Był ciepły, złocisty poranek. Sąsiedzi przycinali trawę i wyrywali chwasty na grządkach. Kiwali mu głowami. Wrócił tak niedawno, że jeszcze byli nieco skrępowani i w ich powitaniach było coś oficjalnego. A może mu się wydawało. Usiłował im przypomnieć, ile lat tu mieszkał: „Zawsze lubiłem te wasze tulipany!" albo: „Widzę, że masz jeszcze tę ładną kosiarkę do trawy!" Edward maszerował obok niego, wytrwale telepiąc zadkiem.

W filmach i opowieściach ludzie, którzy dokonują w swoim życiu ważnych zmian, przeprowadzają je i mają spokój. Odchodzą i nigdy nie wracają; albo żenią się i żyją szczęśliwie. W życiu te sprawy nie są tak proste. Macon, na przykład, musiał pojechać do Muriel i zabrać psa, kiedy zdecydował, że wraca do domu. Musiał zabrać ubrania i spakować maszynę do pisania, podczas gdy ona patrzyła w milczeniu, swoim oskarżycielskim, pełnym nagany wzrokiem. Poza tym dopiero później przekonał się, że zapomniał różnych rzeczy — ubrań, które akurat były w praniu, swojego ulubionego słownika i ogromnego ceramicznego kubka, z którego lubił pić kawę. Ale, oczywiście, nie mógł po nie wrócić. Musiał je zostawić — kłopotliwe ślady jego obecności, które tylko utrudniały rozstanie.

Kiedy wrócili z Edwardem ze spaceru, Sara czekała już w ogrodzie przed domem. Miała na sobie żółtą sukienkę, która podkreślała jej opaleniznę. Wyglądała bardzo ładnie.

— Myślałam o azaliach — powiedziała. — Czy nie powinniśmy byli użyźnić ziemi na wiosnę?

— Chyba tak — odparł Macon — ale wydaje mi się, że są w porządku.

— To się robi w kwietniu — dodała Sara — albo w maju. Nikogo wtedy tu nie było.

Macon nie podjął tematu. Wolał udawać, że ich życie toczyło się normalnie.

— Nic nie szkodzi, Rose ma całe worki nawozu — rzekł.

— Weźmiemy trochę od niej, jak będziemy w mieście.

— Nie było tu też nikogo, żeby posiać trawę.

— Trawnik wygląda bardzo dobrze — powiedział z nieco większym naciskiem, niż zamierzał.

Zamknęli Edwarda w domu i wsiedli do samochodu Macona. Sara wzięła ze sobą gazetę, bo były w niej różne ogłoszenia dotyczące mebli.

— „Nowoczesne wyposażenie domu" — przeczytała.

— Ale to jest aż przy Pratt Street.

— Możemy spróbować — odparł Macon. Pratt Street była jedną z niewielu ulic, które potrafił znaleźć.

Kiedy wyjechali ze swojej dzielnicy, gdzie drzewa tworzyły nad głową łuki, w samochodzie zrobiło się gorąco i Macon otworzył okno. Sara uniosła twarz ku słońcu.

— Dobry dzień na basen — stwierdziła.

— Jeśli starczy nam czasu. Zamierzałem cię zaprosić na obiad.

— Och, dokąd?

— Dokąd zechcesz. Ty wybierasz miejsce.

— To bardzo miło z twojej strony.

Minęli dwóch nie ogolonych mężczyzn rozmawiających na rogu. Domyślał się, o czym rozmawiają: „Co się dzieje, stary?" „Nic specjalnego."

Na chodnikach widzieli coraz więcej ludzi. Kobiety taszczyły torby z zakupami, jakiś starzec ciągnął wózek z warzywami, a dziewczyna w wyblakłej sukience opierała głowę o słup przystanku autobusowego.

W sklepie „Nowoczesne wyposażenie domu" tafle okien pokrywały wielkie plakaty, które głosiły: SPECJALNIE NA DZIEŃ OJCA! Sara nie wspomniała, że jest to akurat wyprzedaż z okazji Dnia Ojca. Macon postanowił sam o tym napomknąć, żeby pokazać, że mu to nie przeszkadza. Biorąc ją pod rękę przy wejściu, powiedział:

— Jakie to typowe! Dzień Ojca! Zarabiają na wszystkim!

Sara spojrzała w drugą stronę.

— Chyba mają tylko łóżka.

— Myślę, że to się zaczyna od rozkładanych foteli — zakpił Macon. — Fotel z wysuwanym podnóżkiem dla tatusia, a zanim się zorientujesz, kupujesz cały zestaw do jadalni.

— Chcielibyśmy obejrzeć kanapy — rzuciła Sara zdecydowanym tonem do sprzedawcy.

Wszystkie kanapy miały proste oparcia, w stylu duńskim, co odpowiadało Maconowi. Chociaż w gruncie rzeczy nie przywiązywał do tego wielkiej wagi.

— Jak myślisz? — zapytała Sara. — Na nóżkach czy przylegająca do podłogi?

— Wszystko jedno — odparł i usiadł ciężko na czymś pokrytym skórą.

Wybrała długą niską kanapę, która po rozłożeniu tworzyła podwójne łoże.

— Macon, a co sądzisz o tej? Czy może wolisz tę, na której siedzisz?

— Nie, nie — odrzekł.

— A ta?

— Jest dobra.

— Nie masz zdania?

— Właśnie ci powiedziałem, co sądzę, Saro.

Westchnęła i zapytała sprzedawcę, czy mogą ją dostarczyć tego samego dnia.

Uwinęli się tak szybko, że został im czas na inne zakupy. Pojechali do sklepu Hutzlera i kupili duże prześcieradła. Potem przeszli po dziale mebli, szukając foteli; tam też była wyprzedaż z okazji Dnia Ojca.

— Może mamy dobrą passę — odezwała się Sara.

Z fotelami nie mieli jednak szczęścia — żaden im nie odpowiadał. Przynajmniej Maconowi. Dał sobie spokój i stanął, aby popatrzeć na dziecięcy program, który widać było na ekranach kilkunastu odbiorników telewizyjnych.

Prosto od Hutzlera ruszyli do Rose po nawóz, ale Macon po drodze nagle zahamował.

— Chwileczkę! Tam jest mój bank — powiedział. Uświadomił sobie, że właśnie przejeżdżają obok filii banku, w której miał skrytkę. — Potrzebny mi będzie paszport na podróż do Francji. Skoro tu jestem, mogę go przy okazji zabrać.

Sara postanowiła zaczekać w samochodzie.

Musiał stanąć w kolejce. Przed nim czekały dwie starsze kobiety. Wyobraził sobie, że wezmą swoją biżuterię, potrzebną im na sobotni wieczór. Poczuł czyjąś obecność za plecami. Z niezrozumiałego powodu nie chciał się odwrócić i sprawdzić kto to. Patrzył przed siebie, co chwilę zerkając na zegarek, niby zajęty biznesmen. Osoba stojąca za nim oddychała delikatnie i pachniała kwiatami — gorzkimi, prawdziwymi kwiatami, a nie perfumami kwiatowymi. Ale kiedy w końcu rozprostował ramiona i rozejrzał się wokół, ujrzał tylko kolejną nieznajomą czekającą na swoje klejnoty.

To nieprawda, że Muriel patrzyła w milczeniu, jak się pakował. Odezwała się. Zarzuciła go pytaniami:

— Macon, czy naprawdę to robisz? Czy chcesz mi powiedzieć, że można człowieka wykorzystać, a potem odejść? Uważasz, że jestem jakąś... butelką czy czymś, czego już nie potrzebujesz? Czy właśnie tak mnie traktujesz, Maconie?

Nadeszła jego kolej do skrytki; ruszył za dziewczyną w minispódniczce. Przeszli wyłożone dywanem pomieszczenie i znaleźli się w małej kabinie bez okien, pełnej szufladek.

— Nie muszę zabierać swojej skrzynki do drugiego pokoju — powiedział do dziewczyny. — Chcę tylko wziąć jedną rzecz.

Dała mu do podpisania jego kartę i wzięła od niego klucz. Kiedy otworzyła skrytkę, odsunęła się i zaczęła oglądać swoje paznokcie, podczas gdy on grzebał w papierach szukając paszportu. Potem odwrócił się i powiedział, że skończył, ale nagle wzruszył go jej takt i delikatność — patrzyła w inną stronę, a robiła to z własnej woli (bo z pewnością nie było tego w przepisach bankowych)... Pomyślał, że chyba zaczyna głupieć. To pewnie pogoda, pora roku albo coś w tym rodzaju; niezbyt dobrze ostatnio sypiał.

— Dziękuję bardzo — rzekł, zabrał klucz i wyszedł.

Przed domem dziadka Rose przycinała żywopłot. Jej ogrodniczy strój stanowiła szara koszula robocza odziedziczona po

Charlesie. Kiedy ujrzała, że zatrzymuje się ich samochód, wyprostowała się i pomachała ręką. Potem znów zaczęła strzyc, a oni dopytywali się o nawozy.

— Do azalii i... co wy jeszcze macie... andromeda, rośliny lubiące kwaśną glebę... — zadumała się.

— Gdzie są dzisiaj dzieci? — zapytała Sara.

— Dzieci?

— Twój bratanek i bratanice.

— Wrócili do matki.

— Nie wprowadziłaś się z powrotem do Juliana...

— Nie, jeszcze nie, rzecz jasna.

Chcąc strzec jej prywatności, Macon mruknął niemal jednocześnie z Rose:

— Oczywiście, że nie.

Ale Sara zapytała:

— Dlaczego? Co cię tu trzyma?

— Och, Saro, nie masz pojęcia, w jakim stanie zastałam chłopców, kiedy tu wróciłam. Chodzili w piżamach, żeby nie mieć za dużo prania, a na kolację jedli śrutę.

— Nawet nie zamierzam pytać, co to jest śruta — stwierdziła Sara.

— Jedli mieszankę kiełków zbożowych z orzechami i suszonymi...

— Ale co z twoim mieszkaniem, Rose? I z Julianem?

— Ach, jak się tylko gdzieś ruszyłam, gubiłam to mieszkanie — powiedziała Rose enigmatycznie. — Szłam jeden kwartał na wschód, do sklepu spożywczego, potem zawracałam na zachód i zawsze się myliłam. Ten blok jakoś się przesuwał na wschód, nie wiem, w jaki sposób.

Zapadło milczenie. Po chwili Macon poprosił:

— Gdybyś mogła nam dać trochę nawozu, Rose...

— Oczywiście — odparła i poszła do komórki z narzędziami.

Obiad zjedli w restauracji „Old Bay". Był to pomysł Sary.

— Jesteś pewna? — zapytał Macon.

— Dlaczego nie? — odparła.

— Zawsze twierdziłaś, że tam jest nudno.

— Doszłam do wniosku, że są gorsze rzeczy niż nuda. Nie uznał tego za rekomendację, ale się zgodził.

Mimo że było dopiero południe, wszystkie stoliki okupowali goście i musieli chwilę zaczekać, żeby coś się zwolniło. Macon stał przy kontuarze hostessy i usiłował przyzwyczaić się do półmroku. Przyglądał się siedzącym ludziom i stwierdził, że jest w nich coś dziwnego. Nie widział typowych gości „Old Bay" — ludzi w średnim wieku, o podobnych twarzach — tylko zbieraninę dziwnych i niezwykłych typów. Zauważył wznoszącego toast księdza, który siedział z kobietą w tenisowej sukience; elegancko ubraną panią z młodym człowiekiem w pomarańczowej przewiewnej szacie oraz dwie wesołe uczennice zsypujące swoje frytki na talerzyk małego chłopca. Z miejsca gdzie stał, nie słyszał, co ci ludzie mówią — musiał zgadywać.

— Może ta kobieta chce wstąpić do klasztoru — powiedział do Sary — a ksiądz usiłuje jej to wyperswadować.

— Słucham?

— Mówi jej, że układanie skarpetek męża może być równie... jak to powiedzieć... równie uświęcające. A ten młody człowiek w przewiewnej szacie...

— Ten młody człowiek w przewiewnej szacie to Ashley Demming. Znasz go. Syn Petera i Lindy Demming. Biedna Linda postarzała się przez niego o dwadzieścia lat w ciągu ostatniego pół roku, prawda? Myślę, że nigdy się z tym nie pogodzą.

— No, tak — odparł Macon.

Zaprowadzono ich do stolika.

Sara zamówiła drinka o nazwie Biała Dama, a Macon sherry. Do obiadu wypili butelkę wina. Macon nie był przyzwyczajony do alkoholu w dzień, więc poczuł się trochę ogłupiały. Podobnie stało się z Sarą, bo zgubiła wątek w połowie zdania na temat materiałów tapicerskich. Dotknęła jego dłoni.

— Musimy to robić częściej — stwierdziła.

— Tak.

— Wiesz, czego mi najbardziej brakowało, kiedy byliśmy w separacji? Drobnych nawyków. Sobotnich zakupów. Chodzenia do Eddiego po kawę. Nawet spraw, które kiedyś wydawały się męczące, tak jak to, że spędzałeś tyle czasu w sklepie z artykułami żelaznymi.

Kiedy złożył jej dłoń w piąstkę, była okrągła jak skulony ptaszek.

— Nie jestem pewna, czy o tym wiesz — powiedziała — ale przez pewien czas spotykałam się z innym mężczyzną.

— W porządku, nic nie szkodzi. Jedz swoją sałatę.

— Nie, chcę o tym opowiedzieć, Maconie. On właśnie przeżywał śmierć żony, a ja też coś przeżywałam, więc... Zaczęło się bardzo powoli. Najpierw byliśmy przyjaciółmi, ale potem on zaczął mówić o małżeństwie. Oczywiście chciał, żebyśmy dali sobie trochę czasu, zanim podejmiemy tę decyzję. Myślę, że mnie naprawdę kochał. Ciężko przeżył wiadomość, że wróciłeś do domu.

Mówiąc to spojrzała prosto na niego, a jej oczy zalśniły nagle błękitem. Kiwnął głową.

— Ale były pewne sprawy, do których nie mogłam się przyzwyczaić — ciągnęła. — I to nie myślę o niczym złym, chodzi mi o cechy, jakie zawsze chciałam widzieć w mężczyźnie. Na przykład, był bardzo śmiałym kierowcą; nie niebezpiecznym, tylko śmiałym. Początkowo mi się to podobało. A potem stopniowo zaczęło przeszkadzać. Chciałam mu powiedzieć: „Sprawdź wsteczne lusterko!", „Zapnij pas! Zatrzymaj się przed znakiem stop, tak jak mój mąż!" Nigdy nie sprawdzał rachunku w restauracji przed zapłaceniem. Do licha, odchodząc od stołu nie zabierał nawet rachunku wystawionego na kartę kredytową, a ja myślałam o tych chwilach, kiedy siedziałam i wściekałam się, podczas gdy ty podliczałeś każdą pozycję. Dlaczego mi tego brak? Przecież to perwersja!

Tak jak „ek cetera", pomyślał Macon.

Tak jak Muriel mówiąca „ek cetera", co przyprawiało go o grymas niechęci.

A teraz taka pustka i brak, kiedy to słyszał wypowiadane poprawnie.

Pogładził wzgórki z dołeczkami — knykcie Sary.

— Macon, myślę, że po przekroczeniu pewnego wieku ludzie po prostu nie mają wyboru. Ja jestem z tobą. Za późno, żebym dokonywała jakichś zmian. Wykorzystałam już zbyt dużą część życia.

„Czy chcesz mi powiedzieć, że można człowieka wykorzystać, a potem odejść?" — zapytała wtedy Muriel.

Jak widać, odpowiedź była twierdząca. Bo nawet gdyby został z Muriel, to czyż w takim przypadku Sara nie byłaby porzucona?

— Myślę, że po przekroczeniu pewnego wieku — powiedział do Sary — można tylko dokonać wyboru, co się traci.

— Co takiego? — zapytała.

— Jest coś, czego się musisz wyrzec, bez względu na to, jak postąpisz.

— Oczywiście — zgodziła się z nim.

Podejrzewał, że zawsze o tym wiedziała.

Skończyli obiad, ale nie zamówili kawy, bo zrobiło się późno. Sara w soboty chodziła na lekcje do rzeźbiarza. Macon poprosił o rachunek i zapłacił, świadomie podliczając go uprzednio. Wyszli na słońce.

— Jaki piękny dzień — zachwyciła się Sara. — Mam ochotę pójść na wagary.

— Czemu nie? — rzucił Macon. Gdyby nie poszła na lekcję, on nie musiałby pracować nad przewodnikiem.

Ale Sara stwierdziła:

— Nie mogę sprawić zawodu panu Armisteadowi.

Pojechali więc do domu, gdzie się przebrała w dres i znowu odjechała. Macon wniósł nawóz, który Rose wsypała do wiadra. Była to jakaś gruzełkowata substancja wydzielająca ostry chemiczny zapach, zupełnie niepodobny do woni naturalnego nawozu, który przywożono ciężarówkami do nawożenia kamelii jego babci. Postawił wiadro na podłodze w spiżarni i zabrał psa na spacer. Potem zrobił sobie filiżankę kawy, żeby pozbierać myśli. Wypił ją przy kuchennym zlewie, patrząc na podwórko. Kotka ocierała mu się o nogi i mruczała. Zegar nad stołem tykał spokojnie. Nie było słychać żadnych innych dźwięków.

Ucieszył się, kiedy zadzwonił telefon. Odczekał dwa dzwonki, zanim odebrał, żeby nie okazywać zbytniej gorliwości.

— Halo?

— Pan Leary? — usłyszał kobiecy głos.

— Tak.

— Mówi Morton z „Merkle Appliance". Wie pan, że polisa remontowa na pańską termę wygasa w końcu miesiąca?

— Nie wiedziałem o tym.

— Miał pan dwuletnią polisę za trzydzieści dziewięć dolarów osiemdziesiąt osiem centów. Gdyby chciał ją pan przedłużyć na następne dwa lata, będzie to trochę drożej kosztować, bo terma jest starsza.

— To logiczne. Do licha! Ile lat ma ta terma?

— Chwileczkę. W lipcu miną trzy lata, jak pan ją kupił.

— Oczywiście nadal chcę mieć polisę remontową.

— Cudownie. Wyślę więc panu nową umowę, panie Leary. I dziękuję za...

— Czy będzie nadal obejmować wymianę zbiornika? — zapytał Macon.

— Tak. Obejmuje wymianę wszystkich części.

— I będą dokonywać corocznych przeglądów?

— Ależ tak.

— To mi się podoba. Niewiele sklepów oferuje tę usługę. Wiem, bo dowiadywałem się kiedyś robiąc zakupy.

— A więc przyślę panu umowę, panie...

— Ale o ile pamiętam, sam będę musiał umawiać się na przegląd.

— Tak, klient wyznacza termin przeglądu.

— A może zrobiłbym to teraz. Czy mogę?

— Tym się zajmuje inny dział, panie Leary. Wyślę panu umowę, gdzie ma pan to wszystko opisane. Do widzenia.

Odłożyła słuchawkę.

Macon też.

Przez chwile rozmyślał.

Czuł potrzebę mówienia, obojętne do kogo. Ale nie miał pojęcia, jaki numer wybrać. W końcu zadzwonił na zegarynkę. Odpowiedziała, zanim wybrzmiał pierwszy dzwonek. (Ona się nie martwiła, że wyda się zbyt ochocza.) „Gdy zabrzmi sygnał — usłyszał — będzie godzina pierwsza... czterdzieści dziewięć. I dziesięć sekund." Co za głos! Jaki melodyjny, jaka modulacja. „Gdy zabrzmi sygnał, będzie godzina pierwsza... czterdzieści dziewięć. I dwadzieścia sekund."

Słuchał ponad minutę, a potem połączenie zostało przerwane. Odezwał się normalny sygnał. To sprawiło, że poczuł się odrzucony, choć wiedział, że się głupio zachowuje. Pochylił się, żeby pogłaskać kotkę. Pozwoliła na krótką pieszczotę, po czym odeszła.

Nie pozostawało nic innego, jak tylko usiąść do maszyny.

Był spóźniony z tym przewodnikiem. W następnym tygodniu miał zacząć Francję, a jeszcze nie napisał wniosków końcowych do książki o Kanadzie. Składał winę na porę roku. Kto potrafi siedzieć samotnie w domu, kiedy na zewnątrz wszystko kwitnie? Należy uprzedzić podróżnych — wystukał i zapatrzył się w mgiełkę białych azalii drżących na parapecie otwartego okna. Wśród kwiatów łaziła pszczoła. Nie wiedział, że pszczoły już się pokazały. Czy Muriel o tym wie? Czy pamięta, co jedna pszczoła może zrobić Aleksandrowi?

„Należy uprzedzić..." — przeczytał, ale nie mógł się skoncentrować.

Ona jest taka niedbała i nierozważna. Jak mógł z nią wytrzymać? Ten niehigieniczny zwyczaj lizania palca przed przewróceniem strony pisma; używanie słowa „wymiar" zamiast „rozmiar". Na pewno nie pamięta o ukłuciach pszczół.

Sięgnął po telefon na biurku i wykręcił jej numer.

— Muriel?

— Co? — odpowiedziała bezbarwnym głosem.

— Tu Macon.

— Tak, wiem.

Zamilkł na chwilę.

— Hmm... jest już sezon pszczół, Muriel.

— No to co?

— Nie wiedziałem, czy zdajesz sobie z tego sprawę. Lato się skrada, dobrze wiem, jak się skrada, i zastanawiałem się, czy pamiętasz o zastrzykach Aleksandra.

— Uważasz, że nawet tego nie potrafię dopilnować? — zaskrzeczała.

— No cóż...

— Co ty sobie myślisz?! Że jestem idiotką czy co? Uważasz, że nie wiem o najprostszych sprawach?

— Nie byłem pewien, rozumiesz, czy...

— Dobry z ciebie numer! Rzucasz to dziecko bez słowa pożegnania, a potem dzwonisz do mnie, żeby się przekonać, czy je dobrze wychowuję!

— Chciałem tylko...

— Krytykować! Powiedzieć mi, że zupa w proszku nie jest pełnowartościowym posiłkiem dla niego, a potem odejść i zostawić go, a potem mieć czelność zadzwonić i powiedzieć mi, że nie jestem dobrą matką!

— Zaczekaj, Muriel...

— Dominik nie żyje — oznajmiła.

— Co?!

— I tak cię to nie obchodzi. Umarł.

Macon zauważył, że w pokoju ucichły wszystkie odgłosy.

— Dominik Saddler? — upewnił się.

— To był wieczór, kiedy on miał samochód; pojechał na przyjęcie w Cockeysville i wracając do domu rozbił się na barierce autostrady.

— Och, nie!

— Dziewczyna, która z nim była, nie jest nawet draśnięta.

— A Dominik... — powiedział Macon, bo jeszcze nie był w stanie w to uwierzyć.

— A Dominik umarł na miejscu.

— O mój Boże!

Ujrzał Dominika na kanapie z Aleksandrem, trzymającego dumnie puszkę wosku.

— A chcesz usłyszeć coś naprawdę okropnego? Mój samochód będzie zupełnie w porządku. Trzeba tylko wyklepać przód i będzie sprawny jak zawsze.

Macon oparł głowę na dłoni.

— Muszę kończyć, bo idę czuwać z panią Saddler w domu pogrzebowym — powiedziała Muriel.

— Czy mogę w czymś pomóc?

— Nie — odparła, po czym dodała ze złością: — A w czym ty mógłbyś pomóc?!

— Może zostałbym z Aleksandrem.

— Aleksander ma tu naszych znajomych, którzy mogą z nim zostać.

Zadzwonił dzwonek u drzwi i Edward zaczął szczekać.

— Żegnam cię — oświadczyła Muriel. — Chyba masz towarzystwo.

— Nic nie szkodzi.

— Pozwolę ci wrócić do twojego życia — stwierdziła.

— Do widzenia.

Przez chwilę trzymał słuchawkę przy uchu, ale Muriel się już rozłączyła.

Wyszedł do holu i tupnął nogą na Edwarda.

— Leżeć! — krzyknął.

Edward położył się, ale nadal miał zjeżoną sierść na karku. Macon otworzył drzwi i ujrzał chłopaka z notatnikiem.

— „Nowoczesne wyposażenie domu" — oznajmił chłopiec.

— Ach, kanapa.

Na czas wyładowywania kanapy Macon zamknął Edwarda w kuchni. Potem wrócił do holu i patrzył, jak kanapa zbliża się ku niemu, niesiona przez tego chłopca i drugiego, nieco starszego, który miał na przedramieniu wytatuowanego orła. Macon pomyślał o muskularnych ramionach Dominika Saddlera, które mocowały się z czymś pod maską samochodu Muriel. Podchodząc do domu pierwszy chłopiec splunął. Macon widział, że jego twarz jest młoda i łagodna.

— Oj, człowieku! — wykrzyknął drugi, potykając się o próg.

— Wszystko w porządku — stwierdził Macon, kiedy ustawili kanapę tam, gdzie im wskazał, i dał im po pięciodolarowym banknocie.

Gdy odjechali, usiadł na kanapie, która nadal była okryta folią. Potarł ręce o kolana. Edward szczekał w kuchni. Helen weszła cichutko, stanęła, spojrzała na kanapę i ruszyła dalej przez pokój ze zgorszoną miną. Macon nadal siedział.

Kiedy umarł Ethan, policja poprosiła Macona, żeby zidentyfikował ciało, ale zaproponowali, żeby Sara została na zewnątrz. Sara się zgodziła. Usiadła na powybrzuszanym

beżowym krześle w korytarzu. Potem spojrzała na Macona
i spytała:

— Jesteś w stanie to zrobić?

— Tak — odparł bezbarwnym głosem. Czuł, że prawie
nie oddycha; wypuścił z płuc niemal całe powietrze i usiłował
zachować spokój.

Poszedł za mężczyzną do pokoju. Nie było tak źle, jak
mogłoby być, bo ktoś podłożył wałek z ręcznika pod tył głowy
Ethana, żeby zakryć ranę. Poza tym to nie był prawdziwy
Ethan. To dziwne, jak wyraźne stawało się po śmierci
człowieka to, że ciało stanowi jego najmniej ważną część.
Widział porzuconą skorupę, mimo że nosiła dalekie podobieństwo do Ethana — ten sam rowek nad górną wargą, ten
sam sterczący kosmyk włosów nad czołem. Macon miał
poczucie kompletnej bezsilności; całą swoją istotą błagał
o coś, co nie mogło się stać: „Proszę, proszę, wróć do środka".
W końcu powiedział jednak:

— Tak. To mój syn.

Wrócił do Sary i kiwnął głową. Sara wstała i objęła go.
Potem, kiedy byli sami w motelu, zapytała, co zobaczył.

— Nic specjalnego, kochanie — odrzekł.

Ona jednak nalegała:

— Czy Ethan wyglądał... na zranionego? Przerażonego?

— Nie, nic takiego. Przygotuję ci herbatę.

— Nie chcę herbaty, chcę wiedzieć! — zdenerwowała się.
— Co ukrywasz?

Miał wrażenie, że go za coś obwinia. W ciągu następnych
tygodni wydawało się, że obarcza go odpowiedzialnością jako
zwiastuna złych wieści — jedynego człowieka, który z całą
pewnością mógł stwierdzić, że Ethan naprawdę nie żyje.
Kilkakrotnie wspominała o chłodzie Macona, o jego prze-
rażającym spokoju tego wieczoru w szpitalnej kostnicy. Dwukrotnie wyraziła wątpliwości, czy Macon naprawdę był w stanie odróżnić Ethana od jakiegoś innego, podobnego do niego
chłopca. Może to wcale nie był Ethan. Może to ktoś inny, kto
umarł. Powinna była upewnić się sama. W końcu ona była
matką i o wiele lepiej znała swoje dziecko. Cóż Macon
wiedział?

— Saro, posłuchaj — poprosił Macon. — Powiem ci tyle, ile potrafię. Był bardzo blady i spokojny. Nie uwierzyłabyś jak spokojny. Jego twarz nie wyrażała żadnych uczuć. Miał zamknięte oczy. Nie było w tym nic krwawego ani makabrycznego, tylko poczucie... daremności. Zastanawiałem się nad sensem tego wszystkiego. Ramiona miał ułożone wzdłuż ciała i pomyślałem o zeszłej wiośnie, kiedy zaczął podnosić ciężary. Pomyślałem: „Czy tak się to wszystko kończy? Podnoszenie ciężarów, branie witamin, rozwijanie się, a potem — nic?"

Nie był przygotowany na reakcję Sary:

— Co chcesz przez to powiedzieć? Że skoro i tak w końcu umieramy, to po co w ogóle żyć? O to ci chodzi?

— Nie... — zaczął.

— Wszystko sprowadza się do kwestii ekonomii?

— Nie, Saro, zaczekaj...

Przypominając sobie teraz tę rozmowę zaczął wierzyć, że ludzi rzeczywiście można wykorzystać — że się wykorzystują nawzajem i zużywają, po czym nie potrafią być dla siebie pomocą, a być może nawet szkodzą sobie wzajemnie. Pomyślał, że ważniejsze jest to, kim jesteś będąc z drugą osobą, niż to, czy ją kochasz.

Bóg wie, jak długo tak siedział.

Edward przez cały czas szczekał w kuchni, ale teraz dostał szału. Pewnie ktoś zapukał. Macon wstał i podszedł do drzwi frontowych, gdzie ujrzał Juliana stojącego na ganku z teczką na dokumenty.

— Ach, to ty — powiedział.

— Co to za szczekanie? — zapytał Julian.

— Nie denerwuj się, jest zamknięty w kuchni. Wejdź.

Przytrzymał siatkowe drzwi i Julian wszedł.

— Pomyślałem, że przyniosę ci materiał na Paryż — oznajmił.

— Rozumiem — odparł Macon, ale podejrzewał, że Julian przyjechał z innego powodu. Może miał nadzieję, że go zmobilizuje do szybszego skończenia książki o Kanadzie.

— Właśnie zacząłem pisać wnioski — oświadczył prowadząc go do salonu, po czym dodał pospiesznie: — Mam jednak wątpliwości co do paru szczegółów. Zajmie mi to jeszcze chwilę...

Julian nie słuchał. Usiadł na folii pokrywającej kanapę. Odłożył teczkę.

— Czy widziałeś się ostatnio z Rose? — zapytał.

— Tak, byliśmy tam dziś rano.

— Czy sądzisz, że ona nie wróci?

Macon nie spodziewał się po nim takiej otwartości. W gruncie rzeczy sytuacja Rose wyglądała tak, jak jedno z tych stałych nieporozumień, o których pary małżeńskie nigdy nie opowiadają.

— Ach, wiesz, jak to jest — próbował wyjaśnić. — Martwi się o chłopaków. Jedzą śrutę czy coś takiego.

— Oni nie są chłopcami, Macon. To mężczyźni po czterdziestce.

Macon potarł podbródek.

— Boję się, że mnie porzuciła — stwierdził Julian.

— Ależ nie możesz być tego pewien.

— W dodatku nie miała żadnego istotnego powodu! A właściwie żadnego powodu. Nasze małżeństwo funkcjonowało bardzo dobrze, przysięgam. Ale ona tak się przyzwyczaiła do codziennej rutyny w swoim domu, że musiała do niej wrócić. Ja przynajmniej nie widzę innego wyjaśnienia.

— Chyba masz rację.

— Pojechałem do niej dwa dni temu — ciągnął Julian — ale wyszła. Stałem na podwórku, zastanawiając się, dokąd się udała, i nagle ujrzałem Rose we własnej osobie, a w jej samochodzie pełno jakichś starszych pań. We wszystkich oknach stare twarze i kapelusiki z piórkami. Krzyknąłem „Rose, zaczekaj!", ale nie usłyszała i pojechała dalej. W ostatniej chwili chyba mnie dostrzegła, zawróciła i zaczęła mi się przyglądać, a ja miałem idiotyczne uczucie, że samochód sam ją wiezie, ona sunie obok bezradnie i nie może nic zrobić, tylko posłać mi jedno długie spojrzenie i zniknąć.

— Może byś ją zatrudnił, Julianie — zaproponował Macon.

— Zatrudnić ją?

— Pokaż jej swoje biuro, ten system dokumentacji, którego nigdy nie zdołałeś uporządkować, tę sekretarkę, która żuje gumę i zapomina, kiedy i z kim masz kolejne spotkanie. Nie sądzisz, że Rose potrafiłaby się tym wszystkim zająć?

— Z pewnością, ale...

— Zadzwoń do niej i powiedz, że firma ci się rozpada. Zapytaj, czyby nie przyszła i nie zaprowadziła tam porządku. Użyj tych słów. Powiedz jej: „Trzeba zaprowadzić porządek". A potem poczekaj.

Julian się zastanowił.

— Ale oczywiście mogę się mylić — dodał Macon.

— Nie, masz rację.

— Pokaż mi tę teczkę.

— Masz absolutną rację — powtórzył Julian.

— No proszę! — Macon ze złością uniósł leżący na wierzchu list. — Dlaczego zawracasz mi czymś takim głowę? „Chcę was tylko uczulić, drodzy panowie, co do cudownego małego hoteliku w..." Czy sądzisz, że facet, który chce „nas uczulić"', poznałby się na dobrym hotelu, gdyby nawet trafił na taki?

— Macon...

— Zamordowano ten cholerny język — stwierdził Macon.

— Ja wiem, że uważasz mnie za kompletnego durnia i zuchwalca...

Macon nie zareagował na to od razu, nie tylko dlatego, że niedokładnie usłyszał, co Julian powiedział.

— Och — odezwał się wreszcie — ależ skąd, Julianie, wcale...

— Ale chcę ci coś powiedzieć. Zależy mi na twojej siostrze bardziej niż na czymkolwiek innym na tym świecie. Nie chodzi o samą Rose, tylko o jej całe życie, ten dom, obiady z indykiem i wieczorne gry w karty. I zależy mi na tobie, Macon. Jesteś moim najlepszym przyjacielem! Przynajmniej mam taką nadzieję.

— Ależ... no... — jąkał się Macon.

Julian wstał, uścisnął mu dłoń, miażdżąc niemal kości, klepnął go po ramieniu i wyszedł.

*

Sara wróciła do domu o wpół do szóstej. Zastała Macona stojącego z kolejną filiżanką kawy przy zlewie kuchennym.

— Kanapa dotarła? — zapytała.

— Cała i bezpieczna.

— Ach, to dobrze! Idę zobaczyć.

Poszła do salonu, zostawiając ślady szarego kurzu, który mógł być równie dobrze gliną, jak granitem. Nawet we włosach miała kurz. Zerknęła na kanapę.

— Co sądzisz?

— Uważam, że jest bardzo ładna — odparł.

— Macon, naprawdę nie wiem, co się z tobą stało; zawsze byłeś tak cholernie wybredny.

— Jest doskonała, Saro. Wygląda bardzo ładnie.

Zdjęła folię i odsunęła się, trzymając w rękach pognieciony kłąb światła.

— Musimy zobaczyć, jak się rozkłada — postanowiła.

Podczas gdy wpychała folię do kosza na śmieci, Macon pociągnął za parciany pasek, za pomocą którego kanapa zmieniała się w łóżko. Od razu przyszedł mu na myśl dom Muriel. Znajoma szorstkość paska przypomniała sytuacje, gdy sypiała u niej siostra; kiedy materac wysunął się do przodu, Macon ujrzał błysk splątanych złocistych włosów Claire.

— Skoro już jest rozstawiona, to może powinniśmy od razu pościelić — zaproponowała Sara.

Przyniosła z holu torbę z pościelą. Macon usadowił się na drugim końcu kanapy. Sara zarzuciła prześcieradło, a potem zaczęła upychać jego brzegi pod materac. Macon pomagał, ale nie był tak szybki jak ona. Widział, że pomiędzy kostkami dłoni Sara ma jeszcze kurz. W tych małych brązowych, pobrudzonych gliną dłoniach na tle białego płótna było coś wzruszającego.

— Wypróbujmy to łóżko — powiedział.

Sara początkowo nie zrozumiała. Podniosła na niego wzrok i powtórzyła ze zdziwieniem:

— Wypróbujmy?

Ale pozwoliła mu przerwać ścielenie i zdjąć sobie bluzę przez głowę.

Kochanie się z Sarą było miłe i uspokajające. Po wspólnie spędzonych latach znał jej ciało tak dobrze, że nie zawsze umiał odróżnić, co czuje on sam, a co ona. Ale czy to nie smutne, że nie czuli jakiegokolwiek niepokoju, że ktoś mógłby wejść i zastać ich w tak intymnej sytuacji? Byli tacy samotni. Ukrył twarz na jej ciepłej zakurzonej szyi i zastanawiał się, czy ona podziela to odczucie — czy czuje tę pustkę ich domu. Ale za nic nie zapytałby jej o to.

Sara brała prysznic, a on się golił. Mieli iść do Boba i Sue Carneyów. Kiedy wyszedł z łazienki, Sara stała przed biurkiem, zapinając złote klipsy. (Była jedyną ze znanych mu kobiet, która nie miała przekłutych uszu.) Pomyślał, że mógłby ją namalować Renoir: Sara w halce, z przechyloną głową i pulchnymi ramionami uniesionymi w górę.

— Naprawdę nie jestem w nastroju na wizytę — powiedziała.

— Ja też nie. — Macon otworzył szafę.

— Wolałabym zostać w domu z książką.

Zdjął koszulę z wieszaka.

— Macon... — zaczęła.

— Mhm...

— Nie zapytałeś mnie, czy spałam z kimś innym, kiedy byliśmy w separacji.

Znieruchomiał z ręką w rękawie.

— Nie chcesz wiedzieć? — zapytała.

— Nie.

Włożył koszulę i zapiął mankiety.

— Myślałam, że się nad tym zastanawiasz.

— Nie.

— Problem z tobą polega na tym, Maconie...

Zdumiała go nagła fala gniewu, jaka go ogarnęła.

— Saro, nie zaczynaj. Mój Boże, to właśnie jest najgorsze w małżeństwie. „Problem z tobą polega na tym, Macon" i „Znam cię lepiej, niż ty znasz samego siebie, Macon..."

— Problem z tobą polega na tym — ciągnęła spokojnie — że uważasz, iż ludzie powinni pozostawać w swoich

skorupach. Nie wierzysz w otwieranie się. Nie wierzysz
w wymianę.

— Z całą pewnością nie. — Macon zapinał guziki koszuli.

— Wiesz, co mi przypominasz? Telegram, który Harpo
Marx wysłał do swoich braci: „Żadnych wiadomości. Harpo".

Roześmiał się.

— Dla ciebie to jest śmieszne! — oburzyła się Sara.

— A nie jest?

— Wcale! To jest smutne! I denerwujące! Wściekłabym
się, gdybym podeszła do drzwi, potwierdziła odbiór telegramu,
otworzyła go i nie znalazła żadnych wiadomości!

Macon zdjął z wieszaka krawat.

— Chcę cię poinformować — oświadczyła — że nie
spałam z nikim przez cały ten czas.

Poczuł, że tym razem wygrała, ale udał, że nie usłyszał, co
powiedziała.

Bob i Sue zaprosili tylko sąsiadów — Bidwellów i nową
młodą parę, której Macon nie znał. Trzymał się głównie tej
pary, bo w kontakcie z nimi nie miał za sobą żadnej historii.
Kiedy zapytali, czy ma dzieci, odparł, że nie, po czym sam
zapytał ich o to samo.

— Nie — odpowiedział Brad Frederick.

— Aha.

Żona Brada była w okresie przemiany z dziewczyny
w młodą kobietę. Nosiła swoją sztywną granatową sukienkę
i duże białe pantofle tak, jak gdyby należały do jej matki. Sam
Brad też był jeszcze chłopcem. Kiedy poszli do ogrodu
zerknąć na rożen, Brad znalazł w krzakach kółko do gry
w ringo i rzucił je do małej Delilah Carney. Biała koszulka
polo wysunęła mu się ze spodni. Maconowi przyszedł na myśl
Dominik Saddler i poczuł ostre szarpnięcie bólu. Przypomniał
sobie, jak po śmierci dziadka na widok każdego starego
człowieka napływały mu łzy do oczu. Boże, jeśli nie weźmie
się w garść, zacznie współczuć całej rasie ludzkiej.

— Rzuć to tutaj — powiedział żwawo do Delilah, odstawił sherry i wyciągnął dłoń po kółko. Po chwili toczyła się
już prawdziwa gra, w którą włączyli się wszyscy goście oprócz

żony Brada, która była jeszcze zbyt blisko dzieciństwa, aby ryzykować, że znowu do niego wróci.

Przy kolacji Sue Carney posadziła Macona obok siebie, po prawej stronie. Położyła dłoń na jego dłoni i powiedziała, że to cudowne, że dogadali się z Sarą.

— Dziękuję ci — odparł Macon. — Ojej, jakie ty robisz dobre sałatki, Sue.

— Wszyscy miewamy lepsze i gorsze chwile — stwierdziła.

Przez chwilę zastanawiał się, czy nie chodzi jej o to, że jej sałatki nie zawsze są równie dobre.

— Powiem szczerze — ciągnęła — że zdarzały się chwile, kiedy zastanawiałam się, czy ja i Bob przetrwamy jako małżeństwo. Bywają momenty, kiedy mam wrażenie, że jesteśmy sobie bardzo dalecy. Wiesz, o czym mówię? O chwilach, kiedy witam go: „Cześć, kochanie, jak minął dzień?", ale w środku czuję się jak matka odznaczonego żołnierza.

Macon obrócił kieliszek, zastanawiając się, co mu umknęło w jej sposobie rozumowania.

— Czuję się jak człowiek, który stracił kogoś bliskiego na wojnie — powiedziała — i już zawsze musi popierać wojnę głośniej niż inni, bo w przeciwnym razie musiałby przyznać, że ta strata była bezcelowa.

— Hm...

— Ale to są tylko przelotne nastroje — dodała.

— Oczywiście — potwierdził Macon.

Szli z Sarą do domu przez powietrze ciężkie jak woda. Była jedenasta wieczorem i młodzież, która miała o tej porze stawić się w domu, właśnie wracała. Wielu z nich było zbyt młodych, żeby prowadzić samochód, więc odwozili ich dorośli. Wyskakiwali z samochodów, krzycząc:

— Do zobaczenia! Dzięki! Zadzwoń jutro, słyszysz?

Brzęczały kluczyki, drzwi frontowe otwierały się i zamykały. Ruszały samochody.

Spódnica Sary wydawała taki sam szepczący dźwięk jak polewaczka u Tuckerów, która nadal obracała się wolno w kępie bluszczu.

Kiedy doszli do domu, Macon wyprowadził Edwarda na ostatni spacer. Usiłował skłonić kotkę, żeby weszła do domu, ale ona siedziała skulona na parapecie kuchennego okna i patrzyła na niego upartym wzrokiem sowy, więc ją zostawił. Przechodząc przez kolejne pokoje, gasił światła. Kiedy przyszedł na górę, Sara była już w łóżku, oparta o zagłówek, ze szklanką wody sodowej w ręce.

— Napij się — zaproponowała, wyciągając szklankę, ale odmówił. Powiedział. że jest zmęczony, rozebrał się i wsunął pod kołdrę.

Stukot kostek lodu w szklance Sary wydał mu się nagle ważny, jakby z każdym kolejnym stuknięciem on sam zapadał się gdzieś coraz głębiej. Wreszcie otworzył drzwi, przeszedł parę kroków, stanął na miejscu dla świadka. Zadawali mu bardzo proste pytania: „Jakiego koloru były koła?", „Kto kupił chleb?", „Czy żaluzje były otwarte, czy zamknięte?" Naprawdę nie pamiętał. Usiłował sobie przypomnieć, ale nie mógł. Zabrali go na miejsce zbrodni, które okazało się krętą drogą, jak w bajce, „Proszę nam powiedzieć wszystko, co pan wie" — poprosili. Wyraz ich twarzy sugerował teraz, że jest nie tylko świadkiem, lecz że go także podejrzewają. Wysilał mózg, ale nic nie mógł wymyślić. „Musicie spojrzeć na to z mojego punktu widzenia! — krzyknął. — Usunąłem to wszystko z umysłu, pracowałem nad tym, żeby to usunąć! Teraz nie potrafię sobie tego przypomnieć!"

„Nawet po to, żeby się bronić?" — zapytano go.

Otworzył oczy. W pokoju było ciemno, a obok niego cicho oddychała Sara. Zegarek radiowy wskazywał północ. Kolejna grupa młodzieży wracała do domu. Słyszał klaksony i śmiechy, opony ocierały się o krawężnik, bo ktoś usiłował zaparkować. Po chwili wszystko ucichło. Macon wiedział, że tak będzie do pierwszej, kiedy pojawi się następna grupa. Najpierw usłyszy dalekie odgłosy ich muzyki, a potem śmiech, trzask zamykanych drzwi samochodów i domów. Światła na gankach będą gasły wzdłuż całej ulicy, stopniowo zaciemniając sufit. W końcu on będzie jedyną osobą, która nie śpi.

XX

Samolot do Nowego Jorku był malutki jak ptaszek, a ten, którym leciał do Paryża, był potworem wielkości budynku. Wewnątrz tłum ludzi upychał płaszcze i torby do schowków nad głowami; wciskali pod siedzenia walizki, kłócili się i wzywali stewardesy. Małe dzieci płakały, a matki warczały na starsze latorośle. Macon uważał, że to straszny motłoch.

Zajął miejsce koło okna i prawie natychmiast dołączyła do niego starsza para mówiąca po francusku. Mężczyzna usiadł obok Macona i kiwnął mu poważnie głową. Potem powiedział coś do żony, która podała mu lnianą torbę. Rozsunął suwak i przeglądał jej zawartość. Karty do gry, opakowanie plastrów, spinacz, młotek, żarówka... Macon był zafascynowany. Zerkał z ukosa w prawo, usiłując dojrzeć więcej. Kiedy ukazała się drewniana pułapka na myszy, zaczął się zastanawiać, czy ten człowiek nie jest wariatem. Jednakże po chwili namysłu udałoby się wyjaśnić pewnie i tę pułapkę. Macon uznał, że to, czego jest świadkiem, to jedna z odpowiedzi na wieczny dylemat podróżnika: co lepsze? Zabrać wszystko, co się posiada, i męczyć się z woźeniem tego, czy też podróżować z lekkim bagażem i spędzić pół wyprawy, szperając po sklepach w poszukiwaniu tego, czego się nie zabrało? Obie metody miały swoje wady.

Spojrzał na przejście, gdzie tłoczyli się kolejni pasażerowie: obładowany aparatami fotograficznymi Japończyk, zakonnica, dziewczyna z warkoczami i kobieta z małą czerwoną saszetką, o fryzurze przypominającej ciemny namiot i drobnej trójkątnej twarzy.

Muriel.

W pierwszej chwili poczuł, jak płynie przez niego fala ciepła, którą wywołuje obraz znajomej osoby w tłumie obcych, po czym pomyślał: „O Boże" i rozejrzał się, szukając drogi ucieczki.

Szła w jego kierunku zgrabnym, wdzięcznym krokiem, spoglądając na własne stopy, a kiedy znalazła się obok, podniosła wzrok i Macon pojął, że od początku wiedziała, iż on tam jest. Była ubrana w biały kostium, w którym wyglądała jak jedna z tych czarno-biało-czerwonych dam, jakie podziwiał w dzieciństwie na filmach.

— Jadę do Francji — powiedziała do niego.

— Ale nie możesz! — zaprotestował.

Francuska para spojrzała na niego z zaciekawieniem, a żona nawet się wychyliła, żeby go lepiej widzieć.

Za Muriel tłoczyli się kolejni pasażerowie, którzy mamrotali coś i kręcili się wokół niej, usiłując przejść.

— Chcę się przespacerować nad Sekwaną — oświadczyła.

Żona Francuza złożyła usta w ciup.

Muriel zauważyła stojących za nią ludzi i ruszyła dalej.

Macon nie był nawet pewien, czy nad Sekwaną można spacerować.

Gdy przejście opustoszało, uniósł się i zerknął w tył samolotu, ale Muriel zniknęła. Francuska para spojrzała na niego wyczekująco. Usiadł ponownie.

Sara się o tym dowie. W jakiś sposób dowie się. Zawsze mówiła, że on nie ma uczuć, a to by potwierdziło jej opinię — że mógł się z nią czule pożegnać, a potem odlecieć z Muriel do Paryża.

Cóż, nie była to jego wina i za żadne skarby nie zamierzał brać jej na siebie.

Kiedy się ściemniło, byli już w powietrzu i w samolocie zapanował jaki taki porządek. Lot zaprogramowano tak dokładnie jak dzień w przedszkolu: instrukcja na temat bezpieczeństwa, drinki, słuchawki, obiad, film. Macon odrzucił wszystkie oferty i zagłębił się w teczkę Juliana. Większość materiału była po prostu śmieszna. Hotel „Sam'n'Joe's" — coś takiego! Zastanawiał się, czy Julian dobrał materiały specjalnie po to, żeby go zdenerwować.

Obok przeszła kobieta w bieli. Macon spojrzał na nią przelotnie, ale była to nieznajoma.

Tuż przed końcem wyświetlanego filmu wyjął saszetkę z przyborami do golenia i poszedł do toalety z tyłu samolotu. Niestety, inni ludzie wpadli na podobny pomysł. Obie pary drzwi były zamknięte, więc musiał czekać w przejściu. Poczuł, że ktoś staje obok niego. Spojrzał i zobaczył Muriel.

— Muriel, co u... — zaczął.

— Nie jesteś właścicielem tego samolotu — stwierdziła.

Kilka głów odwróciło się w ich stronę.

— I Paryż też nie jest twoją własnością — dodała.

Stała tuż obok niego, twarzą w twarz. Dobiegał od niej prawie nieuchwytny zapach — nie tylko jej perfumy, lecz również jej dom; tak, to było to — zapach jej szafy, dręczący, denerwujący zapach cudzych rzeczy. Macon przycisnął lewą skroń.

— Nic z tego nie rozumiem — powiedział. — Nie mam pojęcia, skąd wiedziałaś, który samolot wybrać.

— Zadzwoniłam do twojego biura podróży.

— Do Becky? Zadzwoniłaś do Becky? Co ona musiała sobie pomyśleć?

— Pomyślała, że jestem twoją asystentką redakcyjną.

— A skąd miałaś pieniądze na bilet?

— Ach, trochę pożyczyłam od Bernice, a trochę od siostry, bo miała pieniądze, które zarobiła w... I wybrałam oszczędnościowy model podróży: do Nowego Jorku przyjechałam pociągiem, a nie samolotem...

— To akurat nie było zbyt mądre. Pewnie cię kosztowało tyle samo albo nawet więcej.

— Nie, bo...

— Ale dlaczego, Muriel? Dlaczego to robisz?

Uniosła podbródek. (Jej podbródek potrafił czasami stawać się bardzo ostry.)

— Bo miałam ochotę — powiedziała.

— Miałaś ochotę spędzić pięć dni w pokoju hotelowym w Paryżu? Bo tak będzie, Muriel.

— Jestem ci potrzebna.

— Potrzebna!

— Zanim mnie poznałeś, byłeś kompletnie załamany.

Szczęknął zamek i z jednej z toalet wyszedł mężczyzna. Macon wszedł do środka i szybko zamknął za sobą drzwi. Pragnął zniknąć. Stwierdził, że gdyby było tu okno, otworzyłby je i wyskoczył — nie dlatego, że pragnął popełnić coś tak ostatecznego jak samobójstwo, tylko chciał to wszystko wymazać. Boże, cofnąć się i wymazać ze swego życia wszystkie poplątane i nierozważne sprawy, za które był odpowiedzialny.

Gdyby przeczytała choć jeden z jego przewodników, wiedziałaby, że nie należy podróżować w białym ubraniu.

Kiedy wyszedł, już jej nie było. Wrócił na swoje miejsce. Francuzi podciągnęli kolana, żeby mógł przejść; byli wpatrzeni w film, w którym blondynka ubrana jedynie w ręcznik waliła we frontowe drzwi. Macon wyjął „Pannę MacIntosh", żeby zająć czymś głowę. Jednakże nie udało mu się. Przed oczami płynął mu wąski, przezroczysty strumyk słów bez znaczenia. Był jedynie świadom obecności Muriel gdzieś za nim. Czuł się tak, jak gdyby był przywiązany do niej drutem. Złapał się na tym, że się zastanawia, jak ona to odbiera — ten przyciemniony samolot, pod nią niewidoczny ocean i szmer na wpół realnych głosów wokół niej. Kiedy zgasił lampkę i zamknął oczy, wydawało mu się, że czuje, iż ona jeszcze nie śpi. Było to coś w powietrzu — coś czujnego, napiętego, niemal wibrującego.

Rano był już zdecydowany. Skorzystał z innej toalety, z przodu. Po raz pierwszy poczuł zadowolenie, że znajduje się w takim tłumie. Gdy wylądowali, wysiadł jako jeden z pierwszych. Szybko załatwił sprawy paszportowe i ruszył naprzód. Znajdowali się na lotnisku Charles'a de Gaulle'a, z tymi kosmicznymi fotelami. Muriel na pewno się zgubi. Pospiesznie wymienił pieniądze. Muriel pewnie jeszcze czeka na bagaż. Wiedział, że z pewnością taszczy duży bagaż.

Czekanie na autobus nie wchodziło w grę. Zatrzymał taksówkę i odjechał, czując się nagle cudownie lekki. Kłębowisko srebrnych autostrad wydało mu się w zasadzie sympatyczne. Kiedy wjechał do Paryża, miasto objawiło się jako szerokie, blade i jasno oświetlone. Podziwiał wiszącą nad nim mgiełkę. Taksówka jechała zamglonymi bulwarami, skręciła w brukowaną ulicę i zatrzymała się. Macon zaczął grzebać w kopertach z pieniędzmi.

Dopiero wchodząc do hotelu uświadomił sobie, że agentka z biura podróży dokładnie wie, gdzie on mieszka.

Hotel nie należał do zbyt luksusowych. Był mały, ciemny jak Macon odkrył podczas poprzednich wizyt, wszelkie urządzenia mechaniczne ciągle się tu psuły. Tym razem znak w foyer głosił, że jedna z wind nie działa. Portier wskazał drugą, zawiózł go na trzecie piętro i poprowadził pokrytym dywanem korytarzem. Otworzył drzwi, głośno wykrzykując po francusku, jak gdyby poraziła go ta wspaniałość (łóżko, biurko, krzesło i staroświecki telewizor). Macon sięgnął do jednej z kopert.

— Dziękuję — powiedział, dając portierowi napiwek.

Kiedy został sam, rozpakował się i powiesił płaszcz. Podszedł do okna i stał, patrząc na dachy. Kurz na szybie sprawiał, że czuł się oddalony w czasie niby część innej epoki.

Jak ona da sobie radę sama w tak obcym miejscu?

Przypomniało mu się, jak wędrowała po tanich sklepikach, jak szła ulicą zgrabnym i zdecydowanym krokiem, witając przechodniów po imieniu. A te wyprawy, na które zabierała sąsiadów: wożenie pana Maniona do energoterapeuty, który rozpuścił mu kamienie nerkowe za pomocą masażu stóp, pana Runkle'a do astrologa, który powiedział mu, kiedy wygra milion na loterii, pani Carpaccio do pewnego małego sklepiku w pobliżu „Johns Hopkins", gdzie z sufitu zwisały kiełbasy niby paski lepów na muchy. Ach, te miejsca, które Muriel znała!

Ale nie znała Paryża. I była całkiem sama. Nie miała nawet karty kredytowej, na pewno wzięła mało pieniędzy i mogła nie wpaść na to, żeby wymienić je na franki. Może snuje się bezradnie, bez grosza, nie będąc w stanie powiedzieć słowa po francusku.

Kiedy usłyszał, że puka do drzwi, poczuł taką ulgę, że pobiegł otworzyć.

— Twój pokój jest większy od mojego — stwierdziła. Minęła go i podeszła do okna. — Ale ja mam lepszy widok. Pomyśl tylko: naprawdę jesteśmy w Paryżu! Kierowca autobusu powiedział, że może padać, ale odpowiedziałam mu, że to mi nie przeszkadza. Deszcz czy słońce, i tak jest to Paryż.

— Skąd wiedziałaś, w który autobus wsiąść? — zapytał.

— Przywiozłam twój przewodnik. — Klepnęła się po kieszeni. — Chcesz pójść na śniadanie do „Chez Billy"? Polecasz tę restaurację w swojej książce.

— Nie, nie chcę. Nie mogę. Idź już, Muriel.

— Ach, tak. Dobrze — powiedziała i wyszła.

Czasami tak postępowała. Nalegała, po czym w chwili gdy czuł się osaczony, wycofywała się. Macon pomyślał, że przypomina to grę w przeciąganie liny, gdzie jedna osoba nagle puszcza sznur, a druga, kompletnie nieprzygotowana, pada na ziemię. I czuje zupełną pustkę.

Postanowił zadzwonić do Sary. W Stanach był wczesny ranek, ale czuł potrzebę kontaktu z nią. Podszedł do stojącego na biurku telefonu i podniósł słuchawkę. Linia okazała się kompletnie głucha. Kilka razy nacisnął widełki. Typowe. Wrzucił klucz do kieszeni i zszedł na dół.

Telefon w foyer mieścił się w staroświeckiej drewnianej budce, bardzo eleganckiej. Stała tam ławeczka pokryta czerwoną skórą. Macon pochylił się i słuchał dalekiego sygnału na drugim końcu.

— Halo? — odezwała się Sara.

— Sara?

— Kto mówi?

— Macon.

— Macon?

Przez chwilę nie dotarło to do niej.

— Macon, gdzie jesteś? — zapytała. — Co się stało?

— Nic. Chciałem z tobą porozmawiać.

— Co? Która godzina?

— Wiem, że jest wcześnie, i przepraszam, że cię budzę, ale chciałem usłyszeć twój głos.

— Są jakieś zakłócenia na linii.

— Ja dobrze słyszę.

— Słychać cię niewyraźnie.

— To dlatego, że to rozmowa międzykontynentalna — wyjaśnił. — Jaka u was pogoda?

— Jak kto?

— Pogoda! Słonecznie?

— Nie wiem. Kotary są zaciągnięte. Jeszcze jest ciemno.

— Będziesz dziś pracować w ogródku?

— Co?

— Pracować w ogródku!

— Nie zastanawiałam się. Zależy, czy będzie słońce.

— Żałuję, że mnie tam nie ma. Mógłbym ci pomóc.

— Ależ ty nienawidzisz pracy w ogrodzie!

— Tak, ale...

— Macon, dobrze się czujesz?

— Tak, doskonale.

— Jak minął lot?

— Ach, lot, mój Boże! Nie wiem. Byłem tak zajęty czytaniem, że nie zauważyłem.

— Czytaniem? — zdziwiła się, po czym dodała: — Może masz jeszcze zaburzenia po podróży.

— Możliwe — odparł.

Sadzone jaja, jajecznica, jaja na parze, omlety. Wyszedł na ulicę, robiąc jeszcze notatki na marginesie przewodnika. Wolał się nawet nie zbliżać do „Chez Billy". To zdumiewające — napisał — że Francuzi są tak delikatni przygotowując jedzenie, a tak szorstcy, kiedy je podają. W oknie restauracji czarny kot przymknął oczy na jego widok. Rozkoszował się — był u siebie w domu, pewien swojego miejsca.

Wystawy wysłane udrapowanym aksamitem, na którym leżały złote łańcuchy i zegarki cienkie jak żetony do pokera. Kobiety ubrane jak na scenę: wymyślne fryzury, piękny makijaż, spodnie o dziwnym kroju, nie mającym nic

wspólnego z anatomią człowieka. Starsze damy w dziew-
częcych falbankach, białych rajstopach i czółenkach z paskiem. Macon zszedł po schodach do metra. Ostentacyjnie
wyrzucił skasowany bilet do małego pojemnika oznaczonego
napisem: PAPIER. Potem rozejrzał się dokoła: wszyscy rzucali
bilety na podłogę. Kiedy się odwrócił, wydawało mu się, że
widzi Muriel — jej biała twarz jaśniała w tłumie — ale być
może się mylił.

Wieczorem wrócił do hotelu z obolałymi stopami i bólem
mięśni i padł na łóżko. Już po chwili usłyszał pukanie.
Mruknął z niezadowoleniem i wstał, żeby otworzyć drzwi.
Stała w nich Muriel, trzymając furę ubrań.

— Spójrz — powiedziała, przeciskając się obok niego.
— Zobacz, co kupiłam.

Rzuciła ubrania na łóżko, po czym brała je jedno po
drugim: błyszczącą czarną pelerynę, brązowe bryczesy, bu-
fiastą czerwoną ażurową suknię wieczorową usianą szklanymi
krążkami różnych rozmiarów, wyglądającymi jak rowerowe
światła odblaskowe.

— Straciłaś rozum? — zapytał Macon. — Ile to musiało
kosztować!

— Nic! Prawie nic. Znalazłam miejsce, które wygląda jak
przodek wszystkich wyprzedaży. To całe miasto wyprzedaży!
Pewna Francuzka opowiadała mi o tym, kiedy poszłam na
śniadanie. Powiedziałam jej komplement na temat kapelusza,
a ona mi zdradziła, gdzie go kupiła. Pojechałam metrem, żeby
znaleźć to miejsce. Twoja książka jest faktycznie pomocna,
jeśli chodzi o metro. I tam jest wszystko. Narzędzia i różne
gadżety też, Macon. Stare baterie samochodowe, skrzynki do
bezpieczników... A jeśli powiesz, że coś jest za drogie,
opuszczają cenę i kupujesz to bardzo tanio. Widziałam taki
skórzany płaszcz, za który gotowa byłabym zabić, ale był za
drogi. Ten człowiek chciał trzydzieści pięć franków.

— Trzydzieści pięć franków! — wykrzyknął Macon.
— Taniej nie kupisz nigdzie. Trzydzieści pięć franków to
około czterech dolarów.

— Naprawdę? Myślałam, że franki i dolary mają mniej
więcej tę samą wartość.

— Ależ skąd.

— No, to te rzeczy były wyjątkowymi okazjami. Może spróbuję znowu jutro.

— Jak zabierzesz to wszystko do samolotu?

— Coś wymyślę. Teraz wezmę to do mojego pokoju, żebyśmy mogli pójść na kolację.

Zesztywniał i powiedział:

— Nie mogę.

— Co ci może zaszkodzić zjedzenie ze mną kolacji, Macon? Jestem znajomą ze Stanów! Spotkałeś mnie w Paryżu! Czy nie możemy pójść razem na kolację?

Kiedy tak to przedstawiła, wszystko wydawało się proste. Poszli do „Burger Kinga" na Champs Elysées. Macon i tak chciał ponownie odwiedzić to miejsce. Zamówił dwa „woppaires".

— Uważaj — ostrzegł Muriel — to nie są takie whoppery, do jakich jesteś przyzwyczajona. Na pewno zechcesz zdjąć dodatkowe pikle i cebulę.

Ale Muriel spróbowawszy swojego stwierdziła, że smakuje jej właśnie taki. Siedziała obok niego na twardym małym krzesełku i oblizywała palce. Jej ramię dotykało jego ramienia. Nagle uświadomił sobie ze zdumieniem, że ona naprawdę tu jest.

— Kto się zajmuje Aleksandrem? — zapytał.

— Ach, różni ludzie.

— Jacy różni ludzie? Mam nadzieję, że nie zostawiłaś go tak po prostu, Muriel. Wiesz, że dziecko w tym wieku może się czuć niepewnie...

— Uspokój się. Wszystko w porządku. W ciągu dnia jest Claire, a potem przychodzi Bernice i gotuje kolację, a kiedy Claire ma randkę z Generałem, biorą go bliźniaczki, a jeśli one nie mogą, to Generał mówi, że Aleksander może...

Macon ujrzał nagle Singleton Street, z jej kolorytem i zamętem.

Po kolacji Muriel zaproponowała, żeby poszli na spacer, ale Macon stwierdził, że jest zmęczony. Rzeczywiście był wykończony. Wrócili do hotelu. W windzie zapytała:

— Mogę na chwilę przyjść do twojego pokoju? Mój telewizor ma bardzo zły obraz.

— Lepiej powiedzmy sobie dobranoc — odparł Macon.

— Nie mogę przyjść i dotrzymać ci towarzystwa?

— Nie, Muriel.

— Nie musimy niczego robić.

Winda zatrzymała się na jego piętrze.

— Muriel — powiedział — czy nie rozumiesz mojej sytuacji? Jestem jej mężem od wielu lat. Niemal dłużej, niż ty żyjesz. Nie potrafię się teraz zmienić. Nie rozumiesz?

Stała w kącie windy i patrzyła na niego. Makijaż jej się starł i wyglądała młodo, smutno i bezbronnie.

— Dobranoc — bąknął.

Wyszedł i drzwi windy się zamknęły.

Natychmiast położył się do łóżka, ale nie mógł zasnąć, więc włączył telewizor. Pokazywali amerykański western z dubbingiem. Długonodzy kowboje mówili płynną, zawiłą francuszczyzną. Następowały kolejne katastrofy — huragany, Indianie, susze i paniczne ucieczki. Bohater wytrzymał jednak to wszystko. Macon już dawno zauważył, że wszystkie filmy przygodowe mają ten sam morał: wytrwałość popłaca. Chciałby choć raz zobaczyć takiego bohatera jak on sam — nie tchórza, ale człowieka, który bierze pod uwagę fakty i spokojnie wycofuje się, kiedy dalsze pchanie się naprzód jest głupotą.

Wstał i zgasił telewizor. Długo się kręcił i wiercił, zanim wreszcie zasnął.

Duże hotele, małe hoteliki, zaniedbane hotele z odłażącą tapetą, hotele o opływowej linii, z dużymi amerykańskimi łóżkami i amerykańskimi biurkami o laminowanych blatach. Przyciemnione okna kawiarni, w których sterczą, niby manekiny, właściciele, mający ręce założone do tyłu. Nie ulegnijcie *prix fixe*. To tak jak matka, która mówi: „Jedz, jedz" — te wszystkie dania, które się wam wmusza....

Późnym popołudniem Macon wracał zmęczony do hotelu. Mijał ostatnie skrzyżowanie, kiedy ujrzał przed sobą Muriel. Niosła mnóstwo paczek, włosy jej powiewały na wietrze, a pantofle o ostrych obcasach stukały o bruk.

— Muriel! — zawołał.

Odwróciła się, a on podbiegł do niej.

— Och, Macon, miałam przemiły dzień. Spotkałam ludzi z Dijon i zjedliśmy razem lunch. Opowiadali o... Możesz wziąć kilka paczek? Chyba nakupiłam trochę za dużo.

Wziął paczki — wygniecione torby wypchane materiałami. Pomógł jej zanieść je do pokoju, który wydawał się jeszcze mniejszy, niż rzeczywiście był, bo wszędzie piętrzyły się stosy ubrań. Rzuciła swoje ciężary na łóżko.

— Pokażę ci... zaraz, gdzie to jest... — powiedziała.

— A to co? — zdziwił się Macon wskazując stojącą na biurku butelkę o dziwnym kształcie.

— Ach, znalazłam ją w lodówce. W łazience stoi lodóweczka pełna różnych napojów, a także win i mocnych alkoholi.

— Muriel, czy nie wiesz, że te rzeczy są potwornie drogie? Nie rozumiesz, że dopiszą ci to do rachunku? Ta lodówka nazywa się minibar i używasz jej tylko w określonym celu. Rano, kiedy przywożą na wózku śniadanie kontynentalne, z jakiegoś dziwnego powodu podają dzbanek gorącego mleka. Wstawiasz ten dzbanek do minibaru i dzięki temu możesz się później napić normalnego mleka. Jeden Bóg wie, jak w tym kraju mogłabyś w inny sposób dostać odpowiednią ilość wapnia. I nie jedz bułeczek, wiesz o tym, prawda? Nie zaczynaj dnia od węglowodanów, zwłaszcza po trudach podróży. Lepiej wejdź do kawiarni i zjedz jajka.

— Jajka! Fuj! — Muriel zdjęła spódnicę i przymierzyła następną, którą przed chwilą kupiła, z długimi frędzlami u dołu. — Lubię bułeczki — oznajmiła. — I napoje.

— Nie rozumiem, jak możesz tak mówić — stwierdził Macon. Uniósł butelkę. — Spójrz tylko na firmę; „Pschitt". Czyż to nie brzmi podejrzanie? Jest jeszcze drugi rodzaj zwany „Yukkie" czy „Yukkery", coś w tym stylu...

— To mój ulubiony. Już go wypiłam. — Muriel upinała włosy na czubku głowy. — Gdzie dzisiaj idziemy na kolację?

— Nie wiem. Chyba pora pójść do jakiejś eleganckiej restauracji.

— Och, świetnie!

Odsunął coś, co wyglądało na staroświecką jedwabną lizeskę, i usiadł. Patrzył, jak Muriel maluje usta.

Poszli do restauracji oświetlonej świecami, chociaż nie było jeszcze ciemno. Posadzono ich obok długiego, przysłoniętego kotarą okna. Pozostałymi gośćmi byli Amerykanie — czterech biznesmenów, wyraźnie rozkoszujących się dużymi talerzami ślimaków. (Macon zastanawiał się czasami, czy jego książki są w ogóle potrzebne.)

— Na co mam ochotę? — zastanawiała się Muriel wertując kartę. — Jeśli ich zapytam, jak któreś danie nazywa się po angielsku, potrafią mi odpowiedzieć, jak myślisz?

— Nie musisz tego robić — odparł Macon. — Zamów po prostu sałatkę nicejską.

— Co?

— Chyba mówiłaś, że czytałaś mój przewodnik! Sałatkę nicejską. To jedyne bezpieczne danie. Przejechałem całą Francję jedząc tylko to na okrągło.

— To się wydaje dosyć monotonne — stwierdziła Muriel.

— Ależ nie. W niektórych lokalach dodają do niej zieloną fasolkę, a w innych nie. I przynajmniej ma mało cholesterolu, czego nie można powiedzieć o...

— Chyba po prostu zapytam kelnera — zdecydowała Muriel. Odłożyła kartę. — Czy myślisz, że we Francji te okna też nazywają oknami francuskimi?

— Co? Nie mam pojęcia. — Spojrzał w kierunku okna z ciemnozieloną szybą. Na zewnątrz, w zarośniętym ogrodzie, dziobaty kamienny cherubin pluskał się w fontannie.

Kelner mówił po angielsku lepiej, niż Macon przypuszczał. Polecił Muriel szczawiową zupę krem i jakiś specjalny gatunek ryby. Macon też zdecydował się na zupę, nie chcąc siedzieć bezczynnie, podczas gdy ona będzie jadła swoją.

— No proszę — powiedziała. — Prawda, jaki miły?

— Rzadki wyjątek — oświadczył Macon.

Strzepnęła krawędź spódnicy.

— Cholerne frędzle! Ciągle mi się zdaje, że coś mi łazi po nodze. Dokąd się wybierasz jutro, Macon?

— Wyjeżdżam z Paryża. Zaczynam objazd innych miast.

— Zostawiasz mnie samą?

— To podróż służbowa, Muriel, a nie żarty. Muszę wstać o świcie.

— Zabierz mnie.

— Nie mogę.

— Nie sypiam najlepiej. Mam złe sny.

— To tym bardziej nie powinnaś się wałęsać po kolejnych nowych miejscach.

— Zeszłej nocy śnił mi się Dominik. — Pochyliła się ku Maconowi. Na policzkach miała dwie plamy różu. — Śniło mi się, że jest na mnie wściekły.

— Wściekły?

— Nie chciał ze mną rozmawiać ani patrzeć na mnie. Kopał coś na chodniku. Okazało się, że jest wściekły, bo nie pozwoliłam mu już używać samochodu. Powiedziałam: „Dominiku, ty nie żyjesz. Nie możesz używać samochodu. Uwierz mi, gdybym mogła, pozwoliłabym ci".

— Nie martw się. W podróży miewa się różne sny.

— Boję się, że to znaczy, że naprawdę jest zły. Tam, gdzie jest.

— Nie — zaprzeczył Macon. — Na pewno nie byłby wściekły.

— Boję się, że tak.

— Jest szczęśliwy jak skowronek.

— Naprawdę tak myślisz?

— Jasne! Jest w jakimś samochodowym niebie i poleruje własne auto. I panuje tam wiosna, świeci słońce, a blondynka w bluzce na ramiączkach pomaga mu polerować.

— Naprawdę sądzisz, że to może być prawda?

— Tak — odparł. Zabawne, że w tym momencie naprawdę w to wierzył. Wyraźnie widział Dominika na słonecznej łące, z irchową szmatką w dłoni i szerokim, pełnym zadowolenia i pewności siebie uśmiechem na twarzy.

Pod koniec wieczoru zaproponowała, żeby przyszedł do jej pokoju. Czy mógłby? Jako stróż przeciwko złym snom. Ale on odmówił i powiedział jej dobranoc. A potem, kiedy skrzypiąca winda ją uwiozła, poczuł, jak ta kobieta go pociąga i wypruwa z niego głęboko ukryte emocje.

We śnie stworzył plan zabrania jej ze sobą nazajutrz. To przecież tylko jednodniowa wyprawa. W niespokojnym śnie podniósł słuchawkę i wykręcił jej numer. Kiedy obudził się rano, był zdziwiony, że jej jeszcze nie zaprosił.

Usiadł, sięgnął po telefon i w tym momencie — z głuchą słuchawką przyciśniętą do ucha — przypomniał sobie, że telefon jest zepsuty, a on zapomniał to zgłosić. Zastanawiał się, czy to coś, co umiałby sam naprawić, może był to tylko rozłączony przewód. Wstał i zajrzał za biurko. Pochylił się, żeby znaleźć gniazdko.

W tym momencie nawalił mu kręgosłup.

Nie ma wątpliwości — ten gwałtowny skurcz w mięśniu po lewej stronie pleców. Ból był tak ostry, że pozbawił go tchu. Potem minął. Może na dobre. Wyprostował się powoli, lecz to wystarczyło, by ból wrócił.

Pomalutku położył się na łóżku. Największy problem stanowiło uniesienie nóg, ale zacisnął zęby i dokonał tego. Leżał i zastanawiał się, co ma dalej robić.

Gdy kiedyś mu się to przytrafiło, ból zniknął po pięciu minutach i już nie wrócił. Było to coś podobnego do skurczu.

Ale z kolei kiedyś leżał plackiem w łóżku przez dwa tygodnie, a przez następny miesiąc kuśtykał jak starzec.

Leżał i zmieniał w myślach plan działania. Gdyby zrezygnował z jednej wyprawy, a drugą przełożył... Tak, to co planował na następne trzy dni, można zmieścić w dwóch, o ile do jutra polepszy mu się na tyle, że będzie się mógł poruszać.

Chyba zasnął. Nie wiedział, jak długo spał. Obudziło go pukanie do drzwi. Myślał, że to śniadanie, chociaż prosił, żeby dzisiaj mu nie przynosić. Ale potem usłyszał głos Muriel.

— Macon, jesteś tam?

Miała z pewnością nadzieję, że jeszcze nie wyjechał z Paryża, i przyszła znowu błagać, żeby ją zabrał. Wiedział to, jak gdyby właśnie to usłyszał. Był teraz wdzięczny bólowi, który go chwycił w chwili, gdy odwracał się od jej głosu. Ten krótki sen rozjaśnił mu myśli; stwierdził, że nieomal wpadł w nią ponownie. „Wpadł" — tak to ujął. Jakie to szczęście, że kręgosłup mu to uniemożliwił. Jeszcze minuta lub kilka sekund i byłby zgubiony.

Zasnął tak nagle, że nawet nie słyszał, jak Muriel odchodzi.

Kiedy się znowu obudził, poczuł, że jest znacznie później, chociaż nie chciał wykonywać ruchów koniecznych do tego, żeby spojrzeć na zegarek. Obok pokoju przejeżdżał wózek i usłyszał głosy, zapewne pracowników hotelu, którzy śmieli się w korytarzu. Pewnie im tu dobrze — znają się nawzajem jak łyse konie. Zapukano do drzwi, po czym rozległ się brzęk kluczy. Mała blada pokojówka wsunęła głowę.

— *Pardon, monsieur* — powiedziała.

Zamierzała wyjść, ale jednak stanęła i zapytała go o coś po francusku, a on wskazał swoje plecy i się skrzywił.

— *Ach* — rzuciła wchodząc do pokoju, po czym dodała coś bardzo szybko. (Pewnie mówiła mu o swoich plecach.)

— Proszę mi pomóc — jęknął, bo uznał, że nie ma wyboru i musi zatelefonować do Juliana.

Chyba zrozumiała, o co mu chodzi, bo podeszła do łóżka. Obrócił się na brzuch i podparł na jednej ręce, bo tylko tak mógł wstać bez koszmarnego bólu. Pokojówka wzięła go pod drugie ramię i podtrzymała, gdy wstał. Była o wiele niższa od niego, ładna i delikatna w jakiś potulny sposób. Wiedział, że jest nie ogolony i ma pogniecioną piżamę.

— Marynarka — powiedział i podeszli powoli do krzesła, gdzie wisiała. Narzuciła mu ją na ramiona. — Na dół, do telefonu — dodał. Spojrzała na aparat na biurku, ale Macon zrobił przeczący gest dłonią, który wywołał falę bólu. Skrzywił się. Dziewczyna cmoknęła i wyprowadziła go na korytarz.

Chodzenie nie było specjalnie trudne, bo prawie nie czuł bólu. Ale winda podskakiwała i to wywoływało niespodziewane cierpienie. Pokojówka wyrażała mu współczucie. Kiedy doszli do foyer, zaprowadziła go do budki telefonicznej i usiłowała tam posadzić.

— Nie, łatwiej mi stać, dziękuję — oświadczył.

Wyszła, zostawiając go w środku. Widział, że rozmawia z recepcjonistą i kiwa głową ze współczuciem; ten też kiwał głową.

Macon obawiał się, że Juliana jeszcze nie będzie w biurze, a nie znał jego numeru domowego. Ale telefon odebrano po pierwszym dzwonku.

— „Prasa Biznesmena" — przebił się przez szum na linii kobiecy głos, dziwnie znajomy.

— Hm — mruknął. — Mówi Macon Leary. Z kim...

— Och, Macon.

— Rose?

— Tak, to ja.

— A co ty tam robisz?

— Pracuję tu.

— Rozumiem.

— Usiłuję zaprowadzić porządek. Nie masz pojęcia, w jakim stanie jest to biuro.

— Rose, kręgosłup mi nawalił — poskarżył się Macon.

— Och, nie, w takiej chwili! Jesteś jeszcze w Paryżu?

— Tak, ale właśnie miałem zacząć jednodniowe wypady i muszę zmienić wszystkie plany, spotkania, rezerwacje, a w moim pokoju nie ma telefonu. Pomyślałem, że może Julian mógłby to zrobić stamtąd. Może mógłby sprawdzić u Becky rezerwacje i...

— Sama się tym zajmę — oznajmiła Rose. — Niczym się nie przejmuj.

— Powiedz mu, że nie wiem, kiedy dotrę do innych miast. Nie mam pojęcia, kiedy będę....

— Damy sobie radę. Byłeś u lekarza?

— Lekarze nie pomagają, tylko leżenie w łóżku.

— To też, Macon.

Podał jej nazwę hotelu, a ona powtórzyła żwawo, po czym kazała mu wracać do łóżka.

Kiedy wynurzył się z budki, pokojówka zawołała do pomocy gońca hotelowego i prowadzony przez nich dotarł do pokoju bez większych kłopotów. Byli bardzo życzliwi. Nie chcieli go zostawiać samego, ale zapewnił ich, że wszystko będzie w porządku.

Całe popołudnie przeleżał w łóżku, wstając dwa razy, żeby pójść do łazienki, i raz, żeby wziąć mleko z minibaru. Nie był głodny. Obserwował brązowe kwiaty na tapecie. Stwierdził, że nigdy nie poznał tak dokładnie pokoju hotelowego. Bok biurka od strony łóżka miał wzór w drewnie, który przypominał kościstego mężczyznę w kapeluszu.

W porze kolacji wyjął z minibaru małą butelkę wina i zasiadł w fotelu, żeby ją wypić. Nawet ruch podnoszenia butelki do ust powodował ból, ale uznał, że wino pomoże mu zasnąć. Kiedy tam siedział, zapukała pokojówka. Weszła i zapytała, czy chce coś do jedzenia, ale podziękował. Pewnie wracała już do domu, bo miała przy sobie zniszczoną książkę.

Nieco później, kiedy już zawlókł się do łóżka, rozległo się kolejne pukanie. Muriel dopytywała się zza drzwi:

— Macon? Macon?

Nie odzywał się, więc odeszła.

Zapadł zmierzch, a potem noc. Człowiek z boku biurka zniknął. Słychać było czyjeś kroki na wyższym piętrze.

Często zastanawiał się, ilu ludzi umiera w hotelach. Przecież zgodnie z rachunkiem prawdopodobieństwa ktoś musiał tam umierać, prawda? Na przykład ci, którzy nie mieli bliskiej rodziny, może któryś z jego czytelników, jakiś samotny komiwojażer. Co się z nimi robiło? Czy istnieje jakiś grób publiczny dla nieznanych podróżnych?

Mógł leżeć tylko w dwóch pozycjach — na lewym boku albo na plecach — a zmiana oznaczała przebudzenie się, świadomą decyzję zniesienia bólu i zaplanowanie strategii. Potem zapadał w niespokojny półsen.

Śniło mu się, że siedzi w samolocie obok kobiety ubranej na szaro, bardzo szczupłej, sztywnej, o wąskich wargach, i usiłuje siedzieć nieruchomo, bo czuje, że ona jest przeciwna wszelkiemu ruchowi. Skądś wiedział, że taką ma zasadę. Ale było mu coraz bardziej niewygodnie, więc postanowił stawić jej czoło. „Proszę pani" — powiedział. Spojrzała na niego łagodnymi, smutnymi oczami, nad którymi widniały piękne łuki brwi. „Panna MacIntosh!" — wykrzyknął. Obudził się z ostrym bólem. Miał wrażenie, że jakaś mała okrutna dłoń chwyciła część jego pleców i wykręca ją na drugą stronę.

Kiedy kelner przyniósł mu rano śniadanie, zjawiła się również pokojówka. Macon pomyślał, że dziewczyna ma wyczerpującą pracę, ale był zadowolony, że ją widzi. Oboje z kelnerem skakali koło niego. Wymieszali gorące mleko z kawą, a kelner pomógł mu pójść do łazienki, podczas gdy pokojówka zmieniała pościel. Dziękował im wielokrotnie. „Merci" — powtarzał nieudolnie. Żałował, że nie umie powiedzieć po francusku: „Nie rozumiem, czemu jesteście tacy mili".

Gdy wyszli, zjadł wszystkie bułeczki, które pokojówka rozsądnie posmarowała masłem i dżemem truskawkowym. Potem włączył telewizor, żeby mieć jakieś towarzystwo, i wrócił do łóżka.

Pożałował tego, kiedy usłyszał pukanie do drzwi, bo pomyślał, że to Muriel i że usłyszy telewizor. Ale chyba było za wcześnie na nią. Po chwili klucz obrócił się w zamku i do pokoju wkroczyła Sara.

— Sara? — zdumiał się.

Była ubrana w beżowy kostium i miała dwie sztuki dopasowanego kolorystycznie bagażu. Wniosła ze sobą atmosferę skuteczności.

— Wszystko załatwione — oświadczyła. — Ja odbędę za ciebie te wyprawy. — Postawiła walizki, ucałowała go w czoło i wzięła ze stolika śniadaniowego szklankę. Idąc do łazienki dodała: — Przesunęliśmy wizyty w innych miastach i zaczynam jutro.

— Ale jak się tutaj dostałaś tak szybko?

Wyszła z łazienki ze szklanką pełną wody.

— Musisz za to podziękować Rose — powiedziała wyłączając telewizor. — Ona jest czarodziejką. Uwiodła całe to biuro. Oto pastylka od doktora Levitta.

— Wiesz, że nie biorę czegoś takiego.

— Tym razem weźmiesz. — Pomogła mu unieść się na łokciu. — Będziesz spał jak najwięcej, żeby plecy mogły się wyleczyć. Połknij.

Pastylka była mała i bardzo gorzka. Czuł jej smak, kiedy znów się położył.

— Bardzo boli? — zapytała.

— Raczej tak.

— Jak sobie radziłeś z posiłkami?

— Śniadanie i tak jest przynoszone. I to wszystko.

— Zapytam o dostarczanie potraw do pokoju. — Podniosła słuchawkę. — Ponieważ mnie nie będzie, to... Co się dzieje z tym telefonem?

— Nie działa.

— Pójdę do recepcji. Przynieść ci coś?

— Nie, dziękuję.

Kiedy wyszła, wydało mu się niemal, że ją sobie wymyślił. Tylko że jej walizki stały tuż obok łóżka, lśniące i kremowe — te, które trzymała na półce w szafie w domu.

Pomyślał o Muriel i o tym, co by się stało, gdyby teraz zapukała. Potem przypomniał sobie wieczór dwa, a może trzy dni temu, kiedy wkroczyła ze swoimi zakupami. Zastanawiał się, czy zostawiła ślady. Jakiś pasek pod łóżkiem albo szklany krążek z wieczorowej sukni? Zaczął się tym poważnie niepokoić. Wydawało mu się to niemal nieuniknione; oczywiście, że musiała coś zostawić. Jedyne pytanie: co? I gdzie?

Przewrócił się z jękiem i wyprostował. Z trudem zwlókł się z łóżka, po czym opadł na kolana, żeby zajrzeć pod nie. Niczego nie widział. Wstał i pomacał fotel i brzegi poduszki. Tam też nie. Przypomniał sobie, że nie podchodziła do fotela ani do biurka, ale mimo to wysunął kolejno szuflady, żeby się upewnić. Garstka jego własnych rzeczy zajmowała jedną szufladę. Pozostałe były puste, ale w drugiej od dołu było trochę różowego pudru. Nie należał, oczywiście, do Muriel, ale wyglądał jak jej. Postanowił się go pozbyć. Poczłapał do łazienki, zmoczył ręcznik i wrócił, żeby wyczyścić szufladę. Zrobiwszy to zauważył, że na ręczniku została duża różowa smuga, jak gdyby kobieta z nadmiernym makijażem wytarła sobie nim twarz. Złożył ręcznik tak, żeby nie było widać smugi, i położył w głębi szuflady. Nie, to zbyt obciążające. Wyjął go i schował pod poduszką na fotelu. To też nie było dobre wyjście. Wreszcie poszedł do łazienki i uprał ręcznik, trąc go kawałkiem mydła, aż plama znikła. Ból w plecach nie ustawał i na czole pojawiły mu się krople potu. W pewnej chwili stwierdził, że zachowuje się bardzo dziwnie; to pewnie ta pigułka. Rzucił mokry ręcznik na podłogę i powlókł się z powrotem do łóżka. Natychmiast zasnął. Nie był to normalny sen, tylko jakby zapaść.

Wiedział, że weszła Sara, ale nie był w stanie się obudzić, żeby ją przywitać. Wiedział też, że znowu wyszła. Usłyszał pukanie, słyszał, że przyniesiono obiad i że pokojówka szepce: „*Monsieur?*" Nadal trwał w zamroczeniu. Ból był przytłumiony, ale czuł go jakby tuż pod powierzchnią. Pigułka działała tak jak kiepskie odświeżacze powietrza, które tylko maskują przykre zapachy. Potem Sara wróciła po raz drugi i otworzył oczy. Stała przy łóżku ze szklanką wody.

— Jak się czujesz? — zapytała.

— Dobrze — odpowiedział.

— Twoja następna pigułka.

— Saro, te leki są okropne.

— Ale pomagają, prawda?

— Zwalają mnie z nóg — oświadczył, ale wziął pigułkę.

Usiadła na brzegu materaca, uważając, żeby go nie potrącić. Nadal była w kostiumie i wyglądała na odświeżoną, mimo że teraz musiała już być zmęczona.

— Macon — odezwała się cicho.

— Hmm.

— Widziałam tę twoją przyjaciółkę.

Zesztywniał i plecy natychmiast go rozbolały.

— Ona mnie też widziała. Wydawała się bardzo zdziwiona.

— Saro, nie jest tak, jak to wygląda.

— A jak? Chciałabym usłyszeć, Maconie.

— Przyjechała na własną rękę. Nawet o tym nie wiedziałem, przysięgam! Zauważyłem ją dopiero przed startem samolotu. Pojechała za mną. Powiedziałem jej, że nie chcę z nią być, że to nie ma sensu.

Sara patrzyła na niego.

— Dowiedziałeś się dopiero przed startem samolotu...

— Przysięgam.

Żałował, że wziął pigułkę. Czuł, że nie w pełni panuje nad swoimi zmysłami.

— Wierzysz mi? — zapytał.

— Tak, wierzę — odparła. Wstała i zaczęła odkrywać jego dania obiadowe.

Popołudnie spędził w kolejnym zamroczeniu, ale zdawał sobie sprawę, że pokojówka przychodziła dwa razy, a kiedy wróciła Sara z torbą zakupów, był już prawie obudzony.

— Pomyślałam, że sama zrobię ci kolację — powiedziała.

— Świeże owoce i inne rzeczy. Zawsze narzekasz, że kiedy podróżujesz, jesz za mało owoców.

— To bardzo miło z twojej strony, Saro.

Gramolił się pracowicie, aż znalazł się w pozycji półsiedzącej, oparty o poduszkę. Sara rozwijała sery.

— Telefon jest już zreperowany — oznajmiła.

— Będziesz mógł dzwonić po posiłki i w innych sprawach, kiedy ja wyjadę. Pomyślałam sobie, że jak skończę te wyprawy, a twój kręgosłup będzie w lepszym stanie, moglibyśmy sami trochę pozwiedzać. Skorzystać z tego, że tu jesteśmy, i odwiedzić kilka muzeów i innych miejsc.

— Doskonale — odparł.

— Mielibyśmy coś w rodzaju drugiej podróży poślubnej.

— Cudownie.

Patrzył, jak układa sery na papierowej torbie.

— Zmienimy datę twojego powrotu — zadecydowała.

— Masz rezerwację na jutro rano, a nie ma szans, żebyś dał radę polecieć. Ja mam bilet otwarty. Julian stwierdził, że powinnam taki kupić. Czy ci mówiłam, gdzie mieszka Julian?

— Nie. Gdzie?

— Wprowadził się do Rose i twoich braci.

— Co takiego?

— Zawiozłam Edwarda do Rose na czas mojej nieobecności i zastałam tam Juliana. Sypia w pokoju Rose i zaczął grywać co wieczór po kolacji w „szczepienie".

— Niech mnie diabli...

— Zjedz trochę sera.

Wziął plasterek, nieznacznie zmieniając pozycję.

— To śmieszne, ale Rose czasami przypomina mi flądrę — oświadczyła Sara. — Oczywiście nie z wyglądu... Leżała na dnie oceanu tak długo, że jedno oko przesunęło się na drugą stronę głowy.

Przestał żuć i spojrzał na nią. Nalewała mętnobrązowy płyn do dwóch szklanek.

— Jabłecznik. Uznałam, że nie powinieneś pić niczego mocniejszego, kiedy bierzesz te pigułki.

— Słusznie — odparł. Podała mu szklankę.

— Toast za naszą drugą podróż poślubną — powiedziała.

— Naszą drugą podróż poślubną — powtórzył.

— Za następne dwadzieścia jeden lat razem.

— Dwadzieścia jeden! — Wydawało mu się, że to bardzo dużo.

— A może dwadzieścia?

— Nie, dwadzieścia jeden. Pobraliśmy się w tysiąc dziewięćset...

— Chodzi mi o to, że straciliśmy ten ostatni rok.

— Aha. Nie, mimo to dwadzieścia jeden.

— Tak uważasz?

— Uważam miniony rok za kolejny etap naszego małżeństwa. Nie martw się. Dwadzieścia jeden.

Stuknęli się szklankami.

Ich główne danie stanowiło mięso z garnuszka, które Sara rozsmarowała na bagietce. Na deser mieli owoce. Umyła je w łazience i wróciła z garścią brzoskwiń i truskawek. Jednocześnie cały czas gawędziła, co wywoływało w nim poczucie, że jest znowu w domu.

— Czy ci wspominałam, że dostaliśmy list od państwa Avery? Może będą przejeżdżać przez Baltimore jeszcze tego lata. Aha, i zjawił się człowiek od termy.

— Mhm.

— Powiedział, że wszystko w porządku.

— To dobrze.

— Prawie skończyłam swoją rzeźbę, a pan Armistead mówi, że to moja najlepsza praca.

— To miłe.

— Ach! — Sara złożyła ostatnią papierową torebkę. — Wiem, że niewiele cię obchodzą moje rzeźby, ale...

— Kto mówi, że nie?

— Wiem, że uważasz mnie za panią w średnim wieku, która udaje artystkę...

— Kto tak mówi?

— Ach, wiem, co myślisz! Przede mną nie musisz udawać.

Macon zaczął się osuwać po poduszce, ale powstrzymał go ból mięśni.

Sara pokroiła brzoskwinię na cząstki, usiadła na łóżku i podała mu jedną.

— Macon, powiedz mi, czy powodem twojego zainteresowania był ten chłopiec?

— Co?

— Czy zainteresowałeś się tą kobietą dlatego, że ma dziecko?

— Saro, przysięgam ci, nie miałem pojęcia, że ona zamierza tu za mną przyjechać.

— Tak, wiem, ale zastanawiałam się długo nad kwestią dziecka.

— Jaką kwestią dziecka?

— Pamiętam, jak powiedziałeś. że powinniśmy mieć drugie dziecko.

— Ach, to było po prostu... Nie wiem, co to było.

— Oddał jej brzoskwinię, bo nie był już głodny.

— Pomyślałam, że może miałeś rację.

— Co? Nie, Saro. Boże, to był straszny pomysł.

— Wiem, że to budzi lęk. Muszę przyznać, że ja też bym się bała mieć kolejne dziecko.

— No właśnie — stwierdził Macon. — Jesteśmy za starzy.

— Nie, ja mówię o świecie, w jaki byśmy je wprowadzili. Tyle tu zła i niebezpieczeństw. Przyznaję, że szalałabym ze strachu przy każdym jego wyjściu na ulicę.

Macon ujrzał w wyobraźni Singleton Street, małą i daleką niby zielona mapa Hawajów przyniesiona przez Juliana i pełną wesoło gwarzących ludzi szorujących swoje ganki, grzebiących w samochodach i pluszczących się pod hydrantami pożarowymi.

— Masz rację — powiedział. — Choć w gruncie rzeczy budzi otuchę, prawda? To, że większość ludzi tak się stara. Chcą być jak najbardziej odpowiedzialni i mili.

— Czy to znaczy, że się zgadzasz, żebyśmy mieli dziecko? — zapytała Sara.

Macon przełknął ślinę.

— Nie. Uważam, że jest już dla nas za późno, Saro.

— A zatem jej synek nie był powodem.

— Słuchaj, to już skończone. Czy nie możemy zamknąć tej sprawy? Ja ciebie nie przesłuchuję, prawda?

— Ale za mną nikt nie jedzie do Paryża.

— A gdyby tak było? Czy sądzisz, że winiłbym cię za to, że ktoś wsiadł do samolotu bez twojej wiedzy?

— Zanim samolot wystartował...

— Słucham? No, ja myślę!

— Zobaczyłeś ją, zanim samolot wystartował. Mogłeś do niej podejść i powiedzieć: „Nie. Wysiadaj. Wyjdź w tej chwili. Nie chcę mieć z tobą nic wspólnego i nie chcę cię więcej widzieć".

— Uważasz, że jestem właścicielem linii lotniczych, Saro?

— Gdybyś naprawdę chciał, powstrzymałbyś ją — stwierdziła Sara. — Mogłeś podjąć jakieś kroki.

Wstała i zaczęła sprzątać po kolacji.

Dała mu następną pastylkę, ale przez chwilę trzymał ją w dłoni, bo nie chciał ryzykować poruszania się. Leżał z zamkniętymi oczami i słuchał, jak Sara się rozbiera. Puściła wodę w łazience, zasunęła łańcuch na drzwiach i pogasiła światła. Kiedy się kładła, poczuł ból, mimo że starała się to zrobić ostrożnie. Nie dał jednak po sobie poznać. Niemal natychmiast jej oddech stał się cichy i równy. Na pewno była strasznie zmęczona.

Uzmysłowił sobie, że w gruncie rzeczy rzadko podejmował w życiu jakieś kroki. Właściwie nigdy. Jego małżeństwo, dwie prace, okres spędzony z Muriel, powrót do Sary — to wszystko po prostu spadało na niego. Nie mógł sobie przypomnieć żadnego działania, które podjąłby z własnej inicjatywy.

Czy teraz jest za późno, żeby zacząć?

Czy potrafiłby się nauczyć postępować inaczej?

Otworzył dłoń i upuścił pigułkę w pościel. Będzie miał męczącą, niespokojną noc, ale wszystko jest lepsze od nurzania się w tym zamroczeniu.

Rano z trudem wstał z łóżka i poszedł do łazienki. Ogolił się i ubrał, co zajęło mu dużo czasu. Drepcząc pracowicie spakował torbę. Najcięższą rzeczą była „Panna MacIntosh", więc po chwili zastanowienia wyjął ją i położył na biurku.

— Macon? — odezwała się Sara.

— Cieszę się, że nie śpisz, Saro.

— Co robisz?

— Pakuję się i wyjeżdżam.

Usiadła. Miała zapuchniętą od snu twarz.

— Ale co z twoim kręgosłupem? A ja mam te umówione spotkania! I mieliśmy odbyć drugą podróż poślubną!

— Kochanie... — Pochylił się ostrożnie i usiadł na łóżku. Wziął ją za rękę. Była całkiem bez życia.

— Wracasz do tej kobiety. — Sara wpatrywała się w jego twarz.

— Tak — potwierdził.

— Dlaczego, Maconie?

— Właśnie podjąłem decyzję, Saro. Myślałem o tym przez całą noc. Nie było to łatwe, wierz mi.

Siedziała i patrzyła na niego. Jej twarz nic nie wyrażała.

— Nie chcę się spóźnić na samolot — powiedział.

Wyprostował się powoli i pokuśtykał do łazienki po saszetkę z przyborami do golenia.

— Wiesz, co to jest? To wszystko przez tę pigułkę! — zawołała za nim Sara. — Sam mówiłeś, że zwala cię z nóg.

— Nie wziąłem pigułki.

Zapadła cisza.

— Macon? — odezwała się w końcu Sara. — Czy usiłujesz mi odpłacić za to, że cię opuściłam?

Wrócił z przyborami do golenia.

— Nie, kochanie.

— Chyba sobie zdajesz sprawę, jak będzie wyglądało twoje życie. — Wyskoczyła z łóżka. Stanęła obok niego w koszuli nocnej, obejmując nagie ramiona. — Będziecie jedną z tych niedobranych par, których nikt nie zaprasza na przyjęcia. Ludzie nie będą wiedzieli, co o was sądzić. Kiedy was spotkają, będą się zastanawiać: „Mój Boże, co on w niej widzi? Dlaczego wybrał kogoś tak nieodpowiedniego? To śmieszne, jak on z nią wytrzymuje?" A jej przyjaciele będą z pewnością zadawali sobie to samo pytanie na twój temat.

— Pewnie tak będzie — zgodził się Macon. Poczuł lekkie zainteresowanie. Zrozumiał teraz, jak się dobierają takie pary. Nie wynika to, jak zawsze sądził, z jakiegoś żałosnego braku postrzegania; są ze sobą z powodów, o których inni ludzie nie mają pojęcia.

Zasunął suwak torby.

— Przykro mi, Saro. Nie chciałem podjąć takiej decyzji — powiedział.

Objął ją z trudem, a ona po chwili oparła głowę na jego ramieniu. Pomyślał, że nawet ta chwila jest kolejnym etapem ich małżeństwa. Zapewne będą następne etapy — w trzydziestym roku, w czterdziestym — zawsze, bez względu na to, jakimi osobnymi drogami pójdą.

Nie wsiadł do windy, tylko zszedł po schodach. Frontowe drzwi pokonał napierając na nie sztywno ramieniem.

Na ulicy ujrzał zwykły ruch poranka — spieszące sprzedawczynie i mężczyzn z teczkami. Ruszył w kierunku następnego kwartału, gdzie była większa szansa złapania taksówki. Nie miał trudności z chodzeniem, ale niesienie torby było prawdziwą torturą. Chociaż była lekka, wykrzywiała mu kręgosłup. Spróbował ją przełożyć w lewą rękę, a potem znów w prawą. A co w niej było? Piżama, zmiana bielizny, pewne niezbędne rzeczy, których nigdy nie używał... Doszedł do jakiegoś budynku — banku lub biura — przy którym biegł niski kamienny krawężnik. Postawił torbę i ruszył dalej.

W oddali ujrzał taksówkę, z której wysiadał chłopak, ale za późno się zorientował, że zatrzymanie jej będzie problemem. Nie był w stanie podnieść ręki. Musiał więc biec, co wyglądało, jakby przed kimś uciekał.

— *Attendez! Attendez, monsieur!* — krzyczał po francusku, czego nigdy przedtem nie robił.

Taksówka już odjeżdżała, a chłopak właśnie wsuwał do kieszeni portfel; w tym momencie podniósł wzrok i ujrzał Macona. Zadziałał błyskawicznie — odwrócił się i zawołał coś. Taksówka stanęła.

— *Merci beaucoup!* — krzyknął Macon zdyszanym głosem, a chłopiec o słodkiej, czystej twarzy i gęstych jasnych włosach otworzył mu drzwiczki i delikatnie pomógł wsiąść.

— Uff — jęknął Macon, bo poczuł kolejne szarpnięcie bólu.

Chłopiec zamknął drzwi, a potem, ku zdumieniu Macona, uniósł dłoń w geście pożegnania. Taksówka ruszyła. Macon powiedział, dokąd chce jechać, i opadł na siedzenie. Poklepał wewnętrzną kieszeń sprawdzając, czy ma paszport i bilet. Rozłożył chusteczkę do nosa i otarł czoło.

Najwyraźniej znowu zawiodło go wyczucie kierunku, bo kierowca zawrócił i ruszył w stronę, z której Macon nadbiegł przed chwilą. Minęli chłopca. Miał lekki, sztywny chód, który wydawał się znajomy.

„Gdyby Ethan nie umarł — pomyślał Macon — może wyrósłby na takiego chłopaka?"

Chciał się odwrócić i spojrzeć na niego raz jeszcze, ale nie dał rady.

Taksówka podskakiwała na bruku. Kierowca gwizdał przez zęby jakąś melodię. Macon stwierdził, że podparcie się jedną ręką chroni plecy przed wstrząsami. Od czasu do czasu zaskakiwał go tylko jakiś wybój.

Gdyby umarli się starzeli, stanowiłoby to może jakąś pociechę. Myśl, że Ethan dorasta w niebie i ma teraz czternaście lat, a nie dwanaście, łagodziła smutek. To właśnie fakt, że umarłych nie dotyczy czas, powodował rozpacz. (Spójrzcie na męża, który umiera młodo, a jego żona starzeje się bez niego; jakie to smutne wyobrazić sobie, że on wraca i zastaje ją tak bardzo zmienioną.) Macon wyjrzał przez okno. Czuł jakiś wewnętrzny ruch, jakiś pęd naprzód. Pomyślał, że prawdziwą przygodą jest upływ czasu, jest to przygoda, jakiej każdy może sobie życzyć. A jeśli wyobrazi sobie Ethana jako część tego upływu — w innym miejscu i tak bardzo niedostępnego — to może uda mu się wreszcie znieść tę stratę.

Taksówka minęła hotel Macona, brązowy i porządny, dziwnie bliski. Właśnie wychodził jakiś mężczyzna z małym niespokojnym pieskiem w ramionach. A na krawężniku stała Muriel, otoczona walizkami, związanymi sznurkiem torbami i kartonami, z których wylewał się czerwony aksamit. Rozpaczliwie usiłowała zatrzymać taksówkę — najpierw tę, która jechała przed Maconem, a potem jego.

— *Arrétez!* — krzyknął Macon do kierowcy.

Taksówka się zatrzymała. Nagły błysk słońca uderzył o przednią szybę i po szkle rozbiegły się iskierki. Były to plamki po kroplach deszczu albo ślady liści, ale Macon przez chwilę myślał, że to coś innego. Były tak jasne i radosne, iż przez chwilę myślał, że to konfetti.

———————